ポップス歌手の耐えられない軽さ

桑田佳祐

KUWATA KEISUKE
POPS KASHU NO
TAERARENAI KARUSA

文藝春秋

ポップス歌手の耐えられない軽さ　目次

本書は「週刊文春」2020年1月16日号から
2021年5月6・13日合併号まで連載された
「ポップス歌手の耐えられない軽さ」に
加筆・修正したものです。

1　頭もアソコも元気なうちに

「頭もアソコも元気なうちに、言いたいことを言っておきたい！」

　そんな大層なタイトルを、文春さん側の意向もありブチ上げてみたわけだが、たぶんもう少し力の抜けたカタチで、この連載を始めさせて頂きたいと思います。

「元気なうちに」と言ってもそりゃ今日、明日どうこうという話じゃありませんよ。たしかに十年ほど前にガンをやったものの、おかげさまで予後は良好です。一時期は酒も断っていましたが、今は以前ほど気にせず飲んでおります。

　しかし、年齢（とし）も年齢（とし）なものでして。今年（二〇二〇年）二月の誕生日がくれば六十四歳になります。さすがに残された時間は少ないと、強く意識するようになってきました。

　後悔したくないから、やるならすぐ。何事にも貪欲でありたいと思うこの頃です。

今回は、自分が曲がりなりにも四十年以上音楽活動を続けて来られた源泉となってきたもの、それをご披露しておきましょう。

それは、日々の雑談と妄想です（笑）。

昔も今も交友関係は極めて狭いのですが、その小さい輪の中でいつも、脈絡のない雑談を漫然と繰りひろげてきたものです。そこから、数多くの「楽曲コンセプト」や「歌詞」だって生まれて来た気がします。

ファンの皆さん結構、「ここにひょっとしてかなり深遠な意味合いが含まれているかも」などと、ちょっとした勘違いをしながら、アタシの音楽を聴いてくれているとしたら、大変申し訳ない（笑）。

せっかくこうして週刊文春さんで連載させてもらえるのなら、そんな雑談のふりをして死ぬ前に妄想をいっぱい吐き出しちまえ!!　という気持ちでおります。

それに、連載しているあいだはスキャンダルでスクープされないとの噂も耳に致しました（笑）。今のうちにヤルことをヤッて、雑談＆妄想をし尽くそうと思う所存です。

さて、今気になっていることのひとつに、「パパ活」という言葉があります（ナンだ⁉　唐突に）。

何となく耳にしたことはあったけど、どういうものかちゃんと分かっておらず、先日スタッフにレクチャーして貰いました。

オジさんが若い娘に「パトロンになってあげるよ」って事なんですね。

「お金は援助するから、俺と付き合ってよ」と、ゴハン食べたり遊びに行ったりもする。

　で、場合によっては勿論セックスもある。互いの合意があれば、若い娘とヤッちゃえるのです。

　パパ活……。羨ましいなあ（笑）。

　語感だけなら、「あしながおじさん」か何かみたいで、心温まる話かと勘違いしそうじゃないですか。

　そう言えば、「援助交際」だって、こびりついたイメージを取っ払って言葉だけ見たら、ちょっと美談のような響きだ（笑）。

　その昔には、「ノーパン喫茶」なんてのもありました。あくまで喫茶店だし、店のおねぇさんが勝手にノーパンなんだし、たまたま見えちゃっただけだ……。そんな言い訳がましい、〝嘘から出た真実〟みたいな、スケベなネーミングに座布団一枚!!（拍手）

　でも、モノゴトの良し悪しはともかく、こんな風に抜け道を探して必死に言葉を手繰り寄せてる芸当には、凄みと涙ぐましさを感じますね。

　こんな話を持ち出したのも、このところアタシ自身の「欲望」がどこへ向かっているのか、という事でして……。

　年明けのこの時期は、「今年の目標は?」「どんな年にしたいか?」なんて聞かれる機会が増えます。自分としても、腕を組んで殊勝にも考えてみるフリなどをするのですが。

　そこで出た結論を言うと……

　やっぱりナマがいい!!

……ごめんなさい。ちょっとわかりづらいね（汗）。だったら、こう言い換えてもイイんです。

「人力で行こう!!」

「手作りで行こう!!」

「アナログで攻めよう!!」（アナルを攻めよう……じゃないよ）

余計に分かりづらくなっちゃったか（汗）。要は、〝ナマな欲望を剝き出しで生きたいぞ!!〟というコトなんですけど。

そう、これもスタッフからレクチャーを受けたんですけど、最近のヴァーチャル・リアリティというんですか、アダルトなＶＲ映像が長足の進歩を遂げているそうじゃないですか。

頭にＶＲマシンを装着して、アダルトな動画を再生する。と同時に、下半身には人肌に調整された自動のオナホールみたいなものを装着。すると、あ〜ら不思議。何をせずとも抜群に気持ちよくなれるそうな（いや、アタシはまだ未経験ですから）。

これで面倒な惚れた腫れたの駆け引き、口説き文句や痴話喧嘩なんかとも無縁でいられると言う。こりゃいっそう草食男子が増え、少子化を推し進める原因のひとつにもなりそうだ!!　ただ、これからどんどんそういう時代になって行くのは、避けられないんでしょうなぁ。

じゃあ音楽をやっている身としてはどうするか。いや、ＶＲアダルトビデオの話は置いといて……。もっと自分の内側から湧いてくるナマな欲望に、忠実に従う方が良いのではないか？　ヴァーチャル・リアリティに浸って、己の竿……いや、本能や直感力を、錆びつかせてはいけない……。アタシはそんな気がしてならないのです。

最近は知らないうちに、自分も少々行儀よくなってしまっていると、思い当たる節があって……。

贅沢な話なんですけど、このところ大きなお仕事をさせていただくことが多ございます。もう一昨年のことになりますが、「NHK紅白歌合戦」では一番最後に歌わせて頂いたり。昨年なら、全国六つのドームを含む十一カ所でライブツアーをさせて頂いたり。

その有り難さは、充分噛み締めているつもりです。でもそうなってくると、逆に原点回帰みたいに、たまには、四人編成のシンプルなバンドとか、生ギター一本とか、そういう学生時代に戻ったようなコトを、やってみたい気もします。初期衝動をもう一度呼び起こしてみたい気分と申しますか。

今は、大きいコンサートのみならず、テレビの音楽番組でさえ音響・照明・演出と、色んな面でコンピュータ制御になっていて、非常にデジタル化して、便利に進化していますから。

そりゃ確かに楽ですし、自分の体力的な衰えも上手い具合に誤魔化せてしまう。すると、何でも人任せというか、機械任せというか、さっきのVRによるヴァーチャルセックスみたいな状況に、知らず知らずのうちに陥ってしまっていたりするんじゃないか？　って。

それにこの頃は、物事が丸く収まるよう、上手く調整して仕事をしている自分がいて、〝一体ナニに気兼ねしているんだ、俺は……？〟と思うことが

NHK紅白歌合戦
「平成最後の紅白」だった2018年末の第69回NHK紅白歌合戦に、サザンオールスターズは特別枠で出演。大トリだった嵐のあとに登場し、『希望の轍』『勝手にシンドバッド』の2曲を披露。とりわけ『勝手にシンドバッド』では松任谷由実、北島三郎をはじめ出演者全員を巻き込んだ一大パフォーマンスと相成った。

「マンピーのG★SPOT」
1995年発表。ベストアルバム『HAPPY!』所収。オルガンやサックスの音が鳴り響くエネルギッシュなロックナンバーで、一聴すれば気分が揚がること請け合い。もちろんサザンオールスターズのライブでは定番中の定番曲。タイトルのあまりの大胆さにも度肝を抜かれるが、歌詞も全編驚きのフレーズばかり。例

ございます。

何でもかんでも「コンプライアンス云々」などと言われるようになりました。若いミュージシャンなんかも、跳ねっ返りの強い事をやろうとすると、今は周りからすぐに止められちゃうんじゃないかな⁉︎（汗）

アタシなんかも、「転ばぬ先の杖」じゃないけど、ちょっと意見を言う前に、必ず〝擁護するわけじゃないけど〟とか、〝誤解して欲しくないけど〟なんて枕ことばを付けて、自分の立場を安泰にするクセが付いちまった。

サザンオールスターズではかつて『マンピーのG★SPOT』だの、『女呼んでブギ』だの、『マイ　フェラ　レディ』だのというタイトルを平気で付けていましたけど、今の若い人が、同じ事をやれるかといえばなかなか難しいだろうね（誰もやりたかないでしょうけど）。

一九九二年に出した『シュラバ★ラ★バンバ』のミュージック・ビデオ。AV女優の方々に沢山出て頂き、ほぼ全裸でアマゾネスのような集団を演じて頂きました。当時大人気だったあの革命的セクシー女優「豊丸」さんにも出演して頂いたんですよ!!

撮影現場は、これまた結構エグかった。待ち時間も皆さんほとんど素っ裸で歩いてるし、アソコ丸見えでセットに縛りつけられちゃってる女の人もいたりして。そうしたら、ウチの原由子さんがだいぶご機嫌ナナメになっちゃいまして（汗）。彼女の目から見ると、女性に対する扱いがちょっと悲惨過ぎるんじゃないかと映ったんでしょうね。それで、すっかり現場のムードもシラけてしまって、アタシもスタッフも大慌て。


えば「芥川龍之介がスライを聴いて〝お歌が上手〟とほざいたと言う」などと、まるで現代詩の一節のよう。


「マイ　フェラ　レディ」

１９９８年発表、アルバム『さくら』所収。ジャズ・ナンバーをベースとしたサウンドと歌唱が、一度聴いたら病みつきになる。あたかも外国語であるかに聴こえる歌詞は、じつは文字にするとかなり下世話な日本語である。「そうメロメロで　エロエロで　ゲロゲロなる　我々たる倒錯」などのフレーズ、いったいどこからやってくるのか。

「シュラバ★ラ★バンバ
SHULABA-LA-BAMBA」
１９９２年発表。アルバム『世に万葉の花が咲くなり』所収。『涙のキッス』と同時発売のシングル曲で、揃って大ヒットを記録。イントロかこりゃ、やり過ぎちゃったという事で、さすがにちょっと表現を緩(ゆる)めることにしたんですね。

当時はまだバブルの名残があったし、アタシも三十代で、バランスなんて考えずにとにかく無茶苦茶やっていた。もちろん、それはただフザけていたわけではなくて、良い作品を創るんだという信念のもとでやっていた事なんですけど。

今から思えば軽薄で、やりたい放題が許容されていた時代ですね。

そう言えば、週刊文春の連載陣の大先輩でいらっしゃる林真理子さん。彼女にお会いする機会があって、初対面でいきなりこう言われましたよ。

「桑田さん、セックスやりまくってるんですって?」と。

なんというご挨拶……。まあ、そういうイメージが出来上がっていたということなんでしょうね(汗)。

ところが二〇〇〇年代になった頃からでしょうか? 何を表現するにしてもどこか見えない足枷(あしかせ)が出来てしまったような感がある。テレビなんかでも、エロ・グロはもちろんヴァイオレンスもダメになったり、使える言葉にも制限がかかり始めた。

昔は、そういう刺激的なモノがテレビにも、たくさん映っていたんです。大橋巨泉さんがやっていた頃の「11PM」なんか実に豪快と言うか、アンダー・ヘアは即刻解禁しようとか、同じドラッグでもマリファナくらいは全然OKだなんて話を、夜中に平気で放送してましたもの。

ジミ・ヘンドリックス、エリック・クラプトン、ザ・ビートルズなんかも、

ら重低音が鳴り響くファンクな曲調に、韻を踏んだ歌詞がねっとり絡んでいく。差し挟まれる純粋英詞ラップも新鮮だ。

自らの使用を公言していた時代ですからね。

アタシなんてその点、ホントに大人しいものですから。そっちの方向に流されなかったのは、運が良かったのかもね。ドラッグに頼れば良い音楽が創れるかどうか……その辺はアタシにとって永遠のナゾ、ということにしておきましょう。

いろいろ縛りがある世相の中で、「どうやったら世の中に、爪痕（インパクト）を残せるのか!?」……。それが今、ポップス歌手としての、アタシの最大の思案のしどころなのかもしれません。

思うに、アタシやサザンはかなり恵まれてきたんです。「バブル」を含めた自由闊達な時代の流れにうまく乗り、そのままの勢いで生き残ってきたようなところがあります。今のように、時代のムードが沈滞化したなら尚更、「貪欲さ」と「人間臭さ」を、くれぐれも忘れないようにしないとね。そんな思いを胸に、残された〝青春時代〟を、文春の誌面をお借りして謳歌してやろう、とワタクシは思うのであります。

2　親父と茅ヶ崎と

正月気分も遠のいて参りましたが、皆様はゆっくり骨休めできましたか？　ワタクシなんぞ、年末年始といっても「年越しライブ」でもない限り、ほとんど変わりありません。休みとなると、ロクに外出もせず、家の中でじっとしているだけですから、実に大人しいものですよ。

いや、かつては時間ができると深酒などしましたが、病気で手術をした後はガラリと変わりました。数年の間、一滴も飲みませんでしたからね。このところ、また増えてきたとはいえ、飲むのは週に数回で収まっております、ハイ。

じゃあ最近はオフの時間に何をしているのかと言えば、家に籠って Netflix や Amazon Prime Video 三昧ですよ。映画やドラマをひとり楽しく観ております。例えば『テラスハウス』でしょ、それに『全裸監督』はもちろん制覇して……。

最近じゃ古い映画のＤＶＤにも手を出してます。川島雄三監督の作品で若尾文子さん主演のもの、『しとやかな獣』とか『女は二度生まれる』とか『雁の寺』とか、最高です!!　子供の頃は全く気付かなかった大女優の凄みと言うか、色香と言うか……。この歳になって初めて知るに至った思いです。

最後のおさらい

映画は昔から好きなわりに、思えば「マニア」としてしっかり究めるなんてことはありませんでした。ヒッチコック作品は全部観たとか、黒澤明を崇拝してずっと追いかけて来たなんてことがない。音楽以外は、すぐに中途半端で飽きてしまいます。

それで、なんとなく作品名や俳優さんの名前は見知っていても、映画そのものはちゃんと観ていない……というのが殆ど(ほとん)で。ここいらで最後のおさらいとばかりに、昔の銀幕モノを観まくっているわけです。

それにこの頃は、うちの亡き父がアタシに話していたことを思い起こしたり、それを辿っているようなフシがございます。

というのも、親父はアタシがまだ小さい頃、茅ヶ崎で映画館「国際劇場」の雇われ支配人をしていたんです。通っていた小学校のすぐ近くだったから、放課後に立ち寄っては、「モギリ」のおねえさんや売店の従業員さん達ともよく遊んだものでした。

親父は戦前、家族と満洲大連に渡って、戦後に地元の北九州へ引き揚げて来ました。そこから、どうやら大船にあった松竹撮影所あたりに職を求めて、

国際劇場
桑田佳祐の父・久司氏が支配人を務めていた映画館。娯楽の少なかった戦後の時代に茅ヶ崎の人々を慰撫し続け、1967年にショッピングセンター「みなみマート」に生まれ変わるまで営業を続けた。子ども時代の桑田は、放課後しばしば「顔パス」で同劇場に入館し時を過ごした。

茅ヶ崎に流れ着き、映画関係や写真を撮る仕事をするようになったそうで。

その親父が言うには、自分は小津安二郎監督の運転手もやっていた事があるのだとか、新聞記者をやっていたとか……。今となっちゃあ本当かどうか、確認しようがないんですけど（汗）。

まあ、たしかに小津さんの住まいは鎌倉で、茅ヶ崎の「茅ヶ崎館」という旅館を定宿にして台本などをお書きになっていたというから、あり得ない話でもないんですが。

それで親父が、

「小津監督と女優の原節子は明らかにデキてたぞ」

「岸惠子は性格はキツかったけど、俺にだけは優しかった」

「堺駿二の息子のマチャアキはイタズラで困った」

とか、自分の子どもに向かってまことしやかに話すんですよ。どこまで本当だったんだか？（汗）

親父はハッタリをかますことと、新しいモノが大好きで、「茅ヶ崎の町で初めてテレビとラジオを買ったのは俺だ」なんて自慢話もしていました。これもずいぶん怪しい話です。

やりもしないのにゴルフセットだけは幾つか持っていたし、スポーツカーのフェアレディなんかも買って乗り回していました。小さな借家に住んでいるくせに、そういうところだけは見栄を張る人でした（笑）。

そういう父の姿なんかが、最近ふと甦って参りまして。それでつい、昔の映画に手が伸びちゃうんでしょうかね。

そう言えば、当時の茅ヶ崎と言えば、まあ何にもない町でした。今でこそ茅ヶ崎や湘南などというと、なんとなく小洒落たイメージがあるかもしれないけど……。

確かに自分でも、「望郷の念」をちょいちょい歌詞の中に登場させては来ました。だって、デビュー当時なんてそれくらいしか人生経験やボキャブラリーが無かったからね（笑）。

生まれて初めて作った曲のタイトルは『茅ヶ崎に背を向けて』だし、デビュー曲の出だしは「砂まじりの茅ヶ崎」でしたから。

そんな風に、軸足はずっと生まれ故郷に置いたまんまだった。

アンニュイな思春期

さんざん地元茅ヶ崎を利用してきた身で言うのもナンですが、アタシが小学生の頃なんざ、そりゃあウラ寂しいところでね。ウチの周りは海と松林、それに野っ原くらいしかない。

『チャコの海岸物語』の歌詞にも使った「エボシ岩」が地域のシンボルで。今も遥か沖合いに見えますけど、それとてちょっと変わった形をしているだけで、子供のアタシからしたら、あんな岩、大して面白いわけでもありませんん（笑）。

住んでいる家の周りだって、全方向ぐるりと空き地でした。海っ端で、月見草とトノサマバッタだけがお友達。しかもウチは両親が水商売だったから、

「茅ヶ崎に背を向けて」
1978年発表。サザンオールスターズのファーストアルバム『熱い胸さわぎ』所収。感傷的なロックバラードをいっそうドラマチックにするのは、桑田佳祐のボーカルのあいだに挟まれる原由子の歌声である。

「チャコの海岸物語」
1982年発表のシングル曲。カモメの鳴き声からイントロが始まり、快いテンポでキャッチーかつ郷愁あふれるメロディが続く。あえて少し舌足らずに発声した歌唱法も含めて、青春の甘酸っぱさを前面に押し出した一曲。「サザン＝海」のイメージを固めるのにひと役買った楽曲でもある。

夜は四つ上の姉とふたりで留守番ですよ。

姉貴がかけるラジオやレコードを一緒に聴いたり、イカのスルメを石油ストーブで炙(あぶ)って食ったり、親のタバコに火を点けたりしながら、二人でテレビを観るくらいしかやる事がなかったな。姉貴はその頃ビートルズをはじめ、洋楽ポップスに狂っていた。毎晩、彼女が踊りながら熱狂的に泣き叫ぶ姿を眺めては、延々とリピートされるレコードを聴いていました。

一応、将来の夢は野球選手になる事で……。昼間は、家の近くの原っぱにひとりバットを持ち出して、自分で放り上げた小石を青空に向けてカン、カンと打っていました。いくら思い切り打ったって、隣の家には届きません。だって、何度も言いますが、昭和四十年頃、ウチの周りは原っぱだけでしたから。

夜観るテレビは「コンバット!」や「逃亡者」や「アイ・ラブ・ルーシー」なんかの外国テレビドラマが中心で。

級友に聞けば、「夜八時には寝てる」なんていうのが当たり前の時代で。こっちは親の帰りが深夜なだけに、どうしても宵っ張りになる。寝る前はいつも大橋巨泉や藤本義一司会の「11PM」を観ていました。

当時は、番組の中で普通にオッパイ丸出しだったし、麻雀や釣りや競馬とか、風俗や政治の事も、その番組では同列にマジメに議論してましたからね。そういうのを見ながら、摩訶不思議な大人の世界への憧れを、夜な夜な募らせておりました。

でも茅ヶ崎って街は、高度成長期と言えども、なんとなく空虚で不思議な風が吹いていた。周りの大人達から見ても、自分は決して可愛げのある純粋な子どもではなかったでしょうね。

　悪い事をする度胸もないくせに、親にはずいぶん迷惑を掛けたと思う。

　ひとり遊びが好きで、人前に出ると明るぶったり、ついついええカッコしてしまう。昔も今も、本質的にそこは変わらないかな？　それがおそらく、茅ヶ崎の片隅で生まれ育った、自分の性分なんでしょうね。

　そう言えばウチの親父、「〝アルゼンチン・タンゴの女王〟藤沢嵐子（らんこ）さんと付き合ってた」というのが得意の自慢話でした。またハッタリかよ……みたいに、いつも思ってたんだけど。親父の葬式の時、なんと嵐子さん御本人から、大きな御花を届けて頂いたんです!!　あれにはホント驚いたなぁ!!

　アタシは、そんな親父の事がちょっぴり誇らしく思えた。

　故郷・茅ヶ崎よ、ありがとう。

3　テレビはつらいよ

この度、民放共同企画「一緒にやろう」応援ソングをお披露目させて頂くという事で、一月二十四日、民放の共同番組に出演させて頂きます。是非皆さまご覧ください。思えば我らサザンオールスターズは、デビューの頃からずっとテレビにお世話になって来ました。

「ザ・ベストテン」や「夜のヒットスタジオ」、そして「NHK紅白歌合戦」に至るまで、デビューしたての頃は、本当によくテレビ番組に出演したものです。

歌番組だけじゃありません。「クイズ・ドレミファドン!」、「芸能人水泳大会」、「オレたちひょうきん族」、バラエティ番組にまでどんどん出る、出る!!「8時だョ!全員集合」の少年少女合唱隊に出させて頂き、かのいかりや長介さんにイジられた時は、天にも昇る思いでした(笑)。

同じく雑誌も『月刊明星』『月刊平凡』『セブンティーン』『プチセブン』『近代映画』に至るまで……。ティーン向けの雑誌でたびたび表紙に出して頂いて、「なんでこんなイイ歳した小汚いミュージシャンが?」って、自分達でも置かれた立場と状況がよく分からなくなっていました。

そうこうするうち、生まれて初めてファンレターなんて貰ったものだから、恥ずかしいやら嬉しいやらで……。

歌謡曲が「仮想敵」

何故そんなに出まくることになったのか。そこには深遠なプロモーション戦略でもあったのか?

いや、全然。とにかくまずは世間に顔を売って、名前を知ってもらおう。話は全てそこからだと、当時タレントがひとりもいない〝ウチの弱小プロダクション〟から、ハッパをかけられてのことでした（汗）。

あの頃は、怪しげな社長（現ステキな会長）に洗脳されるが如く、言いくるめられていただけの事だったのです。社長曰く、「お前らみたいなブスは、テレビに積極的に出ないといかん」……とかいう訳の分からない理屈だったと思いますが。

でも、何の事情も知らないアタシなんか心の底では、

「え?　テレビ?　出、出てみたい!」

というミーハー精神が頭をもたげていながら、最初はちょっとニヒルに構えたり、慎重なフリをしていました。

「まぁ、社長がそれほど熱心に言うならやりますけど……。ただ僕らもエリ

ック・クラプトンとか、リトル・フィートとか、主に洋楽が好きなんで、テレビもいいけど、しっかり演奏を聴いてもらえる場が欲しいですなぁ」

とかなんとか言いながらね（笑）。

一九七〇年代末期の昭和の世の中、その頃は歌謡曲が燦然と輝いていたし、自然とそれを「仮想敵」にして、「新しい時代を担うオレ達の音楽で、お茶の間に殴り込みだ!!」

くらいの大層な思い込みがありました。ちょうどツイストやChar さん、もんたよしのりさん、ゴダイゴなんかが、同じようにテレビをプロモーションに使っていることもあって、自分達も強気でいられたんだと思います。

「何？　ジュリー？　バカ言うなよ。歌謡曲なんかに負けないよ！　こちとら洋楽がバックボーンだし!!」

とばかりに、今思えば、甚だ勘違いのノリでやっておりました。

それ以降も、サザンはテレビに出続けて行ったわけだけど、時が経つにつれて、テレビを経験すればするほど、少しずつ葛藤を抱えていったのであります。

上の世代には、「テレビになんて絶対出ない」という人達もたくさんいて。そっちの方が音楽家としての〃ハクがつく〃という風潮の時代でした。

まぁ、その人たちも後年こぞってテレビに出て来て楽しそうにやってましたけど（笑）。

その後、時代が移ろい、「関西文化」「吉本カルチャー」といった、そんな芸人さん達の進出が全国区になって来た。そして九〇年代あたりは、音楽番組への出演が、何となく「気重」に感じられるようになってしまったのです。

というのは、当時の「HEY!HEY!HEY!」や「うたばん」といった番組は、かつての歌番組とは求められるものが明らかに違っていたんです。ただ新曲を歌って帰ればイイというわけにはいかない。歌う時間よりも長いトーク収録のコーナーがあって、そこで個性とキャラクターをしっかりアピール出来る「トーク・スキル」が無けりゃあ、ミュージシャンとしてもアカン……というような風潮が強くなっていた。

こちとら、テレビ……特にバラエティ番組で通用するような臨機応変のトーク力は無いし、芸人の真似事を、アタシごときがその気になってやり始めたら、その後のバンドとしての評価も、まるで違ったものになったと思います。すぐに底の浅さが見透かされてしまったでしょう。

ブラウン管の中の夢

その頃、パフィーやウルフルズや、西川貴教君などは、僕らよりも下の世代でありながら、羨ましいほど余裕があって、テレビを観ながらも、彼らの自然（ナチュラル）な振る舞いと面白さには大いに感心、嫉妬したものでした。我々なんかとは頭の回転やトーク・スキルも圧倒的に違います！

だから、そういう音楽番組に出るべきか否かは、ずいぶん悩んだものですよ。もちろんたまに出させて貰っても、どちらかというとアウェイの僕らは巧く馴染めず、戦力にもなれずに終わってしまう。

そこへ行くと、同世代の松山千春なんかは実に面白い!!　どんな番組に出ても、彼の存在感は圧倒的だし、番組全体を自分の色に染めてしまいますからね。

ああいうところ、羨ましいというか、本当に尊敬してしまいます。

最近は、ＮＨＫの「ＳＯＮＧＳ」みたいに、トークにそれほど比重がない歌番組も増えて、有り難いとは思いつつ、なんだか随分こちらに気を遣ってもらっているようで、申し訳なさも痛感しております。

しかし考えてみると、アタクシのテレビへの「過剰反応」「恐怖心」って、実はソコに対する憧れが強過ぎるせいなのかもしれません（汗）。

ひとり遊びが大好きだったから、「日曜洋画劇場」でやっている映画や、アメリカのテレビドラマの吹き替え版を、夜な夜な姉と二人で観るのが、ガキの頃から毎晩のお決まりでした。

典型的なアメリカン・ホームドラマの「奥さまは魔女」、スパイもののコメディの「それ行けスマート」……。あと、刑事アクションドラマ「ハワイ５－０」は、最近リメイク版も作られ、アタシをいまだにめくるめくファンタジーの世界へと誘（いざな）うのであります。

あ、そうだ！

当時は「ハニーにおまかせ」に出ていた、アン・フランシスという女優に夢中でした！　金色の髪で、ものすごくスタイルが良くて、唇の端にホクロがあり、何となく憂いを帯びた表情がたまらなくて……。子供心に彼女との「結婚」を大いに意識していました（笑）。

アン・フランシス
ブロンド髪に碧眼、口元のホクロもセクシーな、まさにアメリカン・ビューティーと呼ぶべき女優。『禁断の惑星』

あの頃、幼いアタシにとって、夢も希望もブラウン管（昭和ですから）の中に溢れていたし、何度も胸をときめかせた記憶がございます。

またこれからも、テレビ出演の際には、初期衝動の「トキメキ&憧憬」を忘れずに、お世話になろうと思っています。もちろん、トーク・スキルは、もう少し鍛えないとね（汗）。

テレビよ、ありがとう。

Netflixもイイよ。

「全裸監督」面白すぎ!!

などの映画作品で注目された後、１９６０年代からテレビドラマの常連に。「ハニーにおまかせ」で演じたセクシー私立探偵ハニー・ウェストがハマり役に。

4 ありがとう、平和の祭典

皆さん、ご覧いただけましたか!?「民放同時放送! 一緒にやろう2020大発表スペシャル」

気づいたら、民放テレビが全部おんなじ「絵」になっちゃった!! あんなの昔の〝ゆく年くる年〟だよ、まるで(笑)。

そこでアタシ、新曲の『SMILE～晴れ渡る空のように～』を初公開させて頂きました。そもそもこの曲のお話を頂いたのは、昨年の夏頃だったでしょうか?

元来引っ込み思案(?)のアタシが、こんなに前向きで壮大な企画に参加出来るなんて、ただただ光栄と言いますか、御依頼を受けた時は腕組みをして考えたフリをしたのですが、ついつい「尻尾」を振ってしまったのが、先方に気づかれてしまったのであります(オレは小犬か?)。

しかし、いざ制作に取り掛かってみると、物凄く大変でしたね。だってこれ、ひとつには「みんなで一緒に今年のオ◯◯◯◦クを盛り上げて行こう!!」

「SMILE～晴れ渡る空のように～」

民放共同企画「一緒にやろう2020」応援ソングとしてつくられた楽曲。初披露は2020年1月24日、民放5系列による一斉放送にておこなわれた。音楽とともに歩むような快いリズムとメロディを持った曲調が気分をなだらかに高揚させてくれて、アスリという、色々と訳あって〝伏せ字〟にはしていますが、かなり責任重大な企画でもあります。

　で、アタシの場合は「歌」を作る時に、だいたい曲＝メロディが先に出来るんです。今回も、メロディがほぼ固まるところまでは、何とか早く漕ぎ着けられました。ただ、歌詞作りは非常に難航しましてね。例えばサザンの『東京VICTORY』なんかもそうだけど、この手の〝応援歌〟っぽい曲の歌詞は、意外と作るのが難しいんです。

　偽善的というか、独善的というか……、とにかく「夢」だの「希望」だの、耳触りの良い言葉を乱用しがちになるんです。一体これはどうしたものか、無い知恵を絞ってずいぶん悩みましたね。

　他にも「栄光」だの「Hero」だのといったフレーズには絶対頼りたくないなぁと思ってね。え？　その辺の単語、新曲に全部入ってるじゃねぇかって？　ま、まぁ……そういう言い方もあるけどさ（笑）、いちいち、うるせえなぁ（怒）。

　歌詞は、フトしたきっかけで「降りてくる」もの。ただし、それがいつとは言い知れぬもので……、それまでは愚直に悩み続けるより仕方ありません。まぁ今回は、このところ毎日のように胸に抱いている事が題材になりました。

人生は束の間の舞台

アタシも花鳥風月を慈しむような齢（とし）となり、「自分はあと何年生きられる

ートの背中を押すのみならず、コロナ禍に立ち向かうすべての人への応援歌として広く聴かれることとなった。

「東京VICTORY」
２０１４年発売、サザンオールスターズ55作目のシングル楽曲。イントロのwow wow wow……と続くコーラスから高揚感にあふれ、そのままアップテンポの曲調につながって気分は大いに盛り上がる。歌詞はアスリート賛歌と受け止められるが、発生から３年が経っても傷痕が完全に癒えない東日本大震災被災地への応援と読むこともできる。

のか?」なんてフト思うわけです。人の一生とされる八十年やそこらの年月って、大宇宙や地球の歴史からすればほんの一瞬。そんな束の間の舞台に、僕らは生きているというか、生かされているわけですな。だったら、殊更小さい出来事にクヨクヨしたってしょうがないじゃないかと、昨年行った古びた温泉宿で、湯に浸かっている最中に思い当たったわけでございます。

　そして出だしの、

長きこの地球の
歴史の一幕に
立ち会う事を
奇跡と呼ぶのだろう

というフレーズが、生まれました。

　この言い回し、というか自分の秘めたる想いをまず表現できた事で、ようやくこの歌の世界観が立ち上がって来たのです。こう言っちゃあナンだけど、老若男女、万人に受けるものなんて、今の時代そうカンタンには作れません!!

　歌詞なんて、身の回りの事とか、惚れたハレたの話を書いた方がナンボか楽でございます。そういう意味じゃ、盛り場で酒を呑みながら男女が駆け引きしたり、乳繰り合う情景を描くような歌詞が、やっぱり芸能としては「健全」なんだろうなと。だって、誰だって大人の艶っぽい世界には興味があるでしょう？　アニメや坂道系の人たちもイイけどさ。

〝肴は炙（あぶ）ったイカでイイ〟そんな食い方までレクチャーするな、八代亜紀。

〝折れたタバコの吸殻で、あなたの嘘がわかるのよ〟そりゃ、いくらなんでも嘘だろう、中条きよし！　〝泣くの歩くの死んじゃうの？　あなたならどうする？〟って、錯乱したのか、いしだあゆみ。

冗談はさておき、アタクシは演歌・歌謡曲が大好きだ!!　そんな風にしみじみ歌われたら、やっぱりアソコ、いや心（ココロ）が疼くもんなぁ!!

歌詞なんて、何事も自分の身の丈で表現するのが一番。曲中で、「でなきゃモテないじゃん!!」と叫んでいるのも、まぁアタシらしいかもしれませんけど。

今年大いに活躍するであろう、アスリートの方々だって、競技を始めた際のモチベーションを尋ねてみれば、人によっては案外身近な事だったりするんじゃないでしょうか？　それこそ「モテたい」「カッコつけたい」「チヤホヤされたい」といった気持ちが、出発点だったりバネになっていたりね（だからさ、全員とは言ってないよ）。

アタシらの世代だと、前回の東京オリンピックの思い出が沢山ございます。あれは一九六四年ですから、アタシは当時八歳ですよ。近所の街道沿いにトーチ・リレーか何かの応援に行って、担任の先生からムリヤリ旗を振らされたのを覚えています。

あとは、もっぱらテレビ観戦。ニッポンの高度成長期の最中、皆がこぞって〃世界〃を眺めておりました。半世紀以上たった今も、鮮明にその姿が目に浮かぶくらいですから、選手の個性も一人ひとり際立っていたんでしょう。マラソンだと円谷幸吉選手が銅メダルを取って、「裸足のアベベ」というエチオピアの選手がぶっちぎりの優勝をしました。
それ以来、小学校の運動会でも裸足になるヤツが増えたけど、やっぱりみんなすぐにズック（運動靴）を履いたっけ。足の裏の痛みには、ついぞ勝てなかった!!

不埒（ふらち）な人間臭さ

女子体操で金メダルを取ったのは、ベラ・チャスラフスカ選手。チェコスロバキアの代表でした。今の体操選手と比べれば、ちょっとふっくらしていて、世のお父さん連中を相当悩ませたはず。だってあんな金髪のキレイなオンナのヒトが、当時馴染みが薄かった「レオタード」でクルクル鉄棒の周りを回ったり、形のイイお尻や胸がビンビン揺れるもんだから、アタシらガキも含めて、ニッポンの男たちは完膚無きまでに悩殺、いや大いなる夢を見させて頂きました。
回転レシーブで有名な「東洋の魔女」と呼ばれていたバレーボール日本代表も大人気でした。当時の大松博文監督のシゴキ、スパルタ練習には目を覆いました!!　今あれをやったらどうとかつて議論は、この際どうでもいいのですが。

円谷幸吉
1964年東京五輪に陸上長距離走代表選手として参加。マラソンで銅メダルを獲得して一躍、時の人に。68年のメキシコ五輪での活躍も期待されたが、開催年の1月に自殺。残された遺書には「幸吉は、もうすっかり疲れ切ってしまって走れません」との言葉が綴られていた。

ベラ・チャスラフスカ
旧チェコスロバキア出身の女子体操選手で、1964年の東京五輪で大活躍。平均台、跳馬、個人総合で金メダルを獲得した。演技、容姿ともに端正にして優美ゆえ、当時多くの日本人男女が彼女に憧れた。のちにチェコオリンピック委員会の総裁など要職を務め、日本との結びつきも終生続いた。

アタシも少年野球から中学まで野球をやってましたけど、練習は当時まだなんとなく軍隊式!!　延々とウサギ跳び、水飲むな、ケツバット、監督や先輩からの鉄拳制裁は当たり前でした。で、殴られた後は「ありがとうございました!!」だからね。親にブタレたこともない、この綺麗な顔を……。一度鼻血を出して父に言いつけたら、今度は父が監督に「どんどんコイツを殴って性根を叩き直してください」だと。

まぁ、世の中全体がそんなものでしたから、普通に言えば不条理、良く言えばずいぶん人間臭かった。

今回のオリンピックでも、アスリートの磨き上げた技量に驚嘆しつつも、ちょっと不埒な人間臭い部分が垣間見られたら面白いね!!

聞きしに勝る選手村の実態とか、ちょっと覗いてみたくありませんか!?　だって若くて健康そのもの、いや世界ナンバーワンの屈強な男女が共同生活ですよ!!（汗）

こんな噂を聞きました。過去のオリンピックの選手村では、配布されたコンドームを持った女子選手が、某金メダリストの部屋のドアの前に行列を作って順番待ちをしたそうな（あくまでも噂ですよ）。

いったいこの夏、東京で何が起きようとしているんだ!?

ありがとう、平和の祭典。

5　バンドやろうぜ⁉

皆さん、「カーリングシトーンズ」って知ってます？　音楽の世界では、かなり話題になっておりまして。

なんでも寺岡呼人くんや奥田民生くんら、五十代の仲良し凄腕ミュージシャン六人が、新しいバンドを作ったのであります。

（海外ではかつて、ジョージ・ハリスンやボブ・ディランが結成した「トラヴェリング・ウィルベリーズ」なんてスゲエのがあったけどね‼）

「サティスファクション」でもないくせに、ローリングだかカーリングだかペッティングだか……フザけた名前付けやがって、どうせすぐ消える〝バッタもん〟じゃねぇのか？

なんて思ったら、大間違いで。

アルバムを発表し、ライブ・ツアーもして、彼らはたいそう精力的なご様子。

いや、本当に素敵なスーパー・グループで、何より演（や）っている人たちが皆、

カーリングシトーンズ
2018年結成の音楽ユニット。メンバーは寺岡呼人、奥田民生、斉藤和義、浜崎貴司、YO-KING、トータス松本の同世代ミュージシャンたちだが、もともと親交も深かった同世代ミュージシャンたちだが、このバンドでの活動中は「寺岡シトーン」「奥田シトーン」といった呼び名で統一。2019年にアルバム『氷上のならず者』をリリースした。ユニット名は当初、全員がカーリング経験者であることからこの名になったと言い張っていたが、もちろん事実では

楽しそうなのがよろしい。本気で仲も良さそうだしね。

だけど、どうしてオレを誘ってくれなかったんだ？　ずっと事務所で電話待ってたのに。

（へんな言いがかり、というか妄想はやめなさい！）

聞けば、彼らＬＩＮＥのグループメールでしょっちゅうやり取りしているそうな。

要するに正直なところ、彼らの純で粋な関係性が、おじさん羨ましいかぎりなのであります（泣）。

じゃあ、お前も同世代を集めて音楽活動でもやってみたらいいじゃないかって？　そ、そりゃ、そうなんですけど……。

我々世代のミュージシャンて、結構いっぱいいるんですよ。佐野元春、世良公則、Ｃｈａｒさん、松山千春、大友康平……。ほら、なかなか味わい深い顔ぶれでしょう。

こうして名前を並べただけでも、「個性強過ぎ」の「クセモノ」だらけって感じがしますよね。この場合、いったい誰がこの人たちの……この人たちを束ねる「猛獣使い」の役をやるんだろうね？　全員ワガママそうで、リハーサルとかメンドクサそうだなぁ！　で、喧嘩が始まったら、オレと佐野ちゃんはとりあえず一緒に逃げような!!

「カーリングシトーンズ」みたいに、全員が大人で和気あいあいとヤレるかどうかは、夢のまた夢……？

（でも凄く楽しそうだね!!）


ない。

トラヴェリング・ウィルベリーズ
１９８８～90年に米国で活動した覆面バンド。とはいえメンバーはもちろん判明しており、ジョージ・ハリスン、ジェフ・リン、ボブ・ディラン、トム・ペティ、ロイ・オービソンという豪華な面々。「Handle with Care」「End of the Line」などのヒットシングルと2枚のアルバムを生んだのちに活動は収束。

〝猛獣〟たちの集い

そう言えば昔、世代を超えて、たくさんのミュージシャンが集まるテレビ番組を企画した事がありました。

一九八六年と八七年の年末に放送された「メリー・クリスマス・ショー」。バブル前夜。あの時は、ユーミンさんや忌野清志郎さん始め、個性たっぷりのミュージシャン達が集結して、そりゃあなかなか大変だったけど、テレビで色んなネタで歌ったり遊んだり、本当に面白かったなぁ!!「猛獣使い」という意味では、プロデューサーの菅原正豊さん始め、テレビ・スタッフの皆さんのおかげで、なんとかイイものが出来上がったし。

何より、生放送で司会をやってくれた明石家さんまさん(この人も同級生!)がいなけりゃ、絶対にあの番組は成立しなかった(さんまちゃんの猛獣使いぶりは、まさに天才的!!)。

あと、実は番組には出演されていないけど、内山田洋とクールファイブの『長崎は今日も雨だった』と、ビーチ・ボーイズの『サーファー・ガール』を無理やり合体させてアタシが歌う……という企画を、あの山下達郎さんがわざわざ譜面を書いたり、アドバイスをしてくださった事は、もう時効だからお話ししてもいいよね?

普段からさほど交流の無いミュージシャン達(アーティストって呼び方がどうも嫌いだから)が、ああして一堂に会す時のエナジーというか、ケミス

『メリー・クリスマス・ショー』
1986年と87年、12月24日のクリスマス・イブに日本テレビ系列で放送された音楽番組。桑田佳祐がみずから企画からミュージシャンとの交渉、出演までをこなした。両年とも司会は明石家さんま。両年ともスタジオ出演をしたのはKUWATA BAND、松任谷由実、泉谷しげる、アン・ルイス、中村雅俊、小林克也、吉川晃司。番組のために「Kissin' Christmas(クリスマスだからじゃない)」という楽曲が作られ、エンディングで歌われた。

トリーといったものが、それこそ〃和気あいあい〃と最後に『Kissin' Christmas（クリスマスだからじゃない）』なんて曲を作らせたパワーになったと思うし、番組終わりでこの歌を全員で演った時は、ホント〃至上の喜び〃ってやつが身に染みました!!（お互い若かったし）

だから、我々だってやれば出来るんですよ（笑）。普段は全然違う方向を向いてそうで、最初ギコチなくても、何とかカタチにしようと努力したり協力し合ったりしますからね、意外と（あの泉谷しげるさんでさえ、ね）。

出演交渉も、まず自分達でやった。やっぱり最初はこの人だろうと、吉田拓郎さんに参加のお願いに行ったところ、「イイよ。司会ならやってやる」とか言われて、こっちもすっかり困っちゃって。

「拓郎さん、歌ってくれないんですか?」

「だから、司会ならやるって」

みたいなやり取りが続いた挙げ句に交渉断念（笑）。

次に「話を聞くよ」と言って、わざわざ逢いに来てくれたのは小田和正さん。

席に着くといきなり「ちょっと待って」と言って、8ミリビデオをアタシの顔に向けて回し始めて。

「実はこんなテレビ番組を企画……」とか、説明し始めたんだけど、小田さんは片目つぶって、もう片方の目はカメラのファインダー覗いてアタシを撮ってるから、なんかスゲエ話しヅラい……。

で、アタシが困った顔していると、「あ〜、気にしないで喋れよ」「撮りな

吉田拓郎
鹿児島県出身のシンガーソングライター。字余りの歌詞をシンプルなリズムとコードにのせて歌う独特の表現を貫き、長らく日本の音楽界の第一線に。桑田佳祐も大いに影響を受けており、1985年リリースのサザンオールスターズのアルバム『KAMAKURA』には、「吉田拓郎の唄」が収録されている。

小田和正
1970年にバンド「オフコース」での活動を開始。「さよなら」「愛を止めないで」「言葉にできない」などの美しい楽曲を真似のできないハイトーンボイスで歌い上げるスタイルによって人気に。86年からソロ活動を始め、「ラブ・ストーリーは突然に」「こころ」と時代を超えてヒット曲を生み出し続ける。

から話は聞こえてるから」とか、わりと男気たっぷりな口調で、小田さんカメラ回してるし（歌う時の声とはだいぶ違うんだよ、あのヒト）。

　ホントに拓郎さんといい小田さんといい、この世代の人達は「バンカラ」「親分肌」「頑固一徹」で……。結局、拓郎さんも小田さんも出演は叶わずじまい（涙）。

　あと、佐野元春の話を思い出した!!「メリー・クリスマス・ショー」には、彼も誘ったんですよ。

　同級生としてのシンパシーを、何故か一番感じてしまう、佐野くんはやっぱりスゴいやつなんだ!!（ここ、佐野元春風に読んでくれたまえ）

　おっと！　ここでもうページが足りないよ。イイところなのに、そりゃあ無いじゃないか!!　週刊文春!!　書ききれないので、続きはｗｅｂで……ではなく、次号の文春で!!

6　愛しきミュージシャンたち

さて前回からの続き。

かつてアタシが「メリー・クリスマス・ショー」という番組を企画した時のこと。あの同級生ミュージシャン、佐野元春クンに、「一緒にやらない？」と、ダメ元で声を掛けたのね（佐野元春だから、サノ元……でも良いのだが。こりゃ、ツマらんね）。

そしたらなんと!!

彼、驚いたことに出演を快諾してくれたんだよ!!（一旦は）き、奇跡ですよ！　そりゃあ、嬉しいじゃないですか!!　だって、当時、彼がテレビの歌番組に出るなんてあり得ない話だったからね!!（あ、今もそうだ）アタシとスタッフは、その晩あまりにも嬉しくて、「とらぬ狸の皮算用パーティ」ならぬ、ただの〝ヌカ喜び〟呑み会を朝まで繰り広げたものでした!!（やはり、アレはバブル前夜だったのだ）

それなのに……。元春ちゃん、ああ、それなのに、それなのに。彼、結局

佐野元春
1980年「アンジェリーナ」でデビュー以来、ロックンロール、ダンスミュージックからジャズ、ソウル、スカ、レゲエと多様なジャンルを取り入れ、つねに新しい音を求めてきた音楽の探究者。歌詞を独立した詩として鑑賞・分析する人がいるほど筆が立つことでも知られる。80年代には拠点をニューヨークへ移した。その際に桑田佳祐と原由子が訪問するほど親交は厚く長い。

は番組の収録に……来なかったのね（ここ、すごく小声で言ってます!!）。振り返りますと、最初、出演のお願いに行った時は、ずいぶん乗り気だったのね、彼。

「わかったよ、桑田クン!!　よく来てくれた。すべてオーケーだ!!」

って、元春ブシ全開で快諾してくれたんだよ!!

「例えば、ココはこうするのはどうだい？？？」

なんて、色々と演出の逆提案までしてくれて。それなのに、収録当日になったら全然現れない……（汗）。イイねぇ、佐野ちゃん（笑）、いや、違う違う!!　良くはない!!

出演者みんなで「ロックンロール・セッション」をする手筈で、スタジオには彼が弾くためのグランド・ピアノを用意して、なんと〝トナカイの着ぐるみ〟と〝黒ぶちのメガネ〟を作り、用意して待っていたのに（汗、そして大粒の涙）。

ここで、クリスマスなのに遠くでひとつ、寺の鐘が鳴った。

ゴーン……（レバノン逃げた）。

だって、佐野クンが自分で言い出したんだからね!!

「クリスマスだから、僕がトナカイの格好をするってのはどうだい？　そして、顔だけが出ていて黒ぶちメガネをかけて、ピアノを演奏するんだ!!　そう、僕ぁバディ・ホリーみたいなルックスでやるんだ!!　どうだい、桑田クン!?」

て、あんなにノリノリだったはずなのに、あゝそれなのに、なぜ現れない

んだ、佐野元春???（泣）
もちろん、後で「具合が悪くなってしまい、本当に済まない」ってお手紙をしっかりと頂きましたけどね。

最強の「ポップス歌手」

お互い、若さ溢れたあの当時。彼とアタシのテレビ初共演は「夢」「バブル」と消えた訳だけど、もし実現したら「放送事故」みたいになっていたかもしれないし。

心の底ではホッとしていた？　アレも人生なのである。うるわしき哉、我が同輩!!

佐野クンといえば、ボクがやっていた『ひとり紅白歌合戦』でも、彼の『SOMEDAY』を歌わせていただいたものです。

そういえば彼自身からも、NHKの「佐野元春のザ・ソングライターズ」出演のオファーを頂いたことがありました。今度もまた、ご丁寧にお手紙を頂いて。

「イヤイヤ、オレ、テレビでマジメにトークすると、佐野ちゃんよりアタマ悪いの、モロ、マジ、バレちゃうから……」って、あの時は熟慮（?）の上でお断りしちゃいましたけど。あの番組、オレのためにもう一回やってくんないかな？（イイ加減にしなさい!!）　あの時はごめんね、佐野クン。

でも、彼なんかは例外で、普段はミュージシャンの方々と接するのは、基

ひとり紅白歌合戦
過去3回にわたり開かれた桑田佳祐によるライブイベント。昭和歌謡から平成のJ-POPまでをひとりで歌い切る形式。第1回は2008年「昭和八十三年度！　ひとり紅白歌合戦」。越路吹雪「サン・トワ・マミー」にピンク・レディー「渚のシンドバッド」、沢田研二「勝手にしやがれ」、和田アキ子「あの鐘を鳴らすのはあなた」などを熱唱。続く2013年「昭和八十八年度！　第二回ひとり紅白歌合戦」は高峰秀子「銀座カンカン娘」、イルカ「なごり雪」、佐野元春「SOMEDAY」などを。2018年の「平成三十年度！　第三回ひとり紅白歌合戦」は加藤登紀子「知床旅情」、尾崎紀世彦「さよならをもう一度」、SMAP「世界に一つだけの花」といったラインアップを歌い上げた。

本的に気が引けてしまうのだ。（オレもこう見えてミュージシャンなんだよな?）はい、根が引っ込み思案なものですから（ホントですって!!）。

上の世代の方には、なおさらですよ。例えばそう、ザ・グレイテスト矢沢永吉さんね。実は、何度かお見かけした事はあったのですが、恐ろしくて……じゃあなくて、畏れ多くて、こっちから名乗り出るなんて出来やしません。

最初は一九八〇年代でしたか、代官山のフレンチ・レストランに我が女房、原由子と入ったら、何故か通された店の一番奥の席の近くに、矢沢さんがいらっしゃった!!　こちらはすぐに気づきます。何しろ、あの矢沢エイちゃんですから。あっ!!　と思って、大先輩にご挨拶に伺うか、どうしようかと……。運ばれて来た料理すら、満足に味わうことなく、原坊とクヨクヨ・オドオド小声で相談してたんだけど、矢沢さんのあまりの「存在感」に圧倒されて、とうとう席を立つ事さえ出来ませんでした（泣）。

二度目も、西麻布のバーで飲んでいたら、入り口あたりがいやに騒々しい。見たら「ジャーンッ!!」と、ヒーロー映画の効果音（?）が聴こえるほど、華々しくあの矢沢さんが御登場なさった!!

「Hi、エイちゃん!!　ヨロシク〜!!　オレがサザンのヴォーカルですぅ!!」

などと言えるはずがなく、この時も、先方のあまりのテンションの高さに気圧され、不覚にもまたご挨拶は叶わず……。

結局、ちゃんとお話し出来た例しがないまま今に至ります。でも、いつも思っております。その強烈な「ロック・ヴォイス」や「キャラクター」に隠

矢沢永吉

バンド「キャロル」を経て1975年にソロデビューして以来、2000回に迫るライブを敢行してきた日本のロック・レジェンド。桑田佳祐はこの偉大な先輩を長らく崇敬しているが、多くの言葉をやりとりした経験はいまだないとのこと。

れてしまいがちだけど、彼こそが〝せつなさ〟を歌わせたら、最強の「ポップス歌手」である事を、アタシはよく呑みの席でコンコンと人に語るのであります。だから、近づくとマゴついちゃうんだろうね（このヘタレめが!!）。今度、もし機会があったら、ちゃんと挨拶しような!!（菓子折り持って行こうかな？　な、情け無い!!）

あ、ところで先日の「グラミー賞」観ました？？？

スゲエ!!　いったい、ナンなんだ、アイツら⁇　みんな違ってみんなイイ!!（それは違うか？）リゾ、リル・ナズ・X、ビリー・アイリッシュ、アリシア・キーズ、タイラー・ザ・クリエイター等々!!　素晴らしいね!!　アタシ度肝を抜かれたし、なんだか知らんけど、やたら泣けた。世界情勢がどうあれ、どんな時代であれ、毎年そこに咲く花はいつも妖しく健気で美しい!!

ビリー・アイリッシュという、「今時引きこもり風少女」の、あまりにも陰鬱だが優雅な歌声に酔いしれ、会場から惜しみない祝福が浴びせられる。今回、多くの栄冠を受賞した彼女は、あくまでも謙虚に他者への敬愛の念だけを口にした。若くて誠実なその少女の言葉や振る舞いに、アタシも大変心を打たれました。

ずいぶん凄いところまで、あの人たちはキテルね!!　ヤッてるね!!　世界のエンタメ、ホンマ大したもんや!!（感心してばかりじゃあダメよ、アンタ）

そして、本当にありがとう!!　同じ時代を過ごした、ニッポンの愛しきミュージシャンの皆様!!（先週号から続いてるお話だからね）

ビリー・アイリッシュ
２００１年生まれ、米国のシンガーソングライター。２０１９年発表のデビューアルバム『WHEN WE ALL FALL ASLEEP, WHERE DO WE GO?』で評価を確立。２０２０年の第62回グラミー賞で主要４部門を含む計５部門で受賞した。地球環境についてなど社会問題への発言と行動にも積極的。

7 ジョンの〝大発明〟あの伝説バンド

皆さん、ついに出ました!! 新曲『悲しきプロボウラー』聴いて頂けましたか?(このご時世、やっぱり握手会とか「ちんこ握り会」でもやらないと、CD売れないのかねぇ? やってもイイですか?)

何はともあれ、最近のアタシはすっかり〝ボウリング尽くし〟なのでありますす!!

「KUWATA CUP 2020」も、いよいよ二月二十三日に決勝戦を迎えますが、プロ・アマともに今年の栄冠はいったい誰の手に!?

更に遡れば、先月一月三十一日の事……。アタクシ、三百点、つまりボウリングのパーフェクト・スコアを達成させて頂きました!!(拍手お願いします)

いやいや、ありがとうございます!!

しかし、こんな個人的な事まで、ウチのスタッフは動画と共に公式SNSですぐさま発表しちゃったりして。まぁ、オッチョコチョイと言うか、バカ

「悲しきプロボウラー」
桑田佳祐& The Pin Boys名義での2作目のシングルで、2020年2月にリリース。明るい曲調のなかに人生の苦さと哀愁を少々滲ませた、味わい深い一曲となっている。「趣味と仕事は一緒にするなそんな親父の声が聞こえる」という歌詞の一節は、ボウリングに夢中になっていた若き日の桑田佳祐が父親に言われた言葉をそのまま用いている。ミュージック・ビデオでは桑田佳祐本人がボウリング場オーナーに扮して、若い従業員

じゃねえかと言うか、イイ歳こいてスゲエ恥ずかしいと言うか……（汗）。

でもホントはみんなに知って貰えて凄く嬉しいやら……（アタシの人間性のセコさが滲み出てるね）。

そう言えば、『悲しきプロボウラー』は、サザンオールスターズでもソロ名義でもない、「桑田佳祐＆The Pin Boys」として出しております。

この名義でのリリースは、二〇一九年の『レッツゴーボウリング』に続く第二弾となりますね。

「しかしまた次々と、手を替え品を替え、いろんな名前で出てくるね、アンタは……」

なんて呆れられちゃったりしてません？

「サザンだけでやってりゃあイイのに、まだ飽き足らないというか、欲深いというか……、ヒトとして何か欠落してるんじゃないの？」てなこと、思われちゃってませんかね、皆さん??（汗）

その通りです。

ついついアレコレ手を出してしまうのは、持って生まれた変わらぬ性分でして……。その昔は「KUWATA BAND」とか、「嘉門雄三＆VICTOR WHEELS」、はたまた「SUPER CHIMPANZEE」なんてグループを組んでいたこともありました、ハイ。

どうせ、その時々の思いつきでテキトーにバンド名を付けてるんだろうって？？？

ええまぁ、そうとも言えるんですが、こう見えて毎度、ひとしきりは悩む

の恋路をひそかに応援する役柄を熱演。


「レッツゴーボウリング」

2019年1月、桑田佳祐＆The Pin Boys名義のファーストシングルとしてリリースされた。ボウリングのすばらしさを歌い上げた賛歌であり、桑田佳祐主催ボウリング大会「KUWATA CUP 2019」公式ソングであるのみならず、日本プロボウリング協会「ボウリング公式ソング」、日本ボウリング機構「日本ボウリング競技　公式ソング」にも認定されている。伝説のプロボウラーたる中山律子や矢島純一らの名が歌詞に織り込まれている。

KUWATA BAND
1986年の1年限りという設定で結成されたバンド。翌年のテレビショー「メリー・クリスマス・ショー」で一夜

んですよ!!(最初だけはね)
そこは「ノリ」も含めて、「真剣に遊んでいる」と申しますか……。
三十四年前のKUWATA BANDなんて、初めてサザンを離れてガッツリと活動したわけで、自分にとっても大変意義深いものでした。

自由な「音楽運動体」

それにしても、なんでアタシは「名義」でこんなに〝遊んで〟〝拘(こだわ)って〟しまうのか???

ツラツラ考えていたら、その理由に気づきましたよ!! そう!! それはね、かつてあった「プラスティック・オノ・バンド」という名の不思議なバンドに由来し、尚かつ憧れ、影響を受けているんだ!! ってね。

これは一九七〇年前後に活動していた伝説のバンドで、中心人物はあのジョン・レノンとオノ・ヨーコの夫婦(あ、昔、「ザ・ビートルズ」ってバンドがいたのね。令和だから言うけど)。

このバンドの何がスゴいって、核となる二人以外メンバーが固定されていないのですよ。

エリック・クラプトンとかジョージ・ハリスン、フィル・スペクター……。いろんな腕利き連中がやって来ては、レコーディングやライブをするんだけど、一区切り付くとまた去って行く。

バンドには、誰も残らない。


限りの復活を遂げている。メンバーはボーカル桑田佳祐、ギター河内淳一、ドラムス松田弘、パーカッション今野多久郎、キーボード小島良喜、ベース琢磨仁。リリースしたシングルは「BAN BAN BAN」「MERRY X'MAS IN SUMMER」「スキップ・ビート(SKIPPED BEAT)」「ONE DAY」の4曲。オリジナルアルバム「NIPPON NO ROCK BAND」、ライブアルバム「ROCK CONCERT」も発表。

プラスティック・オノ・バンド
ビートルズの解散が近づいてきたころ、メンバーはそれぞれソロ活動を展開。ジョン・レノンもオノ・ヨーコとの音楽活動を活発化させ、1969年に新バンド結成へと至った。ただしメンバーは固定せず、レコーディングごとに大それこそ、プラスティックという素材みたいに、グニャグニャしていて定型がない。バンドというより、ジョン・レノンを中心に回っている「音楽運動体」みたいなものかな。

　プラスティック・オノ・バンドが出現したのは、ビートルズ解散の頃でした（まさにロック・ミュージックにとっても大変革期でございます）。

　ジョンが、ヨーコさんに狂って「オレもう辞めるから」というカタチで解散に至ったと言われているビートルズは、それまでメンバー四人の個性と立ち位置が、カッチリと決まっていたものです（憶測ですけど）。

　これぞ「バンド」という感じでね!!（ビートルズの活動後期は、ソロだかバンドだか分からない作品も増えてきたけどね）

　時代の流れもあって、ジョンはビートルズと真逆の事がやりたかったんでしょうなぁ。

　音楽やるのに、服装だとかメンバーの役割だとか、ごちゃごちゃ決めてんじゃねぇよ!!　俺には、ヨーコという偉大なパートナーがいるんだぜ!!

（あのメーガン妃王室離脱の際に、「せっかく上手く行っていた仲を引き裂く」という意味で、〝ヨーコ・オノｉｎｇ〟という造語がネット上で飛び交ったとか……それを言っちゃあオシマイだよ、とアタシは思ったけど）

　とまぁ、彼女の影響やビートルズへの（というか、もっとストレートに言えばポール・マッカートニーへの?）反発心から、「プラスティック・オノ・バンド」という、匿名（とくめい）性を利した自由と解放の、独自のスタンスを取りたかったんでしょう!!（コレも、すべて憶測です）

きく入れ替わるかたちをとった。同バンド名義で発表したアルバムは『ジョンの魂』『MIND GAMES』など、シングルでは「マザー」「イマジン」「ハッピー・クリスマス（戦争は終った）」などがある。

いずれにしても、それはジョン・レノンの大発明だったと思います。

この手法が当時、日本で音楽をやっている人たちにも、かなり響いたのではないか?・?・?

例えば一九七〇年代、加藤和彦さんの「サディスティック・ミカ・バンド」はもとより、細野晴臣さんや松任谷正隆さんたちが、「キャラメル・ママ」とか「ティン・パン・アレー」という名の下に、演奏活動やプロデュースを始めるんですよね。

彼らが設けた〝かりそめの器〟に、荒井由実(後のユーミンね、令和だし念のため)、矢野顕子、吉田美奈子……。

色んなミュージシャン達が、入っては出てを繰り返して、素晴らしい音楽を作っておりました。

そう!! それでイイんですよね。バンドやグループとしての名義や実態はどうあれ、自由な発想で音楽は生まれるし、残っていくのであります。

そういう「匿名的」な立場の表明、音楽のあり方、気分の揚げ方に共感したミュージシャンは「プラスティック〜」以降、思いのほか多かったのではないかしらん?・?・?

YMOなんかも、この〝流れ〟から出て来たんでしょうな、おそらく、たぶん。

その時代に「青春」を送っていたアタシにも、音楽やるのに「型」なんて自由でイイでしょ!! という思想が、心の奥底に植え込まれたわけでございます。

サディスティック・ミカ・バンド
ギター加藤和彦、ボーカル加藤ミカを中心に結成され、「サイクリング・ブギ」で1972年にデビュー。ドラムス高橋幸宏、ベース小原礼らが参加しバンドは拡大。73年にファーストアルバム『サディスティック・ミカ・バンド』をリリースした。英国の著名プロデューサー、クリス・トーマスから声がかかり、74年にセカンドアルバム『黒船』を完成させる。翌75年、サードアルバム『HOT! MENU』発表直後にバンドは解散。「タイムマシンにおねがい」などの代表曲は後々まで歌い継がれる。バンド名は「プラスティック・オノ・バンド」の語感を真似て名付けられたもの。

だからって……ですよ。アタシはサザンオールスターズでデビューして、このバンドを四十年以上も続けさせて頂いて、不平不満が溜まっているわけじゃあ、決してないんですよ!!（強調）

サザンへの感謝とこだわりは、時代や年齢と共に増すばかりでして。

だけど、生まれついての「プラスティック」な性格には歯止めが利かず……（涙）。ソロ活動をしたり、バンドやユニットを組んでみたりと、時折やってしまうのであります。

その場合、「桑田佳祐」という本名そのままよりも、照れも含めて、チヨイとヒネった名付けをすると、なんだか座りがヨロシイというか「音楽が立つ」気もしましてね!!

名義なんて、どうでもいいじゃん!?　とは、申しましても……。

「名義」こそが実は重要かつ雄弁に音楽の方向性を指し示すものであり、音楽のモチベーションを昂める最大の要素である!!　という事を、アタクシは最後に申し上げて、今週の答弁を終わろうと思います!!

ご清聴ありがとうございました（お辞儀）。

8　日本のロック、舐めんなよ!!

もう二〇一九年の事になりますけど、またひとつ、巨星が逝ってしまわれました。

そう、〝昭和の歩く日本刀〟こと、内田裕也さんのことであります!!

僕らがサザンオールスターズでデビューする以前の、一九六〇年代から七〇年代にかけて、我々よりも上の世代に「トンガリまくった日本人」の一群がおられました。山本寛斎さんや、横尾忠則さん、オノ・ヨーコさん、それに内田裕也さんといった〝触ると大怪我しそうな〟お歴々であります。

まぁ、カッコいい……というか、アブナイというか、そのアートな強面（こわもて）ぶり、腹をくくった壊れっぷりが、まるで「ニッポンを背負って」闘っておられるような、誇り高き方々でした。

でも、裕也さんには、ずいぶん前にご挨拶させて頂いたことがあります。

あれは四十年くらい前、サザンが所属しているレコード会社、ビクターのディレクターが、〝よせばいいのに〟「裕也さん、彼もミュージシャンやって

内田裕也
兵庫県出身のミュージシャン、俳優。１９５０年代から歌手として活動し、１９６６年、「ザ・ビートルズ日本公演」の前座として舞台に上がった。１９７３年から毎年、「打倒NHK紅白歌合戦」を合言葉とした年越しロックイベント「ニュー・イヤーズ・ワールド・ロック・フェスティバル」を開催。１９７０年代からは徐々に俳優としての活動も盛

るんです。桑田っていいます‼」と、神泉町のスタジオのバー・カウンターで突然紹介してくれて……〝おいおい（汗）紹介するなよ、この人カタギじゃねえじゃん、怖えよ（涙）〟……と、内心思いながら……「あ、ども、は、初めまして‼」と直立不動のアタシ。

　すると……いや、すルルルと（巻き舌で）裕也さんは、「ふーん」と言いながら、お座りになっていたスツールを回しこちらを振り向き、「キミが『いとしのエリー』を作ったのか？」と、一言。

　アタシ「……＠☆＊♪￡（ツバを飲み込む音だけが響く）」。

　しかし、その鋭い眼光の奥に、得も言われぬような優しさと温もりを感じた事を、アタシは今でもハッキリと憶えております。

　以来、遠巻きにそのお姿を眺めるばかりでした。闘う裕也さん、ハドソン川を泳いで渡るＣＭに出ていた裕也さん、ビミョーな政見放送の裕也さん、ロックンロール馬鹿の裕也さん（裕也さん亡き後、自分をロックンローラーだと呼ぶのは、大友康平だけだろう‼）。

　あのファイティング・ポーズは、五〇年代の「ロカビリー・ブーム」で、平尾昌晃さんやミッキー・カーチスさんらの後塵を拝した（？）裕也さん自身のトラウマや反骨精神の表れなのか？？？（何ぶんにも古い話で申し訳ない）

　その美学を貫く、スジの通った生き方は（ま、そればっかりじゃないだろうし、メンドクサそうな人だったけど（汗））カッコ良かったね‼（矛盾）

　イメージからすると、内田裕也さんと聞くと「素行も口も悪いヒトだっ

んとなっていく。長髪、サングラスに「ロッケンロール！」「シェケナベイビー！」の決め台詞でお馴染みの存在に。２０１８年９月に妻の樹木希林と死別。半年後の２０１９年３月、逝去。

「いとしのエリー」
１９７９年発表。セカンドアルバム「10ナンバーズ・からっと」所収。サザンオールスターズ３枚目のシングルにして初めてのバラードは、発表後じわじわ人気と評価を高め、いつしか押しも押されもせぬサザンの代表曲のひとつとなる。ドラマ「ふぞろいの林檎たち」（パート１＝83年、パート２＝85年）の主題歌としても広く知られる。クライマックスで絶唱される「エリー」という名はいったい誰のことか。以前からさまざまな説が飛び交ってきたが、どうやら特定のモデルがいるというよ

た」って印象でしょ？

　でも、よく考えてみてくださいよ。裕也さんが誰か他人（ひと）のこと、ましてや同業者である我々の悪口を言ってるところ、見た事ありますか？？？（話の設定に無理がある）

　同じ大物でもさ、大橋巨泉さんなんか、自分が司会を務めるテレビ番組で、ある超有名ジャズ・ミュージシャンを「才能がない」とか「あいつは二流だ」とか、言いたい放題!!

　話は逸れたが、裕也さんに限ってはそんなことが全く無いのである!!（あくまでも個人的な印象です）

「舐めんな、この野郎!!」

「プロデューサー呼んで来い!!」

「シェケナベイビー!!」

　みたいなことは言っても、実はあの人、根が紳士だから、誰かを貶（けな）したりなんかは、絶対しない……と思う。

「歩く日本刀」海外へ

　それにね、ニッポンの音楽やミュージシャンを盛り立てようと、あれほど愚直なまでに真剣だった人はいませんよ!!

　何しろ一九六六年、あのビートルズが来日した時には前座として武道館のステージに立っていらっしゃる。


りは、先にできていた曲に歌詞をつけていく過程で（桑田佳祐の創作はいつも曲→歌詞という順のいわゆる「曲先」）、ふと口を突いて出たもののよう。

そして、尾藤イサオさんやブルー・コメッツと一緒に、「オレたち日本のロック・ミュージシャンで曲を作って、偉大なるビートルズをお迎えしよう!!」なんて音頭をとって、「ウェルカム・ビートルズ」って曲を、全員で歌っちゃったんだよね（子供心にあの曲、少し恥ずかしかったけど）。

　そんな、敬意の念と自らの誇りを忘れない裕也さんに、当時から皆がついて行った!!（行かざるを得なかった？）

　これは実に素敵な揺るぎない事実（エピソード）であり、とても重要なポイントであります!!

　その後、裕也さんは「内田裕也とザ・フラワーズ」、三年後には改名して「フラワー・トラベリン・バンド」を率いて、アメリカやカナダに進出するんだよね。

　歌詞は全部イングリッシュで。「侍バンドが海外へ殴り込み！」みたいに報じられたけど、当時十代のアタシは、正直なところ斜に構えて見ておりました。

　いくら英語で歌ったって、なんかショッパイ。やっぱり彼らは日本人だからね（汗）。ニッポンを引きずりながら、外国の真似っこして……本場で通用するのかねぇ?!?　なんて、生意気にも思っておりました。

　けれども、今思えばあの時代に……あんな状況の下で。裕也さんの思いはただ一つ。紛うことなき、ブレないファイティング・ポーズで……。

「日本のロック、舐めんなよ!!」

　後にも先にも、こんなに深くて清い歴史的メッセージは他に類を見ないのであります!!

世界の音楽史上、こうのたまった人物は、あの裕也さんだけでした。

もう一度繰り返しますが、

「日本のロック、舐めんなよ!!」なのでございます。

「歩く日本刀」の面目躍如たる、この名句名言!!

もちろん、流行語大賞の候補なんかにはカスリもしません。しかし、この〝魂の叫び〟を以て、真正面から状況を突破しようとしたのは、内田裕也さんだけだったと思います!!

アタシも、一九八六年にはKUWATA BANDというバンドを組み、作ったアルバムのタイトルが『NIPPON NO ROCK BAND』ですから。コレはもう、裕也さんが切り拓いた道を、ありがたく辿ったような思想、理想郷がそこにはありました。

一九七三年から、裕也さん主催で毎年開催されていた年越しライブ「ニュー・イヤーズ・ワールド・ロック・フェスティバル」(長えタイトルだな)。大晦日にやるんだから、あの「紅白歌合戦」に対抗しているのは明らかでして……。既存の大きな存在には、徹底して歯向かって行く。

愚直なまでにシンプルな……というか、わかりやすい……ロックでありながら、裕也さんの生き様はひたすら「ポップス」なのであります!!

実はアタシも、自称〝裕也さんのマネージャー〟と称する、鈴木雅之を二十センチくらいデカくしたような人から、「今年は出てくれよ」と、何度か誘われましたが、「あ、ウチも年越しやるんですぅ」という事で、逃げて

『NIPPON NO ROCK BAND』

1986年発表。桑田佳祐がサザンオールスターズを飛び出して、1年限定で結成したKUWATA BANDのアルバム。タイトルの通り、ニッポンのロックのスタンダードを築く! そんな志で制作されている一枚。全編英語歌詞でうたわれているところから当時の桑田佳祐の「ロック観」が窺える。

……あ、違う、お断りして参りました（汗）。

だけど裕也さんの晩年に至り、この番組こそが「平成最強の音楽番組だった!!」とアタシは申し上げたい!!

政治の世界だって、ビジネスだって、それから芸能界だって、スジが通ってばかりではいられなくて。インチキがまかり通ってしまう事の方が、多いじゃアないですか？　そんな世間のウラオモテを知らないわけじゃあないだろうに、

「日本のロック、舐めんなよ!!」

己の美学を貫きながら、晩年は白髪になってステッキついて、小粋なヨウジヤマモトのジャケットの下に〝ジャージ〟着てたのがステキ（シャレじゃないよ）だったなぁ。亡くなるちょっと前にも、女性関係のトラブルが発覚したりして、カッコ悪いというかスゴイというか（笑）。

樹木希林さんと並んで、娘の也哉子さんや、その夫君たる本木雅弘さん、孫たちに囲まれた「ファミリー写真」が、裕也さんの数多ある実績・作品の中で、アタシは最高傑作なんだと思う。

ありがとう、樹木希林さん!!

じゃなくて裕也さん、ゆっくりとおやすみください。

9 アントニオ猪木 vs. 大木金太郎

皆さん、最近プロレス見てますか？　え、見てない？　じゃあ、知らないかなぁ？　令和最凶・最強のレスラー「文春仮面」!!　得意技は〝不倫固め〟とか〝ドラッグ・スープレックス〟とか〝モリカケ文書改竄（かいざん）桜の会《裏》落とし〟!!　ホントに血も涙もありゃしない。

ま、それはさておき……。アタクシは生まれてからこの方、ずっとプロレスの味方であります!!　というとすぐ、「あんなのどうせ八百長じゃねえか」と非難する声が聞こえてくるのもまた事実。ウチの親父なんて、結構皮肉屋でしたから、「アレはなぁ、技も勝負も、最初から全部決めてあるんだよ、試合が終わったら、アイツら敵も味方もなく控え室でビール飲んでるからね」。まるで、シナリオや舞台裏を見た事があるぞと言わんばかりに〝したり顔〟で、いたいけな我が子に、人生の裏側を教え諭（さと）したものでした。そりゃ〝もし本気でやったら、人間死んじゃうよ〟くらいの事は、アタシだって感づいてましたよ（汗）。大袈裟すぎる外人レスラーのやられっぷりに、スゲエ違和感感じたコト、ありますって（大汗）。

　かつてプロレス中継といえばテレビの大人気番組、ゴールデンで「全日本」も「新日本」も毎週きっちり一時間の放送枠があったものです!!　オーっとここで!!　テーマ曲「炎のファイター」に乗って、大興奮のルツボの中、アントニオ猪木の登場であります!!（実況の古舘伊知郎アナが、これまた凄かった!!）

　もう、これ以上我慢出来ないからハッキリ言いますね。アタシにとってのプロレスとは!?　それはもう、アントニオ猪木こそが「プロレス」であり、プロレスとは「アントニオ猪木」の人生、人間そのものなのであります!!

そんな猪木さん。あのモハメド・アリをプロレスのリングに上げたり、タイガー・ジェット・シンと抗争を繰り広げたり、倍賞美津子さんと結婚したり（おっぱいデカイし羨ましい!!）、ビートたけしが送った刺客、ビッグバン・ベイダーに負けて客が暴動を起こしたり、イラクで人質を解放したり……。世間を味方に付けたり敵に回したり、そしてある時は〝国会に卍固め〟してみたり……（選挙に出た時の公約が、コレと「消費税に延髄斬り」でした）。とにかく、紆余曲折と荒唐無稽を繰り返しながらも、猪木の闘いは続いたのです!!

猪木は人生の大師匠

　金曜夜八時からの「ワールドプロレスリング」。メイン・イベントは当然

アントニオ猪木
少年時代をブラジルで過ごし、力道山のスカウトからプロレスの道へ。1960年にいったんデビューするも、その後米国へ武者修行へ。帰国後はジャイアント馬場とタッグを組むなどして活躍。72年、みずから新日本プロレスを旗揚げ。格闘技の頂点を目指す「ストロングスタイル」を掲げ、各界チャンピオンとの異種格闘技戦を積極的に仕掛ける。とりわけ76年のボクシングヘビー級チャンピオン、モハメド・アリとの対戦は世界的な話題となった。98年に現役を引退。参議院議員を2期務め、スポーツ平和党代表に就くなど政治家としても広く活躍。近年は種々の病に冒され闘病生活が続く。

猪木。カッコイイけど猪木も人の子、後年体力の衰えを隠しきれない。

「オーっと、猪木。ディック・マードックの毒針殺法に青息吐息だ!! 大丈夫か? 落日の燃える闘魂は見たくない!!」とは、古舘さんの名実況（昭和がまだ、アタシの瞼の裏で燃えている）。あ、危ない!! 今日こそ遂に負けてしまうのか、我らが猪木（汗）。でも、ダイジョーブ。放送終了二分前になると、件の延髄斬りや卍固めといった必殺技が炸裂します!!（当たってないような時もあったけど、相手が倒れるのだから、それでイイじゃないか!!）そうして放送時間キッカリに、猪木が勝ち名乗りを上げて大団円を迎えるのです!!

だからね。それをインチキだのなんだのと詰問して、一体何の意味があるのでしょうか? プロレスは……いや、猪木は、この世に唯一無二の存在であり、アタシの人生の大師匠なのであります!!

ヒクソン・グレイシー? カール・ゴッチ? いやいや、全然次元が違います!!（きっぱり）なんてったってアントニオ猪木ですから!

そんなアタクシの長いプロレス＝猪木観戦歴の中で、圧倒的に影響を受けた一戦といえば、「アントニオ猪木vs.大木金太郎」!!

あれは一九七四年の事。猪木が立ち上げたばかりの新日本プロレスに、「韓国の猛虎」キム・イルこと大木金太郎が殴り込みをかけたのであります。彼は韓国から密航して日本に渡り、あの力道山が朝鮮半島出身というヨシミもあり、身元引受人となってもらえたそうな。彼の必殺技? そりゃあもう頭突き。まるで民族の誇りを背負ったかのような、攻め手は「パッチギ」一

大木金太郎
1959年、日本プロレスのリングにデビュー。ジャイアント馬場、アントニオ猪木とともに「若手三羽烏」として注目される。馬場、猪木が新団体設立のため退団すると、

本槍でした!!　おまけに当時四十歳をとっくに過ぎていたであろう、相撲あがりの腹の出っ張った体型は、いかにも「鈍臭い」ものでした。
片や、その頃の猪木と言えば、逆三角形の体型に、鷹のような目つき。おまけにカールしたロングヘアにモミアゲまで生やした姿は魅力も迫力も満点。もう、高度成長期のニッポンそのもののような、マジ卍!!　カッコ良かったのですよ。

試合開始のゴングが鳴る前に、なんと猪木が動いた。油断している大木に、いきなり反則のパンチを浴びせます（こういうダーティーな奇襲攻撃は、当時悪役の外人レスラーが先に仕掛けるというのが普通だったのね!!:)）。ましてや、日本対韓国の図式。

〝一番近くて遠い国〟とその国民を、当時何となく〝上から目線〟で見ていた我々の目の前で、〝絶対的正義〟であったはずのニッポンの猪木がナニやらかすんだよ、一体？（涙）

奇襲の成果もあり、序盤は猪木のペース。その後も〝鈍臭い〟動きの韓国の猛虎に対し、猪木は肘で頬骨を擦り上げたり、内股を蹴ったりイタぶったりと、やることなすこと「フェア」だとは言い難い（汗）。ズルくて狡猾な猪木に対して、丸腰で向き合おうとする愚直な韓国の猛虎に、いつの間にか、アタシは何だか思い入れしているような気がした。ヤリたい放題ヤラれた後の、まさにその刹那、機を捉えた金太郎は頭突き、いやパッチギの反撃ラッシュ!!　今度はもんどり打って倒れる猪木。〝ホウキが相手でも試合を成立させる〟という、猪木の額がついに割れ、唖然とした表情が如実に物語る、

一躍日本プロレスのエースに。一本足になった体勢から大きく振り下ろすヘッドバットが最大の武器。72年、ボボ・ブラジルとの「頭突き世界一決定戦」を制してインターナショナル・ヘビー級王座に就く。74年、猪木とのシングルマッチが実現。頭突きの連打で追い詰めるも、最後はバックドロップを喰らい敗戦。75年には馬場とのシングルマッチに挑むも、こちらもフォール負けとなる。首の持病の悪化により、82年を最後に現役を引退。2006年に惜しまれながらこの世を去る。

大木の頭突きの衝撃!!（芝居が上手いなぁ!!） コーナー・ポストに佇む猪木の魂がバラード、肉体がブルースだ!!（古舘アナ実況）

　そして、相手のチカラを「八引き出して、十のチカラで仕留める」という、猪木プロレスの奥義は、実にココからが見どころ!! 強烈な頭突きにもんどり打っていた猪木が、今度は敢然と「受けて立つ」に回った。「よーし来い。もっと来い!!」と挑発しながら、自らの額を指差し、大木の頭突きを敢えて食らう。打ち所が悪くて、気でも狂ったか、猪木? そこに容赦なく叩き込まれるパッチギ!! そしてまたもんどり打つ。為す術もない猪木!!

　こんな攻防が繰り返され、クライマックスは大木の……で、出た「一本足原爆頭突き」一閃!! 猪木の返り血を浴びた韓国の猛虎の顔が、何故か悲愴に歪んで見えた。長崎・広島に投下された人類史上最悪の不条理が、戦争を知らないアタシの脳裏にも呼び起こされ、思わずカラダが膠着する。

　吹っ飛ばされた猪木が、流血した額を差し出しながら絶叫する。「もっと来い、このヤロー!!」薄暗い〝舞台照明〟の中、左手で猪木の髪を摑んだキム・イルが、何度目かの「一本足～」を振り上げた!! これがトドメか?（汗）と、その時。カウンターで放たれた猪木の右ナックルが大木の顎をモロに捉えた!!（ちなみに、コレも実は反則である。それがまかり通るのもプロレスなのだ）一緒にテレビを観ていた、訳知り顔の親父までが「今のはマジで入ったよな」と、湯呑み茶碗を手に呟いた。戦いは終わって、勝った猪木の頭には、血の滲んだタオルが巻かれている（血を拭き取らないのもプロレスなのだ）。野球や相撲では味わう事のない、得も言われぬ感慨が湧き上がる。

猪木大好きのアタシが、何だか大木さんの方に感情移入してしまっていたのだ。大木さんは、自らのプライドを懸けて闘っていらっしゃった。プロレス的に言えば、役を演じていたのかもしれないけれど。そしてアタシは見た。頭突きを連発している時の、人を傷つけている最中の、大木さんの何とも言えない哀しげで切ない表情を。単なる「遺恨」とは違う、超一流同士の悲哀に満ちた魂のやり取りを。

猪木も凄いが、大木さんも素晴らしいファイターであり人間なのだ!!　もうこの世には亡き大木金太郎さんよ、永遠なれ!!

そして先日「喜寿」になられたアントニオ猪木さん。ありがとうございます!!

10 音楽の目覚め

まことに有り難いことに、先般誕生日を迎え、やっとアタクシも四十四歳（嘘をつけ!!）になりました。

いや、何に感謝したいって、この歳になるまでずっと音楽を作り、歌わせていただいている事が、ひたすら嬉しいのでございます!!

思えば、音楽とのお付き合いも、ずいぶん長い年月となりました。幼少のミギリから、ごく自然に〝歌〟は好きでしたが、意識的に「スゲエな、音楽って!!」と思うようになったのには、ハッキリとしたキッカケがございました。

アタクシを性の目覚めよりも早く、音楽の目覚めに導いてくれたのは、かの「ジュークボックス」なのであります!!

（性の目覚めは『HOW TO SEX』と『平凡パンチOh!』という本で、大変お世話になりました!!）

今、巷（ちまた）じゃ滅多にお目にかかれませんね、ジュークボックスなんて。

アタシなんかの小さい頃は、茅ヶ崎あたりじゃ結構あちこちにございまして。スナック（コレがかつての良き文化の温床ですな）だとか、海辺のカフエー（カフエ、ではなくて）だとか、茅ヶ崎が誇ったリゾート施設「パシフィックホテル」にも、もちろんあったし、そう言えば親父のやっていたバーにも置いてあったなぁ。

あと、イカガワシイ感じのホテルなんかには……アレもコレもあった（回転ベッドが懐かしい）。

あれは、アタシが小学三年生の時。

ウチの親父がバーを経営してたものですから、年に一、二回は社員（ホステスさんやバーテンさんね）の慰安旅行があるんです。その日は熱海の旅館に泊まりがけだというので、アタシも連れて行って貰いました。

宿で食事を終え、湯に浸かった後、父親をはじめ男性陣はおもむろに麻雀を始めます。

自称・若尾文子似の母を中心に、ホステスさんたちはお酒を飲みながらお喋りに花を咲かせます。

そして、ひとり残された子供のボクは、店の釣り銭（ズリセンではなくて）に使う小銭をいくらか渡されて、「遊技場にでも行っといで！」となる。

パシフィックホテル
1960～80年代に神奈川県茅ヶ崎市の海辺で営業していたリゾート施設がパシフィックパーク茅ヶ崎。プール、ボウリング場、ビリヤード場などが集積しており、その中心にパシフィックホテル茅ヶ崎が位置していた。設計は建築家・菊竹清訓によるもので、当時の最先端の建築思想メタボリズムが表現されている。共同オーナーには俳優・上原謙と息子の加山雄三らが名を連ねた。オープン当初は著名人の来場が続いた。徐々に経営不振に陥り88年に廃業となる。

「小さい悪魔」に瞬殺

そこで、アタシはひとり「ピンボールの魔術師」となり、パンチング・マシンに興じ、最後に辿り着いたのは、妖しいネオン管に身を包んだ「Wurlitzer」社製の〝人生の大恩人〟でありました。

「こんばんは、初めまして」と、挨拶もそこそこに……。

十円硬貨を挿入してボタンを押すと、レコードがセットされてアームが動き、やおら幼いアタシを夢の世界へと導いてくれたのであります!!

洋楽、邦楽のタイトル名が、アトランダムに手書きの文字で並んでおります（手書きというのが、なんかイイね！）。

西郷輝彦やアストロノウツを経由して（ふ、古い!!）、幼いアタシのココロを「感電」「瞬殺」「鷲掴み」にしたのは、ニール・セダカの『小さい悪魔』というナンバーでした。

今なら知ってる「C―Am―F―G7」という青春の甘いコード進行。そして必殺のイントロ、サビ、女性コーラス・ワークのてんこ盛り!!

Wow wow Yeah yeah ……Hey Little Devil ……が、どう聴いても「ヘイ・リフ・デブ」に聴こえるあの曲を、その夜は何回十円玉を入れてリピートしたであろうか？（感涙）

「大好きなものって、何度聴いても飽きないんだ!!」

幼心に、そんな自分を客観的に見つめていたアタシがいる。

生まれて初めてポップスの洗礼を受けた、忘れもしない熱海の夜でした。

そして時代は流れ、チンコに毛が生え、興奮すると出るモノが出るようになり……（少し慎みなさいよ、ホントは六十四歳なんだから!!）。

アタシが中二になった時、「レッド・ツェッペリンⅡ」とかいうレコード

「小さい悪魔」

ポール・アンカらと並んで1950年代から人気を博した米国のシンガーソングライター、ニール・セダカが1961年に発表した楽曲。小悪魔のような彼女を天使にしたいと軽快に歌うラブソングで、全米チャート11位を記録した。キャンディーズの「やさしい悪魔」はこの曲を下敷きとしている。

を、野球部の仲間が小脇に抱えているのを見た。

　おい、なんだ、それ⁇

『胸いっぱいの愛を』⁇　こんな歌、憂鬱でキライだよ‼

　高校一年の時、何故かツェッペリンのコピー・バンドのボーカルに誘われたが、メロディがわからねえし、縦の拍が取れねえ（汗）、一日やったら、もう次に呼ばれなくなった（悔）。

　だいたいグループってのはビートルズもモンキーズもビーチ・ボーイズも「S」が最後に付くのが常識だろ‼　と、思ったものだ。

　そんな思いも虚しく、その後ピンク・フロイドもジェスロ・タルもキング・クリムゾンも……「S」をないがしろにする人達ばかり出てきた（思い詰めたような難しい曲ばっかりだし）。

　なに？　エマーソン・レイク＆パーマー？　弁護士事務所か⁇（怒）

　一九七〇年にアタシは中三になる。なんだか学校に行くのもイヤになって、早朝ボウリングに通いながらゲーム・センターのジュークボックスを鳴らす。ショッキング・ブルーの『Venus』や、マッシュマッカーンの『霧の中の二人』は、僕がコインを入れなくても、ヘビー・ローテーションでかかりまくっていた。

　毎日「ベトナム戦争」のニュースが引きも切らない。暑い夏だった。由紀さおりも、奥村チヨも、いしだあゆみも町中にガンガン溢れ聴こえてくる。

　今では死語となった「流行歌」が、我々の身近に寄り添っていた。

　そして世の中はどんどん変わり、アタシのココロにはポッカリと「大きな穴」が空いていた。

　修学旅行で大阪万博に行ったが、高熱を出して二日間旅館で寝ていたら、同じクラスの好きだった女の子が、そっと襖を開けて部屋に入って来て、「行って来るね」と言いながら、アタシのオデコに唇を当てた。待てよ、アレは夢だったのか？

　ビートルズが事実上解散したと、新聞の〝片隅に〟そのニュースは出ていた。不思議なものでこの時代に限っては、驚くことに彼らですらもはや〝片隅〟の扱いだった気がする。

　愛と平和と自由を謳う「ウッドストック」や「イージー・ライダー」や「ヘアー」。何だかいっぱい毛やオッパイが出て来たし、まるで免疫が無かったから胸とアソコがドギマギした。

「青春モラトリアム」とか言うと聞こえは良いが、あまり心の底から笑うことも無く毎日を過ごした。

　だけど「ハレンチ学園」の児島美ゆきさんには夢中だった!!　恥ずかしながら大好きだった!!

　ニール・セダカの『小さい悪魔』との出逢いの晩を、アタシは今でも忘れない。

　思えば遠くへ来たもんだ。

　ジュークボックスよ、熱海の夜をありがとう!!

11　ブルースへようこそ

前回「『ジュークボックス』こそが、アタシの音楽の目覚めだった!!」と、告白させていただきました。

いろんな曲がゴッチャになって詰まった、ジュークボックスのあの感じが、幼いアタシには、とっても新鮮で刺激的だったんでしょうなぁ!!

ほらアタシって元来、アレもイイしコレもイイしと、大変気が多く欲深いものですから、いろんなモノが「ツマミ喰い」出来る方が、浅ましい性格に合うというか、断然嬉しくなっちゃうんでしょうなぁ（笑）……大きなお世話だよ。

じゃあ音楽だったら何でもイイのか？　お前に〝趣味嗜好〟は無いのか？　あ？　……などと、そこまで言われりゃあ、アタシだって「音楽屋」のハシクレですから。ズバリ申し上げましょうか？

それはねぇ、「ブルース」というモノなのでございます!!

コレはもはや、アタシの「座右の銘」てなくらい、内田裕也さんの「ロッケンロール!!」に匹敵するくらいの説得力を持ったワード、生き様、おまじないの文言であります!!

ちょっと、そこのアナタ、何鼻で笑ってるの？　ここ、聞き流したら一番ダメなところですよ!!（怒）

じゃあ「ブルース」って何だよって？　そうそう。よく耳にはするけど、実は知っているようで知らないでしょう？　うん、アタシも知らない!!（チャンチャン）

いやいや、かく言うアタシだって、そんなに詳しいわけじゃありませんけど、このたび「文春読者」の貴兄のために、文献的なモノをちょいと紐解いて参りましたよ、ハイ。

これは元々、十九世紀の米国最南部＝ディープ・サウスで生まれた〝歌唱〟なんだそうな。厳しい農作業を強いられた当時の黒人奴隷たちが、日常みんなで歌ったモノだったから、曲の構成はいたってシンプル!!

歌の内容も、日常の憂いや哀しみ、ちょっとしたアイロニーなんかを、分かりやすい言葉にして単純な音に乗せていった（現代のラップもそうですが、江戸時代の門付芸（かどづけ）のひとつ、卑俗な文句を口早に歌う「ちょぼくれ節」なんてえのも、元祖ジャパニーズ・ブルースとは言えまいか？）。

「ちょぼくれ節」を、倉本聰さん脚本の「やすらぎの刻（とき）〜道」で、あの橋爪功さんが歌っていて、アタシはエラく心打たれました!!　橋爪さん、カッコいい。

「ちょぼくれ節」
鈴の音などで拍子をとりながら、ちょっと下世話な歌を歌う大道芸・門付芸のこと。江戸時代に盛んになり、関西では「ちょんがれ」、関東では「ちょぼくれ」と呼ばれた。

人生観を変えた〝神〟

で、更にまたここに大事なポイントがひとつ!!

それは、辛くて苦しい労働の日々から生まれたブルースが、ごく普通の人の感情を見事に歌い上げているという事なのです。

だからこそ二十世紀に入ってブルースは、ジャズやロックといった大衆音楽へと発展していくのでした!!（チャンチャン）

なるほど、文献のパクリとは言え、たまには勉強になること言うでしょう??

アタシだって小中学生の頃、「ブルース」なんて言葉聞いても、青江三奈さんの『伊勢佐木町ブルース』とか、美川憲一さんの『柳ヶ瀬ブルース』、森進一さんの『港町ブルース』、藤圭子さんの『女のブルース』みたいな、〝闇夜の呑んべぇな男女の物語〟しかイメージ出来なかったですよ、ハイ（汗）。

しかし一九七二年。アタシが高二だったある日、あの人のお姿、お言葉がかくもアタクシの人生観を変えてしまうとは!!（派手な効果音）

日曜日の夕方、何気なくＮＨＫの「ヤング・ミュージック・ショー」という、当時日本で唯一、外国ロック・ミュージシャンの〝動く姿〟を拝めるテレビ番組を眺めていたら……。

椅子に腰掛け、サイケデリックな衣装を全身にまとったカーリー・ヘアー

ほとんど記録には残っていないため実態は謎に包まれているが、おそらくは即興性を重んじ、その場に集まった人を楽しませることに徹した出し物だったと思われる。

「やすらぎの刻～道」　テレビ朝日系の「帯ドラマ劇場」で２０１９～20年にかけて放映されたドラマ。脚本は倉本聰。高齢者施設に入居していた脚本家が、新しい入居者に刺激されて、再びシナリオを書き始める。出演は石坂浩二、橋爪功、風吹ジュン、風間俊介、清野菜名ら。

の超美男子が、憧れのギブソンSGを弾きながらインタビューに応えていたのであります。

その人の名はエリック・クラプトン。「クリーム」在籍時、彼が二十二〜三歳の頃の「お宝・垂涎」の動画なのでありました!!

曰く「この世で最高の音楽はブルースなのさ（青江三奈が好きなの?·）。ロバート・ジョンソンは天才だよ（誰、それ?·）。俺はギターを泣かせる事が出来るぜ!!……弾いてみようか? キョイーン〜♪（や、やられた!! 惚れてまうやろ!!·）」。

そのテレビを観て以来、アタシはエリック様と「ブルース」にグイグイ惹かれてイったのであります!!

エリック・クラプトンのインタビューなどはよく読んだし、あれほどハンサムなギターの神様でも、アル中、ヤク中としての過去、オンナにはダラしなく（そりゃモテるわな）、非嫡出子としてのコンプレックスや、その他心の傷がたくさんある事を知った。

あげく、アタシや同世代男子の「ブルース」とは、クラプトンの弱さを都合よく解釈し、己の惨めで情け無い人生を、歌とギターに込めた「馬鹿な男の免罪符」へと、その意味合いを歪曲してしまったのであります!!（汗）

閑話休題。アタシが大学に入った頃は、楽器屋でギターを試し弾きしている奴らは、大抵ディープ・パープルか、ラリー・カールトンの『ルーム335』、LED ZEPPELINの『天国への階段』を弾いていました!!（少し、話は盛っている）

エリック・クラプトン

1963年にバンド・ルースターズに参加してデビュー以来、揺るぎない評価を確立してきたギターの第一人者。70年代からソロ活動を本格化。亡くした息子に捧げた1992年の「ティアーズ・イン・ヘヴン」は世界的な反響を呼ぶヒット作に。70年代から2010年代に至るまで、日本でのツアー公演も多数ある。ギターコレクターでもあり、多彩なギターの持ち味を存分に引き出しプレーをする。

そして、そんな自分に酔いしれたチョーキング野郎、「オレは博多から出て来たばかりの〝ブルース弾き〟やかんね。今夜泊まるところも無いんとよ」みたいな事を言い出す奴が殆どだった（だから話は盛ってる！）。

西の人たちの誇り（プライド）

この「ブルース弾き」という表現がどうしようもなくダサくて微笑ましい！　要は、昔の音楽誌の外タレ・インタビューの中で、「I'm A Blues Guitar Player」が、無理やり翻訳されて「僕はブルース弾きさ」となってしまっていたところを、我々の世代は〝そのまんま〟鵜呑みにし、日常会話化してしまっていたのだ。

I think that~構文も、そのまんま拝借した奴がいた。早く結論を言えばいいのに、会話の中で必ず「僕はこう思うんだ」から始めないと気が済まない、メンドくさい奴。ああ懐かしい!!

ブルースとは黒人音楽に根差す「魂の叫び」であり「弱者たちの犬笛」。翻（ひるがえ）って「希望の歌」なのだと思う。

我々、サザンオールスターズがデビューする前、一九七七年ごろ京都や大阪のライブハウスに「武者修行」に行った事がある。

京都の「拾得（じっとく）」も大阪の「バーボンハウス」もお客さんが本当に熱かった。「毒」も「怖さ」も、得体の知れない「無邪気さ」もあったが、それをさらに「奔放な優しさ」が上回り、アマチュア丸出しの我々を育てて返してくれた。

七〇年安保の時代から、関西ブルースは今なお熱い!! 憂歌団や、上田正樹さん、今は亡き石田長生さんがいらしたソー・バッド・レビューや、山岸潤史さんのウエスト・ロード・ブルース・バンド……。「言葉」や「地域の特性」が、偉大な音楽人や数多(あまた)の名曲を輩出した事は否めない。

何せ、大阪や京都を始め〝西の言葉〟はファンキーで、独特なノリと味わいがあるのだ(コレはもはや洋楽である。笠置シヅ子の『買物ブギー』は関東弁では絶対ありえへん)。

「どないでっか〜?」「ぼちぼちでんなぁ」なんていう、関西流のコール・アンド・レスポンス。ボケとツッコミ。

取り立てて意味など無くたって、あの格別にハネるリズムをやり取りするだけで、相手との距離がグッと縮まる——実にミュージカルな言語なのだ!!「関西ブルース」とは、西の人たちの誇り(プライド)であり、東京エエカッコすんな〜!! という反骨の精神である。

《東ことば(あずまことば)》には、到底及びもつかないことだ。

そしてブルースとは、すべての人間の〝魂の叫び声〟なのである!!

アタシは近頃、小便をした直後の、思いがけない「戻り水」に少々うろたえながらも……「ブ、ブルースだなぁ」と呻(うめ)き声をあげる(涙)。

すみません、ちょっとティッシュ取って(汗)。

あ、ありがとうございます。

『買物ブギー』
作詞作曲は服部良一、笠置シヅ子が歌った1950年発売のヒット曲。全編大阪弁の歌詞を、笠置が早口でまくし立てるようにして歌っていく。数え上げる買物リストは40品にも及ぶ。笠置がこの曲を歌唱する際は、下駄を履き買い物カゴを手に歌い踊るパフォーマンスを見せた。

12 「好き」だけど「苦手」…

お花見は自粛、プロ野球開幕も延期と、常ならぬ春になっております。音楽の世界でも、たくさんのライブが中止・延期に。早くまた安心して、一緒に盛り上がれる日が来ますように!!

なんて言っておいてアレなんですが……。正直なことを申しますとアタクシ、これまでの音楽活動の中で何が一番苦手かと訊かれたら、真っ先に「ライブがちょっと……いや、大の苦手でございます!!」と、白状させて頂く次第です!!（一同驚愕）

アレだけ散々ツアーとかやって来たじゃねえか、今さら何言ってんだ？と思われるでしょう!?　あいや、その通りなんですが、アレはね、アタクシなりに精一杯ムリして……いや、己にムチ打って頑張っているわけでございます!!（涙目）

元はと言えばアタクシなんぞ、人前に出て歌を披露するような「タマ」でも「ツラ」でもないわけで、はい（ホンマですって）。

それにライブって「団体競技」そのものだし、あんまりアタシの性分に合わないんだもん!!（泣） うえ〜ん、ついに言っちゃった!!（号泣）
「選曲」したり、段取り決めたり、ああだこうだと各所に連絡したり、リハーサルを毎日繰り返したり、やったり直したり……それもみんなで細かく丁寧に（泣）。
風邪ひいて声が出なかったら、どないしよう？ とか思うし（涙）。
あと、ライブ当日は移動だの、事前リハーサルだの、待ち時間だの、ホテルに帰るだ、メシ食うだナンダと……もう少しパッと行ってパパッとやれねえもんかなぁ?⁉!!（愚痴るね、今日は）
そうは言っても、今日までスタッフ及びファンの皆様と共に築いた「スタイル」に、アタシがある種〝まんま乗っからせて〟いただいて、ココまで来れたのだと思っております（感謝）。
「嘘から出た真実（まこと）」ではありませんが、皆様からの有り難きご期待・ご要望や、アタシ自身皆さんからこう思われたい……そんな幻想や妄想が、今のアタシのステージ（音楽人としての生き方を含めて）を作り上げたと言っても過言ではありません!!

ビートルズに憧れて

思えば、ライブが苦手なのはデビューの頃からずっとなんです（冷や汗）。
当時アタシが憧れていたのは、ザ・ビートルズがライブをやめてスタジオに籠（こも）り、凝りに凝ったレコーディングをしている姿!!「ああいうのが、オレが目指すプロのミュージシャンだ、カッコいい!!」とハナハダ勘違いしながら、自分もあんな風になりたかった!!（アホだな）

そして、サザンオールスターズでデビューすることが出来て、よしコレで自分のやり方で音楽が創れるぞ!! そうヌカ喜びしたのも束の間、「お前らの価値は、コンサート（当時はライブなんて言い方よりこっちの方がシックリきたもんだ）をやってナンボのもんなんだよ、この青二才が!!」と、事務所の社長にグサリと言われて……。

「え～っ、そ、そんなもんなんですか……!?」

というのが、正直な心情でした。

元々、サザンの中で一番「楽器の演奏力」が乏しくて、他のメンバーからも期待値が薄かったアタシですから、何度もやり直しが出来るレコーディングが、ある種の〝拠り所〟でありました（これ、ホントなのよ）。

そもそも自分としては、レコーディングで一番イイところを切りとって《壮大な虚構》を創り上げているのに、それを何でまたわざわざ人前で「演じて見せる」なんて……そんな二度手間な（泣）……といった身勝手な発想が、未だにあちきにはありんす（なんで花魁（おいらん）言葉）。

言わずもがな、最高のメンバーやスタッフと共に、力いっぱい演奏して歌える喜び。ファンの皆さんからダイレクトに反応が得られる感動は、まさに無上の価値なのでございます!! いや、これも本心ですってば!!（大汗）

ライブの〝最中〟というのは、そりゃあもう楽しいですよ!!

ザ・ビートルズ　レコーディング

1962年にメジャーデビューして以来、ザ・ビートルズはライブ・パフォーマンスに優れたバンドとして名を馳せた。地元の英国内はもとより米国をはじめ世界ツアーに出かけるようになり、大規模会場での演奏が常態化した。過酷なスケジュールを嫌ったメンバーは、66年の日本公演を含むワールドツアーを最後にコンサート活動を休止。スタジオ・レコーディングに全精力を傾けるようになる。当時レコーディング技術が日進月歩だったのと歩調を合わせるようにして高度な曲が続々と生み出され、『サージェント・ペパーズ・ロンリー・ハーツ・クラブ・バンド』や『アビイ・ロード』などの名アルバムがリリースされていった。

でも、舞台上の充実した時間は実に束の間であり、全てがあっという間に泡沫（うたかた）のように消えてしまう……。この虚しさはいったいなんなのよ〜!?（おいおい、今さらナンだよ？　そのアオ臭い感傷は？）

ご存知のように昨今、CDは売れなくなり、ライブこそが「お宝」、つまりお客様との「生の行為」「愛情交換」の場であり、我々の〝最重要活動〟と相成って参りました。これまで、ドームを始め大きな会場、フェスなどの野外、地方のアリーナやホール、テレビの生中継が入ったライブ等……とにかく、ありとあらゆる場所と場面でやらせて頂き、挙げ句《ライブの本当の主役は我々ではなくお客様なのだ》という事が、身に染みて感じられるようになり、初めて「地に足が着いた」気が致します。

お客様が、ファンの方々がいったいどれだけの思いでチケットを購入し、移動や宿泊の予約等に腐心され、ご自身の大切な時間をその日のために費やし、尚且つ我々に大きな愛とパワーを与えてくださっているのか……という事を、アタシは日頃からもっと肝に銘じておかなければならないのであります!!（当たり前だろうよ）

この原稿を書いていて改めて思ったことは、「アタシはライブをするために生まれて来た」、そして「ステージこそアタシの魂の実家である」という事なのです!!（気持ちの切り替え早っ!!）

長年かけて築き上げた……良くも悪くも「サザンの桑田佳祐」を演じるのに、時折疲れてしまうというのは、確かに否めない点であります（冷や汗）。

そんな言い訳はさて置いても、ここまで四十一年間、アタシやサザンの

「至らぬところ」や「勘違い」を叩き直し、ライブ・パフォーマーとして生かし、育ててくれたのは、他ならぬお客様とスタッフでありました。

「好き」だけど「苦手」なライブ……。

こうして仲間たちと続けて来られた「運命的」とも言える音楽活動。

「好きこそモノの上手なれ」……とはいかなかったけど、そんなライブを(音楽人としての生き方も含め)アタシはお陰様でたくさん経験させて頂き、今後とも勉強してまいります!!

でも今後はいつか……その「スタイル」を、思いっ切り裏切ってみるのも面白いかもしれないと、密かに考えております。

たまには、音楽仲間と酒を呑みながら、お喋りしながら、セッションしていくような「大人のライブ」なんてのも、やってみたいなという気がしているのでございます。

いつも本当にありがとう。

お客様は神様です!!

13 芸術は「模倣」だ!!

いつの頃からか、歌うたいを「アーティスト」だなんて呼ぶようになったけど。

あれ、ナンなんだろうね? アタシは小っ恥ずかしくて、とてもじゃないけど自分の事をそんな風に呼べやしませんよ!!

しかもご丁寧に、若いモン同士が「アーティストさん」とか〃抑揚ナシ〃に呼び合ってるのを聞くと、おじさんは殊更(ことさら)に「引く」し、無性に「違和感」なのであります(これが昭和に生まれ育ったという事か? フン、悪かったねぇ!!)。

でもさぁ、しつこいようだけど「アーティスト」って、そんなにこの世の中に沢山いるもんかねぇ??

〃無から有を生む〜神がかり的な才能と匠の技〃……なんてイメージは、なかなかそう簡単にお目にかかれないシロモノですよ!!

〈溢れ出る才能の泉などありゃしない〉って歌を、あたしゃ数年前に自虐も含めて書いてるけど（『THE COMMON BLUES〜月並みなブルース〜』）。

そう呼ばれる人達って、アタシのイメージでは、数字やノルマに囚われたり、朝から晩までスケジュールこなしたり、ましてや物販売ったりなんかしないと思うんだよ（笑）。

誰が言ったか知らないが《唯一無二のオリジナリティと、存在感こそが本物の「アーティスト」なのである!!》……と。

だから、敢えて言うけどそこは「歌手」でイイんじゃないかねぇ⁇

そんなに大層なものじゃないんですよ。アタシらみたいな歌手は、お客さんに聴いてもらい、楽しんでもらってナンボ。

歌謡曲でもポップスでもロックでも、あのビートルズであっても、アタシの体験上、その初期衝動やモチベーションは実に「無邪気」で「稚拙」なものなんだよね。

まずは先代・先達の真似っ子をするのが我々音楽人の基本ですから!!


「THE COMMON BLUES〜月並みなブルース〜」

2007年、桑田佳祐名義で発表された楽曲。ソロ活動11作目のシングル「ダーリン」のカップリング曲としてリリースされた。コード進行の用語が飛び交う歌詞は、どう曲作りをしても月並みでありきたりなブルースになってしまうことを嘆く自虐的な内容になっている。

「外タレ」に憧れて

で、ここはひとつハッキリ言い切ってやろうと思います。

《芸術は、いやすべての音楽は模倣だ!!》と。

若気の至りの、お恥ずかしい話からいたしやしょう（べ、ベン、ベン、三味線が鳴る）。

学生の頃なんて、楽器持ったら何でも模倣＝コピーだったりするじゃないですか？
気の合うメンバーが集まりゃあ、コピー・バンドから音楽を始めるしね。ナンかに似てりゃあ、それだけで嬉しかったもんなぁ、あの頃は!!
実際のところアタシだってデビューした頃は「模倣」のオン・パレード!!
とにかく「外タレミュージシャン」にクリソツ（そっくり）な曲を作ったり弾(ひ)けたりする事が、我々の「村社会」ではヒーローになれる第一条件でもあった!!　多くの日本人は欧米人に対してコンプレックスを抱えているのも事実だ。

現代でもそうだろうけど、「外タレ」に憧れ、マネをして、なり切る事に大きな喜びを感じていた一九七〇～八〇年代を、サザンは過ごして来たのです（エンタメでもスポーツでも、ガイジンは何であんなに面白い事をバンバン発想してカタチに出来るのかしらん?）。

そこへ行くと、日本人はオリジナリティよりも正に模倣が得意だよね。憧れと同時に、コンプレックスをチカラに変えるのが実に上手い!!

サザンのデビューアルバムの中の『いとしのフィート』は、もちろんリトル・フィートの物真似だし（そのくらい彼らに憧れて、サザンの編成もリトル・フィートと一緒にしたんですよ）、『My Foreplay Music』はビリー・ジョエルの『All For Leyna』の影響大!!　『我らパープー仲間』のサビなんて、あれはキャブ・キャロウェイの『Minnie the Moocher』の結構そのまんまだからね。本人、パクッたつもりはなかったけど、どこかでカラダの中に入っていたものが、ポロッと出てきちゃったんだよ（冷や汗）。

「いとしのフィート」
1978年発表のサザンオールスターズのデビューアルバム『熱い胸さわぎ』所収。メンバー全員が夢中だった米国西海岸出身のバンド「リトル・フィート」への敬慕の念を込めているはずだが、歌詞には「ラーメン」「除夜の鐘」といったフレーズが並ぶ。年末年始にひとりで寂しく過ごす人物の姿が描写され、力強く「お正月」という言葉が連呼されるのだった。

「My Foreplay Music」
1981年発表のサザンオールスターズ4枚目となるアルバム『ステレオ太陽族』所収で、13作目シングル「栞のテーマ」カップリング曲としても収載されている。連打されるピアノ音を前面に出した強烈なイントロを、これまた力強いボーカルが追いかける激しい展開の曲は、色っぽい歌詞とと今だったら有り得ないくらい「そのまんま」でレコード化を潔し（いさぎよ）としたのは、ナンなんだろうね？　やっぱり若さゆえの過ち（あやま）だったんだろうなぁ（涙）。

遺伝情報の継承

今はオマージュなんて便利な言葉があるけど、当時はそんな発想は毛頭なく、サザンのメンバーで群れながら楽しんでいたもんだ。

勢いとかノリで、「やっちゃえ、やっちゃえ！」という感じね（オレそういうのを、もう一回やりたい）。

「リトル・フィートの新作聴いた？　クラプトンて、こうやって弾いてるよね？」みたいな事をワチャワチャ言いながら、知ったかぶりも含めてみんなで作っていった。

『勝手にシンドバッド』の「ラララ」のイントロだって、あの頃流行ってたスティービー・ワンダーの『Another Star』を……まぁ、ノリで拝借したわけである、エッヘン（威張るな!!）。初期のアマチュアイズムというのは、とても無邪気で偉大なものだった。

自分がワクワクしたり、物凄くハマった感動を自分の表現（モノ）に「まんま」してしまいたい!!　そんな素朴な想いだったわけです（ちと古いが、あの「常磐ハワイアンセンター」の発想か?）。

さて皆さん。アタシは、我々日本人が「モノマネ上手」であるという事を、殊更声高（こわだか）に今回お話ししたいわけではないのです。

もに盛り上がりとムーディーな雰囲気を持続する。サントリー『トリスウイスキー』のCM曲にもなった。

「我らパープー仲間」
1981年、サザンオールスターズ4枚目のアルバム『ステレオ太陽族』所収。「パープー」は広島地方の方言で「バカな」といったニュアンスを指す。愛すべきバカな仲間たちと浮かれ騒ぐさまが浮かび上がるような曲調の裏に、どこか拭いきれない哀愁が漂う。

「勝手にシンドバッド」
1978年発表、言わずと知れたサザンオールスターズのデビュー曲。『熱い胸さわぎ』所収。曲が始まると同時にサンバのリズムが鳴り響き、カーニバルの熱狂が立ち現れる。音楽ジャンルなど軽く吹き飛ばしてしまう奔放さが全編に迸る。歌詞の言葉のチョイス

「芸術、すべての芸能や音楽は模倣である」というフレーズが、どれだけ深いものか？

人間をはじめすべての生物は、ＤＮＡのミクロ単位レベルからコピー（物真似）を始めます。

まさに音楽もコレと同じく「遺伝情報の継承」なのだと言いたい。

ちなみに「オッパイの大きいグラビアアイドルに人気が出ると、世の中の女性達のバストも、必然的に何年かかけてデカパイ化する」論というのをご存知か？

これを「メタモルフォーゼ（生物学的に変態の意）」と言うかどうかは知らんけど。

ヒトのＤＮＡが、「小池栄子のオッパイは若い男の子に人気がある」という遺伝情報を認知し、環境需要に適応して、次の世代に多くの素敵なオッパイを発現させるというわけであります（小難しい話すればエライってもんじゃないよ）。

あ、さてぇ、紙面が無くなってきましたので、このお話の核心に迫るのは来週に持ち越しとさせて頂きます。

小池栄子さん、二〇〇三年のサザンのＭＶ撮影では本当にお世話になりました!!　これからもお世話になります。ありがとう!!


は自由過ぎるように見えて、じつは人の心の微細な動きを的確に捉える。時代や世代を超えて人の心を打つ秘密はそんなところにもあるか。

14 続・芸術は「模倣」だ!!

アタクシ前回ここで、意外にポロリと告白してしまいましたね(恥)。

我らサザンオールスターズのデビュー曲『勝手にシンドバッド』は、当時流行っていたスティービー・ワンダー『Another Star』のイントロ部分を、軽いノリで拝借致した……と。

「なに、てめえ、盗っ人タケダケしいにも程があらぁ!! 人様のモノをパクりやがって、こいつは勘弁ならねえ!! てめえがその悪辣な所業をシュレッダーにかける前に社会的制裁を与えて進ぜよう!!」って……ちょ、ちょっと待ってくださいよ、文春さん(汗)。

アタシの盗作疑惑をスクープしたって、こないだみたいに完売しないからね(泣)。アンタ、ヒトの人生何だと思ってんの??

そうじゃなくて、模倣こそ音楽、大いなる再生産の美学なのだ!!

DNAレベルで、我々は誰かのコピーであり、模倣の連続が生み出した生き物・存在なのだと。

ほら、アタシやあなた達の喋り方や生き方だって、広義ではたぶん誰かの模倣、真似から始まっていると思いませんか？

そもそも、『勝手にシンドバッド』ってタイトル自体が、当時の沢田研二さんの『勝手にしやがれ』と、ピンク・レディーの『渚のシンドバッド』を半分ずつ拝借して、ガッチャンコさせたものだってことは、文春さん、じゃなくて皆さんご存知ですよね？　何ぶんにも古い話で恐縮ですけど。

しかもですよ。さらに言ってしまえば『勝手にシンドバッド』というフレーズ自体が、実はアタクシの考案したモノではないのであります!!

サザンがデビューするほんの少し前に、たまたまテレビを観ていたら、「8時だョ!全員集合」で、ザ・ドリフターズの志村けんさんが、「じゃあ、勝手にシンドバッドだ！」ってセリフを、コントの中で既にお使いになっていたんですよ!!

まさにこれは、〝パクリ〟どころか〝パクリのパクリ〟（きゃりーぱみゅぱみゅって言えそうだ!!）。

「歌う火事場泥棒」とは、オ〜レ〜の〜こ〜と〜ダァ!!（イヨッ!!　待ってました！　日本一！　歌舞伎の拍子木が鳴る!!）

音感がイタコ状態

まぁ冗談はさておき、幸か不幸かそのギャグ自体はそんなに流行ったわけではないから、皆さん誰もあんまり覚えちゃおられないでしょうけど（安堵）。

志村けん
ザ・ドリフターズのメンバーとして日本のお笑い、エンターテインメントの世界を牽引し、ソロとしての活動が大半となってからも生涯一コメディアンとして独自の立ち位置を確立。2010年代になると体調不良が続き、2020年に新型コロナウイルスに伴う肺炎症によって逝去。

ただ、アタシの頭の中には何故かそのフレーズがこびり付いていて。曲名を考えている時、イイ具合にその言葉が浮かんで来ちゃって……そのまんま使わせて頂いた次第であります（土下座）。

イイ加減な人生だなぁ。

デビュー後、我々はよく「8時だョ!全員集合」に出させて頂きましたが、いかりや長介さんはじめ、ドリフのメンバーの皆さんには本当に良くして頂きました。志村けんさんご本人は、この事について特に何もおっしゃいませんでしたが、あなた様のお陰で、サザンはこうして世に出る事が出来たと思っています（感謝）。

『シンドバッド』の話ばかりで申し訳ないですが、この曲の持つマイナー・コードで気怠（けだる）く夏を歌う感じって、アタシが小さい時によくテレビで観ていた、ザ・ピーナッツの『恋のバカンス』の雰囲気を、ありがたくも〝無意識に〟拝借させて頂いた……わけであります。はい、無意識にですよ（汗）。

よく「アイデアが降りて来た」などと言いますが、この時の状態こそ〝メロディの先祖返り〟というか、〝音感がイタコ状態〟と化した瞬間なのでございます。そして、これこそが正に「模倣」の正体なのです!!

自分で言ってりゃ世話ないけれど「パクリ」などという所業とはまるで違います!!

その時アタシの耳に聞こえて来たのは、言わば「犬笛」のような遠い記憶の中の旋律であり、遺伝子の奥底に眠る「寝た子」を呼び起こす「天使の歌声（ホイッスル）」でありました……（な、なんだかなぁ）。


「恋のバカンス」

1963年発表、双子女性デュオとして人気を博したザ・ピーナッツの代表曲のひとつ。異国情緒も漂ってくる気だるい雰囲気が、それまでの歌謡曲にないものとして広く受け入れられた。休暇を意味するフランス語のバカンスという言葉が流行し浸透するきっかけにもなった。

身も蓋もない話ですが、結論から申しますと「作曲なんてものは、潜在意識の中にいつの間にか記憶されたものが、偶然出てきただけに過ぎず、神がかった才能(もの)でも何でもない」という説もございます（汗）。

音楽をやっていてつくづく思うのは、ニッポン人というのは「文化のハイブリッド種」であるという事。

一九六三年当時の歌謡曲『恋のバカンス』の中に、どれだけ多くの人種や民族の感情が滔々(とうとう)と流れ、脈打っているのか？

ましてその当時、子どもの頃に行った事もないような国々……スペインの舞曲、イタリアのカンツォーネ、フレンチ・ポップス、メキシコでもブラジルでもアルゼンチンでも……アタシは茅ヶ崎という極東の片田舎に居ながら、何故、あんなに遠い異国の情緒に惹かれ、既視感（デジャブ）に魅入られ、なおかつ懐かしく感じるという感覚を得たのでしょうか⁇

日本の童謡や唱歌、小唄や演歌にも、アタシは全く同じ「デジャブ」や親しみを感じるのであります（ジョニ・ミッチェルやビョークや、最近のボブ・ディランからでさえ、感じることのある、あのエキゾチックな懐かしさよ）。

アタクシは、「遠い記憶」や「既視感」をツテに曲を書いています。そのすべては、学究的に鍛錬されたものではなく、借りモノの知識とか経験を総動員したり、自分の幼い頃からの記憶やら思い出やら、好きで観たモノ聴いてきた音、それらを引っ張り出してはあれこれ切り貼り(カット&ペースト)なんかして、自分なりのカタチにしていくのです。

ごく一部の天才や特別なエリートの人を除けば、物づくりはそうやって進めるモノなのであります。

「天使の犬笛」を聴く

ことポップミュージックにおいては、いくら音楽を学究的に紐解いても、たとえ幾千枚のレコードをお勉強チックに聴いて研究を重ねたとしても、ヒット曲作りの極意を得られる訳では決してないのです!!

DNAの中に組み込まれた「天使の犬笛」を聴きながら、音的・感覚的な既視感を何度も呼び起こし、人生で経験した何かを真似して、会ったこともない誰かに成り切り、それらの情報を七転八倒しながら編み上げていく。

そうしてようやく、作詞作曲や編曲というのは成り立ち、新曲は生まれて来るのでございます。

本人はもとより、同じ時代を生きてきた人々にとっても、音や詞が既視感の連続なのは当然です。既視感の塊（かたまり）だからこそ、その曲はちょっとした懐かしさや共感を呼ぶのではないでしょうか。

これぞアタシが、己の脳内を瞬時にトリップして巡（めぐ）り、記憶海馬の中の音階をコピー、いわゆる「魂の写経」を行い、遺伝子レベルの情報をアップロードする……詰まるところ「模倣」という名の音楽活動なのであります。

なんだか話がめんどくさい方向に飛んで申し訳ありません（謝）。

長年曲を作ってきたアタクシが最近辿り着いたのは、そんな境地なのでした。

詮(せん)ずるところ、音楽作りとは子作りと同様であります。才能など一切関係ない!!ご先祖様がせっせと励んで来られたコトを、己の愛を以て生死(精子)をかけてやれたら、それでイイのであります!!(実は、このシモネタが一番言いたかった)

最後になりましたが、偉大なる志村けんさんの訃報に接し、サザンオールスターズのメンバーとして、また大ファンのひとりとして、心よりお悔やみを申し上げます。

志村さん本当にありがとうございました。

15 みんな松田優作になりたかった

ブルースが大好き!!

先般アタクシ、ここでそう申し上げました。音楽ジャンルとしてのブルースが好きというのはもちろんですけど、佇まいや生き方にブルースが滲み出ている人には、やっぱり男としてシビれちゃいますよね!!

それって例えば誰のことかって? よく聞いて下すった!!

これぞまさに、という人がおひとり。そう、「ブルースな人」といえば、松田優作さんを措いて他におりませんでしょう!!

本当にあの方はカッコよろしかった!!

映画やドラマの中で拝見する優作さん。あの整ったお顔立ちや、日本人離れのスラリとしたシルエットのみならず、拳銃持って走る姿の美しいこと。44マグナムやライフル銃持たせて、あのクリント・イーストウッドに負けない日本人は、優作さんを措いて他には有らず。そう簡単に真似出来るもんじゃありませんて!!(色んな人がいっぱい真似したけどね)

松田優作
山口県下関市出身、独自の存在感を放った不世出の俳優、歌手。1989年に死去後もその人気は持続している。関東学院大学在学中の1972年、文学座研究生に。翌年に刑事ドラマ『太陽にほえろ!』出演。ジーパン刑事として人気を博す。79年、角川映画『蘇える金狼』やテレビドラマ『探偵物語』に主演。

苦味走った表情とかタバコの吸い方、超絶低くて渋いあのお声や、しゃべり口調なんかには、大いに憧れたもんですよ（でも照れ笑いする表情に、少年のような爽やかさがあってね！）。

刑事ドラマ「太陽にほえろ！」のジーパン刑事の殉職シーン。あの「なんじゃ、こりゃあ!!」という一世一代の芝居は、アタシのちっぽけな青春にとっても、大きな衝撃（インパクト）となりました。

これってアタクシに限りませんよね。同世代なら分かるはず。オトコならみんなどこかで優作さんの影響を受けていた!!

みんな、松田優作になりたかった!! 全ての男の心には、いつも優作が住んでいたんだよ!!（ここ、エコーかけてね）

で、優作さんの、どの作品が好き？ っていう話、絶対にしたくなっちゃうよね（嬉々）。

秘技「奥歯四本抜き」

村川透監督と組んだ映画『最も危険な遊戯』をはじめとする『遊戯』シリーズですか？ 佐藤慶さん、阿藤海さん、山西道広さん、片桐竜次さんといった、一癖も二癖もあるけどワクワクするような脇役陣もホントに良かったし、中島ゆたかさんなんて女優は、この世のものとは思えないほど謎めいて美しかったねぇ!!

え？ それとも角川映画の金字塔『蘇える金狼』かな？ あの時の風吹ジ

ュンとのベッド・シーン。ありゃ、我が人生最大のカルチャー・ショックだったね!!　優作が素っ裸の風吹さんを抱え上げた時の、あの風吹さんの小ぶりで引き締まったエロいケツ!!　未(いま)だにアレを超えるケツとは「お尻合い」になった事がない!!

それから、役作りのための十キロ減量とか、一度きりしか使えない秘技・「奥歯四本抜き」という荒業を駆使したと言われる『野獣死すべし』も捨て難いね!!

あと、自分の足を切断して「身長縮めたい」って言い出した優作さん。その頃のマネージャーは大変だったろうなぁ（汗）。

あ、『野獣～』の美しきヒロインだった小林麻美さん。なんで〝田邊さん〟とこなんかにお嫁に行っちゃったの??　オレ、大好きだったのに!!（号泣）

音楽的観点から言えば、優作さんが自ら主題歌や挿入歌を歌った『ヨコハマBJブルース』も外せないけど、なんと言っても『遊戯』シリーズの音楽担当の大野雄二さんね!!（ルパン三世とかでも有名だけど）

優作さんが廃墟ビルの中で、敵とやり合い撃ち合うシーンの音楽なんかは、まさにマイルス・デイヴィスとウェザー・リポートが裸足で逃げ出すくらいイカしてた!!

森田芳光監督の『家族ゲーム』も痺(しび)れた。リアリティの追求はイイけど、役者として出てた伊丹十三さんの腹にマジでパンチ入れちゃうのも……優作さんなんだよなぁ（不器用で臆病な人だったとも聞きました）。

または、早過ぎる晩年の作ということになってしまった、深作欣二監督と組んだ『華の乱』か。本当に本当の遺作、リドリー・スコット監督の『ブラック・レイン』も……語り出したらキリがないよね。

だけど、アタシは何と言ってもテレビドラマ『探偵物語』の工藤ちゃんこと、丸いサングラスでベスパに跨(また)がった優作が好きだったなぁ!! 刑事役の成田三樹夫さんも素敵だったけど、優作さんのやるニヒルな三枚目役が、我々モテない若者たちにどれだけ希望の光を与えてくれたか……(泣)。モテる奴にはわからねぇだろうなァ!!

はあ……。どれもこれも良かったけれど。家に籠っていなければならない今の時期、もう一度全部観直してみようか。

そんな憧れの人・松田優作さんとアタクシ、じつは共演経験がございます!! ね、羨ましいでしょ? とはいっても銀幕などではなくて、ラジオ番組での話なんですけどね。

一九八〇年、アタシがパーソナリティをやっていた『オールナイトニッポン』に、ゲストとして来てくださったんですよね。ちょうど優作さんが歌に力を入れていた時期で、アルバムのプロモーションに絡めて、わざわざ出てくださった。


資料もデータも…

番組は生放送だから、その日のスタジオ内外は、

『オールナイトニッポン』

ラジオ・ニッポン放送名物の深夜番組。「桑田佳祐のオールナイトニッポン」は木曜1部枠として1979~80年、火曜1部枠で1984~85年に放送された。木曜1部時代は、2部パーソナリティが明石家さんまだったため、互いの番組内容が流れ込んだりと

「ほ、本当に松田優作さん来るのか？　ど、どうしよう!!」

と、完全に浮き足立っていました。もちろんアタクシも、すっかり落ち着きを失くして、心ここにあらずでしたよ。だって、その時が初対面だったし、アタシのディレクターから時折耳にするあの人の武勇伝が、かなり強面(こわもて)なモノだったからね（たまたまサザンと同じビクターで、担当ディレクターも同じく「T垣さん」という方だった）。

で、いよいよ「CMが明けたら優作さん、入ります」となって、一同ガチガチになって待っていると……ついにその時がやって来たのです!!

「憧れの人」を待ち受けるスタジオの空気は、水を打ったようにピーンと張り詰める。狭いコンソール・ルームを覗き見ると、映画関係と思(おぼ)しきスーツ姿の男性スタッフ達が、まるで兵隊のように立ち並ぶ。その横には、T垣さんを始めとする、ウダツの上がらないTシャツ姿のビクター勢が、いつも通りの冴えない表情で居る（映画の人達、ビクターのスタッフを見て、コレが日本の音楽界の精鋭か？　と落胆しただろうね……）。

さぁ、来る!!（心臓が口から出そうだ）

間違いなくあと数秒で、あの人はここに現れる!!

そこでアタシは大事なことに、ハタと気付いたのだった。

し、しまった……資料もデータも全然読んでいない（泣）。

ただただ「大ファン」だという事で気持ちが上擦(うわず)っていて、自分が番組のパーソナリティだという事をすっかり失念していたのだ!!

あの頃は、「ゲストを迎える」といっても、何故かその事を直前にディレ

濃厚な交流があった。85年には「バースデイスペシャルライブ」版を放送、タモリやプロレスの藤波辰巳がゲスト出演した。

クターから聞かされたり、アタシ自身も若さゆえに〝ゆる〜い〟気持ちで構えていたものだ。

「これじゃあ絶対、松田優作さんに嫌われる!!」

そう心の中で叫んだ時、スタジオのドアがゆっくりと開き、眩いばかりの強烈なオーラがアタシを包み込んだのである……。

おおっと、残念ながら今週はここでお時間となりました。

「緊急事態宣言」が出されましたが、皆さんもどうかお家で御ゆるりと過ごされ、この後の〝怒濤の顚末〟は来週のお楽しみとさせていただきます。鬼が出るか蛇が出るか？　どうぞお見逃しなく!!

16 続・みんな松田優作になりたかった

男なら誰もが憧れ、数多ある武勇伝に彩られた「最も危険なスーパースター」松田優作さんがアタシのラジオ番組にやって来る!!

「なんかあったら、殺される……（冷や汗）」

そんな思いで、ビビリながらも大きな期待で胸が熱くなる。

そして不気味な静寂の中、優作さんリングイン!!

運命のゴングがついに鳴ったのであります!!

お馴染みのバケット・ハットにレイバンのサングラス（真夜中だけどね）、丹前とベルボトムジーンズという出で立ち。ひと目で「松田優作だ!!」と分かりました。あ、当たり前か!!　しかも足元を見たら、素足に高下駄を履いていらっしゃる!　タダでさえ背が高いのに、なおいっそうデカい!!　近くで見ると、手足の長さも尋常じゃないのであります（凄）!!

周りのスタッフの緊張は、いやが上にもピークに達します。

狭いラジオ・ブースの中では、二人きりで向かい合う優作さんとアタシ。

とにかく、優作さんが発する圧力たるや凄まじかった!!

こっちには逃げ場がないし、もしものことがあって、ご機嫌でも損ねられたらどないしょう……??（大汗）

憧れの人と対面するとは言え、なにせ相手は松田優作。重く息苦しい雰囲気の中で、思わず生放送だってことも忘れてしまいそうでした。

は、早くCMにならないかな……で、でも時間が来ればすぐにCMは終わっちゃう（トークしながらの汗）。

こちとら一応番組を進めなくちゃいけないし、資料読み忘れたし（なんだかゲロ吐きそうだ）。

目の前で優作さんが、テーブルの上に肘をついて、両手をお祈りする時のように組んでおります。拳（こぶし）のところどころが切れて、うっすら血が滲んでいるのが見てとれます。

あ、空手やってるの？　それとも……（怖）。

「バーボン買ってこいよ」

相変わらず、サングラス奥の目は全く見えない。

とにかくラジオだから、何か話さないといけない。

ヨ、ヨシこの話題から入ろう！　と思って、

「えー……。優作さんは、あれですか。スポーツとか、やられてるんですか？」

「いや……、別にやってないですよ……」

超絶低音ヴォイスが腹まで響く。あちゃー、全然乗ってきてくれない……

（データ読むとかすべきだった）。

「ああ、そうですか……。でも空手とかは？」

「いやいや……、大したことないですよ……」

ね、怒ってるの？　オレのこと、その拳で殴ろうと思ってます？（心の声）

そりゃ松田優作さんですからね、「どうもどうもーっ」って話してくれるとは思ってませんけど。それにしても、どう話を持っていけばイイのやら。

その頃、某ＡＭラジオの有名アナウンサー兼ＤＪも、優作さんの「洗礼を浴びた」との情報が、アタシの耳にも届いていた……俺も某アナウンサーの二の舞いになるのか？（怖）

そうだ、アルバムのプロモーションに来てくれたんだと思い直して、

「音楽、お好きなんですか？」と聞いても、

「まあね……。ええ……」

「どんなバンドがお気に入りですか？」

「さぁ、よく知りませんなぁ……」

なんてボソッと言うばかり。

アタシのヘタなフリも悪いが、ホントに困った（なんかめまいと耳鳴りがする）。

そうこうするうちに、何度目かのＣＭに入った。

松田優作と音楽
俳優であるとともに音楽をこよなく愛したミュージシャンでもあった松田優作は、１９７６年の「銀次慕情」にはじまり85年「ワン・フロム・ザ・ハート」まで6枚のシングルと、７枚のオリジナルアルバムを残した。81年公開の映画『ヨコハマＢＪブルース』では、原案・主演・主題歌・挿入歌をみずから手がける。作中で歌ったのは「灰色の街」「ブラザーズ・ソング」「横浜ホンキートンク・ブルース」「マリーズ・ララバイ」。

するとその間に、ビクターでサザンと優作さんを担当するT垣さんがブースに飛び込んで来て、

「優作さん、大丈夫ですか？」（T垣さん、いつもスケべな話しかしないくせに、この日ばかりはガチガチに緊張してるなぁ！）

優作さん「T垣、バーボン買ってこいよ」

T垣さん「へーい」（腰、低っ!! 丁稚か？）

あっという間に調達されたお酒と氷を、紙コップになみなみと注いで（もちろんT垣さんが普段とは違う態度でウヤウヤしく）、そこからは飲みながら（あ、もちろん優作さんだけがね）、番組は静かに進んでいきました。

お酒のお陰もあって、徐々に場も温まってイッたかどうかは別にして、なにぶんにもその後の記憶が無いくらい、当時三十歳位だった優作さんの存在感、破壊力にはマジ気圧（けお）されるものがありました。向かい合ってお話ししていると、いつしかこっちもすっかり優作さんに影響されてしまったのです（ラジオを聴いてる人は、どの声が松田優作か原田芳雄か桑田佳祐かわからなくなったらしい↓大嘘）。

たっぷり間をとって、超重低音で言葉少なくしゃべる〝優作喋り〟が、番組の途中で完全にアタシに感染（うつ）っちゃったのであります。

しかし、番組終了後、〝見学〟に来ていた原由子が、まったく緊張感もない声で「すみません、大ファンなんですけど、一緒に写真撮ってもらえますか？」と、使い捨てカメラを手に駆け寄りお願いすると、優作さんはあっという間にレイバンを外し、ソファーで彼女の肩に手を回しながら、ピースサ

インして満面の笑みを浮かべるではないか（何だったんだ、これまでの生き地獄のような時間は⁇）。

その時アタシは、「どんな場合の誰に対しても肩の力を抜く」という事の重大さを、由子に教わった気がして、その晩唯一の安堵の笑顔と共に、一緒に写真に収まったのである。

人違いで殴られて…

最後に、アタシの知り合いの映画プロデューサーで、森重晃（もりしげあきら）さんという方のお話。彼には『稲村ジェーン』というアタシの初監督の映画で、大変お世話になり、以来とても仲良くさせて頂いている。

あだ名は「シゲ爺」。大変博識で機知に富んだ、愛情深い方である。

一九八九年の十一月六日。

『稲村～』の撮影で、我々は西伊豆松崎でロケの最中だった。

そこへ突然、「松田優作さん死去」の一報が舞い降りた。やはりスタッフ一同は、優作さんとお仕事された方もおられたようで、この現場にも大きな衝撃と動揺が走った。

見ると、いつもクールな「シゲ爺」が、肩を震わせて泣き始めたではないか。

アタシは思わず「優作さん残念だったね」と、声をかけた。

するとシゲ爺は、溢れる涙を拭おうともせず、

森重晃
映画プロデューサー。ドキュメンタリー作品のプロデュースをした経験をきっかけに映画の世界へ。プロデュース作に『ヴァイブレータ』『津軽百年食堂』『さよなら渓谷』ほか多数。桑田佳祐監督『稲村ジェーン』のプロデューサーとして同作を大ヒットへと導く。

「俺は悔しい!! 今度会ったら仕返ししてやろうと思ってたのに……あの人死んじゃうなんて」

そう言っては泣きじゃくり、堰(せき)を切ったように語り出した。

「俺、優作さんの大ファンだったんだ。だから、いつかはご一緒して仕事させてもらいたいと思ってた。そうしたら、この前、焼肉屋である映画の打ち上げやった後、外に出たら優作さんがこっちに向かって歩いて来るから、嬉しくなって思わず初対面の握手しようとして手を出したら……」

「俺、出会い頭(がしら)いきなり優作さんに殴られて……失神して、気付いたら病院にいたの。それが優作さんとの最初の出会い!! バカヤロー、冗談じゃない。勘違いされたまま、勝手に死ぬんじゃねぇよ～!!」

聞けば、どうやらそれは優作さんの完全な人違いだったらしい(亡くなる前に、優作さんはキチンとご挨拶に来られたそうです。シゲ爺、映画人としての勲章だね!!)。

松田優作さん。

生きておられたら、大好きなロバート・デ・ニーロとはとっくに共演されたでしょうか?

型に収まりきれない「窮屈さ」と「居心地の悪さ」が、とにかく唯一無二の素敵な役者さんでした。

音楽をやられている時の方が、何故かもっと開放的で若々しい印象がアタシにはありましたけど。

あなたが、心を込めて恥ずかしそうに歌う『横浜ホンキートンク・ブルース』が、今でもこの耳に聴こえて参ります。
優作さん、本当にありがとうございました。

17 音楽番組が好きだ!!

外出を控えて「密」を避ける日々には、ラジオが強い味方になってくれるものです。なんと言っても、おウチに居ながら「静かなる愉しみ」を提供してくれますからね。

かく言うアタクシもTOKYO FMで「桑田佳祐のやさしい夜遊び」という番組をやらせて頂いており、気付けば二十五年も続いているとか……。いやもう、有り難いやらお恥ずかしいやらでございます(汗)。

それにしても言葉のプロ、進行のプロとしての司会者というのは、つくづく偉大だと思います!!

とりわけテレビというメディアでは、司会者の存在こそ肝心カナメ!!

思えば幼い頃から馴れ親しみ、長じては出演までさせて頂くようになった「音楽番組」においても、まさにその通りでございます。

いつの時代にも、才気あふれる名司会者が番組を彩ってまいりました(いや、番組の中心にあの方々は凜として「君臨して」おられたのです!!)。

「桑田佳祐のやさしい夜遊び」
1995年から続くTOKYO FMのラジオ番組。桑田佳祐みずから生放送でマイクの前に座るのが基本形。事情のあるときのみ事前収録や代行を立てるなどの処置がとられる。桑田佳祐およびサザンオールスターズに関する諸々の発表は、この番組を通してまずは明かされることも多い。不定期で放送される「生歌の原型になっているのは、米国の伝説的バラエティ番組「エド・サリヴァン・ショー」あたりでしょうか？　テレビの黎明期から二十年以上も続いた番組で、日本でいえば「徹子の部屋」に、ゲストがエンターテインメントを披露するコーナーがプラスされたようなもの!!（黒柳徹子さんは、それを実に四十年以上もやられているのですから、世界に誇るべきAmazingでMiracleでMarvelousな存在なのであります!!）

米国訪問時のザ・ビートルズが、この番組に出た時の瞬間最高視聴率は、なんと七〇％超え!!

まるでウルトラマンに出てくる怪獣「ジャミラ」のような体型の名物司会者（笑）。当時のアメリカでも、社会的影響力は絶大だったとか。

「エド・サリヴァン・ショー」は一九六〇年代に、半年だけ日本でも放映されていました。

招き、招かれる側双方に「敬愛の念」が溢れていて、とってもお洒落にショーアップされた雰囲気に、幼いアタクシも心底憧れを掻き立てられたものです。

「歌の準備なさって！」

日本のテレビに目を移せば、「ザ・ベストテン」の久米宏と黒柳徹子、「夜のヒットスタジオ」の井上順と芳村真理、「ザ・トップテン」の堺正章と榊原郁恵、「ミュージックフェア」の長門裕之・南田洋子夫妻（アタシと長門

コーナー」では桑田佳祐が、ギター一本で自他の別を問わず曲を弾き語る。

『ザ・ベストテン』
TBS系列で1978〜89年にかけて放送。毎週独自の集計による音楽ランキングを発表、その曲をミュージシャンが生放送で披露するかたちをとる。司会は女性が黒柳徹子、男性は久米宏が長く務めたあと小西博之、松下賢次、渡辺正行・柄沢晃弘へと変遷。

『ザ・トップテン』
日本テレビ系列で1981〜86年にかけて放送。『ザ・ベストテン』と同じく音楽ランキングを集計し、ランク入りしたミュージシャンが該当曲を歌った。司会は堺正章と榊原郁恵。

『ミュージックフェア』
フジテレビ系列で1964年

さんの顔がよく似ているということで、初めて番組に出演した時、御夫妻が〝まるで我が子のようだ〟とおっしゃって温かく迎えて頂いた事が忘れられません!!）と、かつての音楽番組には名物司会者コンビが目白押しでした!!

皆さん、当然の如くトークは上手いし、仕切りは的確だし、タイムキーピングも実にしっかりしていらっしゃった。

「ハイもうあなた、あっちで歌の準備なさって！」

なんて黒柳さんに言われたら、こっちもピリッとして、全力で言うこと聞いちゃったものです（笑）!!

井上順さんは、さすが元スパイダースの看板スターだけあって、我々バンドの思いや「至らぬ部分」もよく理解してくださっていたと思う。芳村真理さんは「惚れてまう」ぐらい素敵な方でした!!

言わずもがな、芸能界のスーパースター堺正章さんは、なんとアタシの母校「鎌倉学園」の大先輩であり憧れの人。

そんなマチャアキさんから直々に曲をご紹介頂き、ステージで歌うなど誠に恐縮の極み!!

元々、テレビ（しかも生で全国放送）に出るなどとは夢にも思わなかった我々の、大いなる「照れ」や「戸惑い」を、温かく包み込んで送り出してくれた、そんな司会者の皆さんに感謝の気持ちは尽きないのであります。

我々サザンがデビューした七〇年代終盤、歌謡界のど真ん中には沢田研二さんが、その孤高の輝きを燦然（さんぜん）と放っておられました（そもそも「歌謡曲」ってモノを、最初アタシはナメてましたけど）。


から現在まで続く音楽番組。民放レギュラー音楽番組としては最も息の長い番組となっている。落ち着いた雰囲気のなか、一曲ずつをじっくり聴けるのが特長。司会は初代が越路吹雪。南田洋子・長門裕之コンビら幾度もの変遷を経て、2016年からは仲間由紀恵・軽部真一のコンビが務める。

ジュリーさんはいつも《テレビ》と闘っておられた!!

毎回趣向を凝らし、新曲と自分の魅せ方に、テレビ的な演出とエネルギーを注ぎ込んでいらした!!

あのルックスなんだから、何もしなくったってイイのに……なんていう考え方は、御本人にはサラサラ無かったんでしょうな。

照れ臭そうに（そんなフリをして）司会者とのトークを終えると、まるで阿弥陀如来か殺し屋のような表情でマイク・スタンドの前に立ち、自らのヒット曲にオトシマエをつけるべく、全身全霊で〝歌と相対峙する〟お姿が実に神々しくも艶かしい!!

「人生も歌も闘いのロマンなんだよ!!」たぶん、そんな思いで絶叫する沢田研二。

こう言ってはナンだけど、デヴィッド・リンチやジョン・レノン以上に、〝この人はヤバ過ぎる〟と思った!!

閑話休題。

そして何がスゴイって、どの番組も生放送だった事!! 旬の歌をナマで届けるんだ、という気概が番組側に強くあったんでしょう。今より番組の予算も影響力も大きかっただろうし、何より〝純然たるヒット曲〟があの時代にはタンマリあったからね!!

そして世の中はどんどん刺激的なモノを求め始める。

これぞ生放送の醍醐味……と言うか、今なら「大炎上」必至の演出に、八〇年代全国のお茶の間は、狂喜乱舞したのでした!!

極論ではなく、昔も今も「トークが無ければ、音楽番組は成立しない」のであります!! コレ、我々としては永遠のジレンマなんだけど（汗）。

どの番組もそうですが、司会の方々の臨機応変な柔軟さや胆力は凄まじかった。だって歌手やミュージシャンなんて、百歩譲ったって変わり種ばっかりですよ。そんな人たちを毎週次から次へと捌いていく。

これは「猛獣使い」としても一流であり、名人芸としか言いようがありません。

そんな「生」や「人力」の凄みを感じさせる生放送の音楽番組も今や昔。そういう意味での〝熱〟や〝勢い〟が最近は薄れてきたような気がして、絶滅危惧種を憂うジジイは、少し寂しい気がしております。

脱力の信頼感

え、ナニ、誰か忘れてないかって？　おっと、音楽番組&司会者と言って、絶対忘れちゃならない方がいらした!!

あのタモリさんが三十年以上もやられている「ミュージックステーション」だ。

独特の緊張感が漂う、生でカツカツの時間枠の中、音楽にも大変造詣の深いタモリさんとの歌前トークに、緊張した心を見事に解きほぐされ、癒されまくる。あの《脱力の信頼感》に背中を押され、歌うステージは格別だ!!

そしてスタッフワークも。当日の短いリハーサルを含めて、緻密に計算さ

『ミュージックステーション』 テレビ朝日系列で１９８６年から続く生放送音楽番組。総合司会は最初の半年を関口宏、その後87年から現在までタモリが続けている。楽曲を聴いてもらうこと自体を番組コン

れたカメラワークやデジタルな演出も凄いと思うが、生放送のスピード感の中で発揮される「マンパワー」と「ノリ」にはいつも敬服する。最近は若い女性スタッフが現場を取り仕切っているが、これまたヨロシイ。

　他にも色んな音楽番組を見かける。ハイパー・カラオケ選手権なんてのもある。

　たくさんの出演者が並んでVTRを見て、「凄い」とか「カッコイイ!!」みたいなリアクションをしたり、まるで「互助会」のようにゲストの歌唱や音楽性を褒めそやす番組もある。お茶の間に「ここウケるところです！」「ここ感動するポイントです!!」的な、「説明」や「注釈」が無いと、今やエンターテインメントとしての日本人の音楽は成立させにくい時代なんだろうか？

　我々はイイ時代を過ごしたのだと、つくづく思う。

　そして、かようにアタクシ熱くなってしまうほど、テレビ歌謡音楽番組が、サザンを育ててくれた「大恩人」なのだと思っています。

　令和の黒柳徹子や芳村真理は、もう現れないかもしれないけれど。

　テレビ音楽番組にはもっともっと世の中を盛り上げていただきたい!!「流行歌」もさほどない昨今の世の中で、構成も演出も苦労されると思いますが……。コロナにも負けないでください!!

　なのであの、次の新曲ができた暁には、アタクシどもをまた番組に呼んでくださいね!!

　何卒よろしくお願いいたします!!

セプトとしていることから、その他のコーナーや企画は最小限に抑える構成となっている。

18 T・レックスとグラム・ロックの世界

前回もチラと触れましたが、我らサザンオールスターズがデビューした一九七〇年代後半、日本のエンターテインメント界の頂点に君臨しておられたのは、かの沢田研二さんでございました。

もともとの優れたルックスを、いっそう際立たせるド派手にして華麗なる衣装、そして歌舞伎役者もかくやと思わせるようなお化粧。そのお姿、艶(なまめ)かしいこと、この上ありませんでしたね。歌番組の初登場をジョギパン姿でこなしたアタシらとしては、いろんな意味で大きな格差を感じさせられたものです（汗）。

でも自慢じゃありませんがアタクシ、そんなジュリーとステージで共演したことが一度だけあるんですよ。あれは一九八三年、大阪の南港フェリーターミナルで開かれていた「'83ジャムジャム・ロック・フェスティバル」でのことです。

今やすっかりポピュラーになった「音楽フェス」のハシリみたいなイベン

トでした。ラッツ&スター、山下久美子、上田正樹、桑名正博、アン・ルイス、そしてなんとあの山下達郎まで!! アタクシたちサザンらが歌った後に、トリとして遂にジュリーの登場!! バックバンドのEXOTICSと共に繰り広げるステージはひときわトンガっていて、尚且つ華やかなものでした!!

エンディングセッションでは、演者全員でローリング・ストーンズの「サティスファクション」を演ったんですけど、ジュリーとセッション出来たの、嬉しかったなあ（向こうは覚えてないだろうけど）。

沢田研二さんのあのスタイルって、元をたどれば七〇年代当時、世界的な盛り上がりを見せていた「グラム・ロック」カルチャーを、日本のメジャー・シーンでいち早く取り入れたものですね。最先端のトンガったものを、ステージでも、お茶の間の老若男女向けのテレビでも、変わらずやってしまうところがジュリーのズルさとアザとさ、いやカッコ良さですね!!

そういえばグラム・ロックなんて言葉を耳にする機会、すっかり減っちゃいました。〝魅惑的〟を意味する「グラマラス・ロック」を縮めた言い方ですけど、何しろアタクシが高校生の頃に大流行したモノですからね。

思い返せば一九七〇年、ザ・ビートルズが解散してしまってアタシの心が抜け殻になっていた時、音楽シーンに颯爽（さっそう）と現れて「これが七〇年代のノリだよ」と言わんばかりに、トンデモナイ世界観を魅せつけてくれたのがグラム・ロックの群勢でした。

その代表格といえば、何を措（お）いてもマーク・ボラン&T・レックス!!

ザ・ビートルズのリンゴ・スターが解散後に『Born to Boogie』という映

グラム・ロック
1970年代前半の英国で巻き起こった音楽潮流。ビートを強調したポップな曲調と、中性的なルックスを志向することが多かった。代表的な存在にマーク・ボラン&T・レックス、デヴィッド・ボウイ、ロキシー・ミュージックらがいる。日本のミュージシャンでは沢田研二や忌野清志郎が想起されるが、当時彼らがグラム・ロックのくくりで語られることはなかった。

マーク・ボラン&T・レックス
英国のミュージシャン、マーク・ボランがリーダーとなってボーカルとギターを務めたバンドが、T・レックス。グラム・ロックのジャンル全体を牽引した。「ホット・ラヴ」「ゲット・イット・オン」などのヒット曲を生み出す。1972年、73年には来日し公演をおこなった。

画を撮ってるんですけど、その主役がこのT・レックスですからね（奇しくも、ビートルズのテレビ番組『マジカル・ミステリー・ツアー』そっくりのキテレツな作品）。リンゴも「コイツらカッコいい！　ビートルズなんかよりイカしてるぜ！」と思ったんでしょうね。しかし、時代の価値観とは、実に儚く移り気なものですな。

グラム・ロックって、音楽的には実に不思議な味わいがありました。意味不明のデカダンな歌詞（哲学的とも取れる）、若いのか老けているのか分からない、懐古的で頽廃的で、いかにも大英帝国の威光のような面が強いのに、「パワー・ポップ」「ウォール・オブ・サウンド」と呼ばれる、毒を含んだ御伽噺のような妖しさが、ついついクセになっちゃうのでありました!!

正直言って、サザンの『ロックンロール・スーパーマン～Rock'n Roll Superman～』という曲は、このT・レックスが〝元ネタ〟であると、きっぱり告白させていただきます。

さらには、ですよ。グラム・ロックの人たちは、サウンド面のみならず、ビジュアルのインパクトが、これまた極大!!

T・レックスもそうだし、同時代に登場して人気をさらった、〝男か女かわからない〟デヴィッド・ボウイ、後にパンク・ロックと合流したイギー・ポップ、さらにはクイーンの、あの男色的エロスとセクシーさを全面に押し出したステージ衣装はどうでしょう（クイーンてバンド名はそのまんまですよね?）。

そして何と言っても、皆さんお綺麗に化粧をしていらっしゃる。ジュリー

「ロックンロール・スーパーマン」
2005年発表のサザンオールスターズ14枚目のアルバム『キラーストリート』所収。桑田佳祐が70年代から好んで聴いてきたグラム・ロックの特徴を取り入れた楽曲である。自分を鼓舞するおまじないとして「I'm a Rock'n Roll Superman」と唱えようという、誰もが励まされる力強い応援歌となっている。

がメイクやカラー・コンタクトをして歌うようになったのは、明らかにデヴィッド・ボウイに倣ったわけでしょう。親日家のボウイは山本寛斎デザインの衣装を纏ったり、前髪バッサリ、後ろ髪をタテガミのように長くする「狼ヘア」を流行らせたりと、とにかく図抜けてスタイリッシュだったのです（宇宙人というキャラ設定で演っていた当時のボウイ。飛行機が嫌いで、来日時もイギリスから船でいらした。これでアタシはいっぺんにファンになったのであります!!）。

性差を超越して、美に耽溺するとでも言いましょうか。混迷する時代の片隅に咲いた仇花の如く、華奢な美形たちが、〝男気〟を消して腰をくねらせ、ティーンエイジャーに向かって歌いあげる。そんなグラム・ロックの精神は日本のエンターテインメント界にも広く浸透していきます。

だってお化粧姿が板に付いている人を思いつくまま挙げたって、ジュリーをはじめ忌野清志郎に坂本龍一、美輪明宏、美川憲一、氷川きよし……とたくさんいますでしょう？　六〇年代の終わりに、美少年ピーターが歌った『夜と朝のあいだに』は歌謡界の金字塔!!　そして、あの三波春夫さんだって当時はけっこう派手に化粧していたのです!!（東京五輪音頭の時もね）

その辺りからなんでしょうね。いわゆるゲイ・カルチャーが日本でも市民権を得ていくのは（もちろん、お化粧してる方＝ゲイというわけではないですけど）。

美しいものに極めて敏感で、繊細な感受性を持ち、人に優しく親密な空気を大切にする……。言ってしまえば「女性脳」が司る感性が、ポップな表現をする上では、かなり有効なんでしょうな(映画解説者の淀川長治さんなんかは、ホンマにその点よござんしたなぁ)。

忘れちゃいけないのは

だからほら、今の日本の芸能界を眺め渡しても、IKKOやマツコ・デラックス、尾木ママ(?)といった人たちの存在感は、ご意見番としてもスゴく大きいじゃないですか。あの人たちの感性や言葉の表現力は、実に的確で鋭いからね。

さて、世界のポップス音楽におけるゲイ・カルチャー的系譜は、グラム・ロック以降も脈々と受け継がれてまいります(戦国武将の時代から「男色」なんてのは、粋で高尚な嗜(たしな)みだったらしいし、文化全般、最先端の発想をする人たちに、ゲイの要素は不可欠なものだったとか)。

そして八〇年代になってからのデビューだけど、艶かしい女装スタイルで知られたボーイ・ジョージがボーカルをとったカルチャー・クラブ。彼の〝ゲイっぷり〟に、当時アタシもすっかりハメられて、NHKホールで観たステージは感動したもんなぁ(顔、すげぇデカかった!!)。

それから、忘れちゃいけないヴィレッジ・ピープル! 米国のグループなんだけど、メンバー全員がゲイにウケることを最優先してコスプレしていたという……。彼らの大ヒット曲が『Y.M.C.A.』ですよ。そう、西城秀樹さんでお馴染みのあの曲。元歌を歌っていたのは、この人たちでした(今で言うところの「ジェンダー」を商品化するやり方が、まさにポップスの真骨頂なのだ)。

最近では「LGBTQ」という言葉がすっかり広まって参りました。性の多様性を謳(うた)うものだけど、このうちの「L」はレズビアン、「G」はゲイの頭文字、「Q」は……誰か教えて(汗)。

「男気」や「男脳」が支配する世界は、どんな場合でも縦社会的で理屈っぽい。

七〇年代のグラム・ロックあたりから、いろんなミュージシャンがその音楽や生き様で、ゲイ・カルチャー・パワーを魅せつけて来たことが、世の中を大きく変える力になったんだと思う。たぶんね。

マーク・ボラン&T・レックスが大好きな音楽人として……、ありがとう、〝☆GLAMOUROUS☆な音楽の先達たち〟よ!!

19 デジタルとアナログと

世界中の方々と同じく、アタクシも家に「ステイ」し続ける日々でございます。皆様はいかがお過ごしでしょう?

いつにも増して音楽を聴く時間があるわけでして、実は少し前から、家じゃレコードしか聴かないようになりました。いわゆるアナログの音の良さってヤツね、これがまた骨身に沁みるんです(古いレコードはノイズが出るし、ジャケットからの出し入れ、A面終わったらB面に裏返す作業等は、相変わらず面倒臭いですけど……)。

アナログで聴く音を懐かしく思ってるのは、アタシだけではないようで。最近チラホラと同世代の方から、

「改めてレコードにハマってます」

「紙ジャケットの匂いが好き」

といった声を聞くことがございます。

生まれたときからデジタル機器やシステムに囲まれてきた「デジタル・ネ

イティブ」と呼ばれる世代の人たちだって、
「こっちの音のほうが優しい」
「温もりや人間味がある」
などと、好んでアナログ盤の音を楽しむ人が増えているとか。
「ザマぁみやがれ」って言いたくなりますな（笑。CDが登場した頃、家にあったレコード盤を、あれほど邪険に厄介払いしたくせに……アタシ自身がね）。

ところがどっこい、アナログ・レコードだろうがCDだろうが、人間の耳で聴き分けられる周波数の許容範囲は限られていて、「アナログの方が音が温かい」なんてのはコレ、単なる錯覚に過ぎないとの説も有る。

これはレコード盤に対する「イメージ」や「先入観」の問題であって、要するに人間の聴覚だとか感覚なんてのは、どこかイイ加減なモノだというわけですな。

そう。この「イイ加減」というのが我々の本質ですから、あんまり物事を白黒はっきりさせるとか、思想だって右だ左だと論じ過ぎると、ロクな事にはならないのであります。

アタシの大好きな落語家、立川志の輔師匠の「まくら」に、このデジタルとアナログを面白おかしく表現されたお噺がございました。

街の定食屋に行き、チャーハンの大盛りを頼む。店の女将さんは注文を受けて、中華鍋を振るご主人に「はい、チャーハン大盛り一丁」というのがアナログ。対して「普通盛りがゴハン粒四千八百六十二粒だから、はい、大盛

アナログ盤
音楽信号を円盤上の「面」の凹凸でアナログ状に記録し、それを針で読み取り音を再生する方式。19世紀後半に初めて実用化された。基本原理を確立したのは、かの発明王エジソンといわれる。1980年代にCDが登場して以来、音楽再生はデジタルデータを介する方式が主流となっていったが、近年はアナログ盤人気が再燃。その膨らみある音を愛する人は尽きない。

りは七千六百二十八粒でお願いね!!」というのが、いわゆるデジタルなんだと（すみません。ここ、志の輔師匠がお話しされるとＰＡＲＣＯ劇場が大揺れするくらい、ドカンと爆笑が巻き起こるところであります!!）。

志の輔師匠は、この他にももっと面白い例え話を連発してくださったんですが、アタシの拙い表現力では、とりあえずこの「チャーハン」の部分だけでお許しください（謝）。

とは言え、二十一世紀を生きる我々は、たいていの場合デジタルを介して音楽を聴くことになっているのが事実であります。

これ、音楽を制作する側の事情も同じでしてね。〝一部の工程を除いて〟現場は完全にデジタル・テクノロジーで埋め尽くされております（もう完全に〝取り残された感〟全開のアタシ）。

そりゃ便利なのは間違いないんですよ。まあ音はどこまでも「クリア」に出るしね。かつて我々がアナログで録音していた頃は、狙い通りの「イイ音」をそのままテープに録る事が出来ないというジレンマがありました。

しかし、録音のためのコンピュータ・ソフトである『プロトゥールズ』様の登場などで、レコーディングの技術は飛躍的に進化を遂げることと相成ります!!

加えてデジタルベースで制作すれば、音をいくらでも重ねられるし、細かいニュアンスだってお手のもの。それでいて作業はとことんスピーディ!!便利なコトこの上なくて、正に〝デジタル〟とは神様、仏様、救世主様!!ただひたすらにサイコー……だというワケであります!!

プロトゥールズ
Pro Tools のこと。米国アビッド・テクノロジー社が提供している、デジタル・オーディオ・ワークステーション（DAW）のソフトウエアおよびシステム全体を指す。プロフェッショナルが音楽を制

そして音楽業界は、みんな幸せになったとさ、チャン、チャン!!　……と
いう風にはいかないのが、世の常、音楽人の悩みでございまして（汗）。
そうしたクリアさや便利さに、実は落とし穴が潜んでいたりするのです。

理屈じゃない理由

いつだったか、かの山下達郎さんにご相談、質問をさせていただいた事が
ありました。
「最近、自分の歌や弦楽器のピッチが妙に気になるんです。七〇年代や八〇
年代は、こんなこと気にならなかったはずなんだけど、何故ですかね？」と。
ピッチというのは、音の高低のことね。
山下達郎さんと言えば、音楽の知識、技量、才能すべてを併せ持ったお方。
そんな達郎さんがおっしゃるに、
「それはきっと、演奏の方に『ゆらぎ』が無いからだろうね」
「デジタル含めて、今の音楽機材のチューニングなんかは、凄くシビアに調
整しているから」
とのこと。なるほど最近の録音じゃ、演奏を、シンセサイザーに代表され
る電子音で固めていったところに、生身の人間の声や楽器を乗せることにな
ります。すると歌声など、〝生〟の〝揺れた〟部分だけ、まるで異物が差し
挟まれたような状態になるわけですな。
人の声はアナログだから、そこには微妙な「ゆらぎ」が含まれるわけです。

作していくときの業界世界標
準の装備と目されている。

そうした生の「ゆらぎ」こそが、本来なら音楽の魅力の一端を担っているわけなんでしょうけど。

　現在アタシの場合、ライブのＰＡや、テレビの収録と違い、レコーディングの現場、つまり新曲の歌声や生音を録る場合に限って、未だに『ノイマンU47』という、一九四七年製のアナログのマイクロフォンを使っています。

　令和の世においても、何故かここだけは、デジタルより〝感覚的〟にこちらを選択するという拘りがございまして。

　それは何故か？　はい、好きだからです(笑)。他に代わりが見当たらないのと、このマイクとの付き合いがアタシの音楽のキャリアでもあるからです。

　論理的なデジタルと、感覚的なアナログ。実はアタシもこれ以上の事は分かってないんだ(汗)。

　テレビの国会中継を見ていても、〝デジタルに〟原稿を丸読みされるより、自分の言葉で訴えかける政治家の方が〝アナログで〟心に響く場合がありますよね。

　人の心や行動には、理屈では割り切れない「ガラパゴス」な領域があって、レコードに温もりを感じる事だって、〝理屈じゃない理由〟があるんでしょうね。そんな事を、皮肉にもデジタル・レコーディングと付き合ってきて分かったような気がしております。

　デジタル技術は、人と人との距離感も変えちゃいましたよね。

　レコーディングなんかでも、最近は、例えばマスタリングというＣＤ制作における最後の工程を、ニューヨークのエンジニアにお願いしたりする事があります。

夜に音源データをアチラに送っておくと、向こうは日中だからそのまま作業をしてくれていて、僕らが翌朝になってスタジオへ行くと、もう作業済みのモノが届いている。

昔は、ビクターのエンジニアとディレクターがマスター・テープ抱えて、レコーディング終わりで飛行機に飛び乗ってニューヨークやロスに行ったもんだ。

あちらと顔を合わせずとも、そうやって作業が成立する。もはや我々は「オンライン」「リモート」状態で音楽を作り、仕事をこなしているんですなぁ。

このデジタルな便利さを享受しつつ、アタクシなんざ、どこか釈然としない思いを抱えちゃったりもしております。「チャーハン大盛り一丁!!」の感覚が、ポップスには不可欠だと信じています。これもアナログで育った世代のサガなんでしょうかね。

家のオーディオでデカイ音を出して親父に怒られるとか、ジャズ喫茶やバーで主人がかけてくれる貴重なレコードに耳を傾けるなんていう、誰かと音楽を共有する体験は明らかに減りました。昭和ノスタルジーに生きるジジイは寂しい気もしています。

「ソーシャル・ディスタンス」なんて言葉を耳にしながら、やっぱり音楽は、精神的にも物理的にも、人と人とを繋げるものでありたいですなぁ。

そんなことを心のどこかで思いながら、今日も家でレコードに針を落とすアタクシなのでした。

20 あの青学の時代(とき)を忘れない

今回のコロナ禍との闘い。

誰しも影響を被(こうむ)っておりますが、長らく続いた学校休校なんて、何ともカワイソウでしたね……。

そう言えば、かくいうアタクシにもあったものですよ、輝かしき学生時代……。あ、いや、ちょっとウソをつきました。そんなキラキラしたものじゃなかったか……。

確かにアタクシ、大学時代をモチーフにした『Ya Ya（あの時代(とき)を忘れない）』という曲を作ったりもしていまして、〈ひとり身のキャンパス　涙のチャペル〉なんて切々と歌い上げていましたが、正直に言って、アレはただただ「汗と涙と恥にまみれた」青春でした。

なぜ大学になんざ行こうと思い至ったのかと言えば、高校時代にバンドを始めたアタクシ。ふと将来を考えたときに、自分にゃ特技も器量も無いし、

「Ya Ya（あの時代を忘れない）」
サザンオールスターズ16作目のシングル曲として1982年に発表。桑田佳祐が青山学院大学に在籍していたころの思い出をベースにしてつくられている。歌詞中に出てくる

別段にアタマが切れるわけでもない。これは好きな音楽に打ち込むくらいしかないなと、無いアタマで至極安易に考えたのでした（汗）。

とはいえ、音楽で食っていく覚悟を決めた!!　というほど、具体的なヴィジョンも腕もありません。どちらかと言えば、〝この先どうやって気楽に過ごすか？　オンナにモテるか？〟などを重点的に考えて、ココは一つ音楽を武器にするしかない、と相成ったのであります。

よし、ならばどこか大学に潜り込まねば。キャンパスで髪でも伸ばしてバンドやって、ジョージ・ハリスンみたいな髭生やしてモテてやるんだ!!　そう勘違いも甚だしく決意を固め、一九七四年、アタクシは晴れて青山学院大学に裏口入学で潜り込んだのでした。いやいや、冗談（汗）。これでも一応、入学試験をパスして、ちゃんと〝表玄関から〟入ったんですよ!!

それにしても、なぜ青学だったのかって？

選考基準はただ一つ、緑と女子学生が多いこと!!（そして偏差値が一番低い学部ね）　最高の環境で歌声を張り上げ、ギターをかき鳴らしてやろうじゃないか……と考えた結果、青学の経営学部に狙いを定めたというわけであります。

さて、しっかり（ちゃっかり？）青学生になったアタクシ、意気揚々と大学に通い始めました……。って言うとこれもウソになりまして、本当は見るモノ聞くモノ、全てにビビりまくっていました（汗）。

だって茅ヶ崎くんだりでノウノウと暮らしていた田舎者が、いきなり渋谷・原宿・青山でキャンパス・デビューですよ!!　どんな顔して歩けばイイ

「Better Days」とは、所属していた軽音楽サークルの名前でもある。

んだか、何着りゃあイイんだか、よくわからなかったな（泣）。

しかし、ここで本来の目的を見失うわけにはいかない。そう、音楽だ!! とにかく（女の子がいっぱいいそうな）音楽サークルに入るぞ!! と、キャンパスをウロウロしていて、バッタリ出逢ってしまったのが、「ＡＦＴ」という団体（勧誘してきた女の先輩が、これまた異常に可愛かった!!）。

で、これ、何の頭（かしら）文字だと思います？

「青山（A）・フォーク（F）・たびだち（T）」ですよ。

もう一度言いますけど、「たびだち」ですから（汗）!!

あれ？　こないだまでビートルズだクラプトンだと意気がっていたのに、フォークかよ!?　って？　でも、男子校出身者としては、この「そこはかとない」「柔らかな」「かぐわしい」女の先輩の色香に、哀しいかな……もう既に心を奪われていたのであります。

何はともあれ、この頃はアメリカ・ウエストコースト・サウンドの隆盛期。オーガニックに「愛」や「恋」や「反戦・平和」を歌う風潮が漲（みなぎ）っていて、いわゆる「ハード＆ヘビーロック」をやってるサークルには、見るからに〝文化〟の違う「毛皮」や「金属類」を身にまとった男女がスモーキーにたむろし、ま、安易に近づかない方が賢明に思えたのです（汗）。

で、このＡＦＴの「Ｔ」は「たびだち」ですけど、実は表記としては「出発」でした。つまり名称は「青山フォーク出発」で、読み方は「たびだち」となる。なんだか当時の純喫茶かペンションの屋号みたいだよね（笑）。

それでも入部してみると、「歌う声がボブ・ディランに似てるね」などと

AFT
「青山フォーク出発」の略称。青山学院大学に存在した軽音楽サークルだが、大学公認のものではなかった。キャンパスでギターをかき鳴らすことを夢見て入学した桑田佳祐は、入学当初から同サークルに所属した。

言われて調子に乗って、さっそくあれこれバンドを組んでみたり。ジョン・レノンを真似て、まん丸のサングラスをかけたはイイが、デヴィッド・ボウイを真似て「前髪パッツン」「襟足ロング」に失敗したアタシの風体(ふうてい)を、何故か先輩たち、特に女の人たちに気味悪がられたり。アタシと同じような動機で入部して来た、(例の女の先輩に勧誘された)見るからにスケベそうな、自称「甲府のジミー・ペイジ」や「北区のエイモス・ギャレット」達を始め、他のフォークの先輩たちも、その腕前のレベルが意外と高かったり。勧誘してきた〝めちゃ可愛い〟女の先輩には、すでに同じ部に彼氏がいると聞いたり……(トホホ)。

こっちは茅ヶ崎でそれなりに音楽聴いたり歌ったりしていたとはいってもね、所詮は井の中の蛙(かわず)だったわけですよ。

対してAFTの人たちは皆、さすが洗練された都会っ子……と思いきや、意外と地方出身者も多く、訛(なまり)はあるし、酒なんかもマジ強いわ、下ネタも冗談もキツかった!!　おまけに、先輩達には全員彼女がいるし、演奏はそれなりに上手いし、聴いてるものだってセンスがよろしい。「出発」と書いて「たびだち」というネーミングの、その名称とは裏腹な泥臭さの正体が、段々と見えて来たのであります。

アタシに残された道は、もう細かいことは気にせずガムシャラに練習するしかない。それでアタクシが最初に組んだのは、「温泉あんまももひきバンド」という四人編成のロック・バンドでした!!(しかしこのネーミングじゃあ、「たびだち」をバカに出来ねぇよな……)

温泉あんまももひきバンド
「青山フォーク出発」の夏合宿の際、桑田佳祐が中心となって結成されたバンドの名称。桑田本人が合宿で夜な夜な、ももひき姿を披露していたことからその名が付いた。メンバーにはサザンオールスターズのベーシスト、関口和之もいた。

バンド名の由来は、例のジョン・レノン眼鏡をかけていたら、「あんま」というアダ名がついて、その後に行った長野の温泉合宿で、一日中股引を穿いてバンドの練習をしていたら、先輩達がからかい半分名付けてくれたモノでした（女にモテるどころか、笑いのネタにされている自分が、面映いやら哀しいやらだったけど）。

先輩のヒドイ仕打ち

ＡＦＴは、やはりフォークのサークルだけに、体制としては少し古クサい感じで。縦社会というか、先輩たちもバンカラでちょっぴり威張ってたな（それなりに背伸びもしてたんだろうけど）。

当時の部長に連れられて、アタシ達一年生がまとまって焼き鳥屋なんかへ行くじゃない？　すると皆の前で部長が、アタシに訊いて来たりする。

「童貞なの、お前？」

って。は、はい、まあ、男子校だったし……ってモジモジ答えることになるんだけど、その場にはちょっとイイなと思ってる女の子だっているのにさ（大汗）。

もう恥ずかしい、先輩勘弁してくれぇ‼　って身悶えていると、

「じゃ自分でオナニーしてるんだ？」

だなんて、さんざ呑んだ後、渋谷の喫茶店で始発電車を待ちながら、ガンガン追い討ちをかけられたりしてね。

〝経験済みの〟先輩たちは男も女も腹抱えて笑ってるし……。

大好きなあの女の先輩は、あらぁ、だいぶお酔いになって「彼氏」としとどに濡れて……じゃなくて、眠たそうにうっとりした目でイチャついてるし（泣）。

テメーら、いつか見返してやる……などと思ってはみたものの、翌年以降は新入生に向かって、自分が全く同じ仕打ちを浴びせていたものでした（笑）。あ、彼女は全然出来なかったけどね。

当時の学生のノリってのはそんな感じでしたよ。真面目なヤツ。酔うとすぐ議論するヤツ。手の出るヤツ。泣き上戸のヤツ。部費を滞納するヤツ（あ、それオレだ）。

定期コンサートで演奏するにしても、先輩たちがやる曲には手を出しちゃいけないとか、高いアンプは先輩たちが優先とか、そういう不文律はありました。まるで、前座とメインイベンターの関係みたいだったけど（笑）。

ナンダカンダ言って、「たびだち」サークルで教えてもらった事は、その後の人生の役に立っていると、大変感謝しています。

いろんな出会いもあった学生時代の思い出、もう少し続けて掘り起こしてみましょうかね!!

21 続・あの青学の時代（とき）を忘れない

「ピストン桑田とシリンダーズ」「青学ドミノス」……。

青山学院大学でバンド活動に熱中し、最初に「温泉あんまももひきバンド」なるグループを組んだ後は、冒頭のようないろんな名前で、あれこれコンサートをしたものでした。

そうそう、アタクシ二年生になった時でした。新入生としてＡＦＴ（青山フォーク出発（たびだち））にやって来たのが、原由子さんです。

流暢に生ギターを弾く彼女はエリック・クラプトンが好きだというので、

「お、キミ話分かるじゃん」と意気投合。その上、キーボードまで弾けるというんですから（コッチの方がギターよりもっと上手かった!!）、

「バンドやろうぜ！」

と声をかけるのはそりゃ当然です。

ところが、性格が真面目で歌も上手いし「即戦力」の彼女は、色んなバンドから誘いを受けて、引っ張りダコ!! そこをナンダカンダとなだめすかし

原由子
サザンオールスターズでキーボード、ボーカルを担当するとともに、シンガーソングライターとしても広く活動。フェリス女学院高校時代にギターデュオ「ジェロニモ」を結成。青山学院大学文学部英米文学科に進学すると「Better Days」に所属、桑田佳祐の

た挙げ句、やっと僕のバンドに参加してもらうようになったのです!!（汗）

でも向こうにしてみれば、最初は僕がなんだかいかがわしそうで、すごく胡散臭く見えたみたい。

「チャランポランな感じだし、あの人には近づかないようにしようね」

って、当時組んでいた友達と話してたらしいんですよ。

音楽さえやれていれば満足で、他のことは知ったこっちゃない！　というスタンスだったアタクシ、確かに〝悪目立ち〟していたのかもしれませんな。

そうこうしていると、突如として思いもよらぬ出来事が勃発！

二年生の夏の終わりのこと、AFTが分裂(たびだち)することになったのです。河口湖畔での合宿中、部長がミーティング時に切り出しました。

「和を乱す人は、今すぐここから出て行ってくれ!!」

と。まあザックリ言うと、フォーク系とロック系で路線が分かれて来てしまったので、ロック系の人たちにはお引き取り願おうということでした。

アタシの中では、今も昔も「ロックやってる」なんて認識は全く無いんだけど……。やっぱり感じ悪かったんだね（汗）。

まさにイデオロギーの違いによる「分断」、袂(たもと)を分かつべく「排除」が余儀なくされたわけで。

かつて、あんなに和気あいあいと歌い、呑み、下ネタで盛り上がったはずのAFTの先輩たちから、引導を渡された瞬間はやっぱりショックだったなあ。

それでAFTを出た（出された）アタシたちは、新しい音楽サークル

バンドへ参加するようになり、それがサザンオールスターズへとつながっていった。

「Better Days（ベターデイズ）」を立ち上げる事となったのです。

原さんも、友人らと共にここに移ってまいりました。

ただ、ベターデイズは正式なクラブとして大学に認可登録されていないから、〝部室〟すら無かった。

そこで、しかたなく学食が我々の溜まり場になりました。仲間にタバコをせがんだりコーヒーを奢らせたりして、自堕落に時間が過ぎる事もあったけど、明るくて個性の強いベターデイズ部員と一緒にいるのは本当に楽しかった。

男も女も、やたら元気で個性的なヤツが沢山集まって来てね。

ベターデイズにいたアタシのバンド仲間で、学食に毎日彼女と腕組んでやって来る奴がいた。どちらかというと、彼氏の方が「捕獲された」感じだったけど。

その彼女、オレなんかが、彼と音楽の話を始めると、必ず偉そうに割り込んで来る。

誰なんだよ、コイツ？

ベターデイズの人間は、みんなこのオンナを訝しむわけ。

聞けば、彼女もココの部員だそうで、名前は夏美。ひとつ下の下級生。

夏美は常に上から目線で、我々の事を辛辣に評したり、雄弁な口調で音楽や自分の交友関係の広さを語り、挙げ句に「私は〝原宿のジャニス（ジョプリン）〟って呼ばれてるんだ……」と言う。ここはちょっと吹いた（笑）。

〝下北沢のジャニス〟が、あの金子マリさんだというのは有名だけど。

Better Days
「青山フォーク出発」から独立するかたちで立ち上げられた青山学院大学の軽音楽サークル。

ジャニス・ジョプリン
１９６０年代を代表する女性シンガー。「Move Over」な

え、ヴォーカルやってるの、アナタ？（笑）

だけど、まだ誰も夏美が歌っているのを見た事がない。

夏美は頭の回転も速いし、音楽の知識も豊富で弁が立つ。おまけにそこそこの美人だから、我々も「ひょっとしたらひょっとするぞ」と身構えるようになった。

言葉には出さないが……、〃アンタたちのやってる事なんて私から見ればレベル低いのよ〃って態度の夏美。

でも、しばらく付き合ううちに、悪気は無さそうだし、案外イイ子なんじゃないかと思える部分も見えて来た。

〃仲間たち〃の熱演に…

ベターデイズの「発表会」が毎週土曜日に、青学の教室で行われる。

部員たちは、持ち回りで練習の成果をみんなの前で披露する。我々も含めて、色んな部員が発表会で演奏する。愉快なパフォーマンスであったり、アレンジの巧さや早弾き（はやび）に驚いたり、ガチガチに緊張する子もいたけど、部員達はみんなで〃仲間たち〃の熱演に声援を送った!!

週明け、学食のいつものテーブルには、相変わらず夏美のカップルが見つめ合いながら座っている。他の部員たちは、先週の発表会の事を楽しげに話題にする。

「麻生さんのギターは、エイモス・ギャレットというより、もはやＪＡＺＺ

どの代表曲を歌うときの、魂をぶつけるような生々しく哀切な歌声は唯一無二。マドンナやシンディ・ローパーら後世への影響力も絶大。１９７０年に27歳でこの世を去る。

の領域だね。上手いよなぁ!!」

　恋人の肩に頭をもたせ掛けていた夏美がこれに反応した。

「JAZZってのはああいうのを言うんじゃないのよ。それに、あの人のギターはエイモスというより、ダニー（・コーチマー）に近いわ」

　ぬわんだって？（怒）

　夏美は、堰を切ったように発表会における〝出演者〟の出来栄えを、冷静に的確に論い斬っていく。

　自分の事を言われたと思い涙ぐむ女子部員、露骨に嫌悪感を示す男子、そしてアタシは大きく溜め息をついた。

　不穏な空気が立ち込めた学食のテーブル越しに、一年の女子が口を開いた。

「夏美さんは、いつ発表会で歌うんですか？　早く聴かせてもらいたいなあ」

「あ、いつかね。だけど、アタシのヴォーカルに合うバンドが、このサークルには居ないから」と、夏美は遠い目をして答えた。

　その後も、喉の調子が悪いだの、マイクを忘れただの（なんと夏美は木箱に入れた金色のマイ・マイクを持っていたのだ!!）と言いながら、毎週クラブには来るものの、彼女が歌っているのを見る機会はなかなか訪れなかった。

　しかしその日は突然やってきた。

　一九七七年の暮れ。

「ベターデイズ卒業生発表会」である。

　クラブの部長はじめ、主要メンバー達が卒業するのだ。それを労いつつも、いつもと変わらない雰囲気で教室に楽器が並べられ、先輩たちの最後の演奏を見届けようと、部員たちがカメラを手に身構える。

しかしこの日は、ひとつだけいつもとは違った。

夏美が歌うというのだ。

ネルシャツやTシャツを着た部員たちのバンドの出番が終わり、何となくいつもよりおシャレな出で立ちをした彼女の出番が来た。

「それでは歌います。ユーミンで『翳りゆく部屋』」

意外にも緊張しているのが見て取れる。金色のマイクロフォンを握った夏美の手が震えているのだ。

ユーミンの歌だからか、演奏のテンポに合わせ身体を揺らすでもなく、歌詞をひとつひとつ噛みしめるようにして歌う。

ある意味この日一番の〝ハイライト〟だったが、部員たちも初めて彼女の歌を聴いたとたん、思わず〝力が抜けた〟。

よもやと言う予想や期待とは大きく違ったが、思いの外、実直で不器用さが滲み出るような「歌」が終わった。

そして彼女はバツが悪そうに言った。

「先輩たち、本当にありがとう。アタシはこんなんだけど、皆さんと会えて本当に幸せでした!!」

さらにマイクでやおら絶叫する夏美。

「〇〇くーん（彼氏の名前）、サイコー!!」

アタシは、〝あの日にかえりたい〟。

22 『稲村ジェーン』秘話

おウチ遊びがすっかり板に付いた昨今でございます。この間にアタクシ、どれほどのユーチューブ動画や海外ドラマ、そして国内外の映画を視聴したことか。

映画って、やっぱりいいよね!! そうしみじみ感慨に浸(ひた)っていたら、思い出してしまいました。

何を隠そうアタクシ、自分でメガホンをとったこともあるのでございますよ!!

そう、一九九〇年に公開された映画『稲村ジェーン』です。

あれは一九八〇年代も末のある日のこと。せっせと音楽づくりに励んでいたアタクシのところへ、事務所アミューズの大里洋吉会長がやって来て、耳元でこうささやくのです。

「おい、お前さぁ、映画撮ってみたらどうだ?」

って。いやあ、大里さん、また得意の〝大風呂敷〟広げちゃって。おまけ

『稲村ジェーン』
桑田佳祐が初監督した映画作品。音楽も自身が担当。1989年9月クランクイン、同12月クランクアップ、90年9月に公開。出演は加勢大周、金山一彦、的場浩司、清水美

に「金なら、心配しなくてイイから……」だって。また、ずいぶん大きく出たなと。大風呂敷が大ボラ吹きになっちゃった!!（笑）
確かにアタシの親父は茅ヶ崎で映画館の支配人をやってたし、映画そのものが嫌いってわけじゃあないけど……。
まぁ実際のところは、そんな〃時代〃だったんでしょうね。当時はバブル経済の真っ只中。世の中がとにかく華々しく浮かれていた頃です。今と比べれば、お金が回るスピードも量もケタ違い。それで資金を出してくれるスポンサーのアテが、あの頃ワンサカとあったんでしょうな!!（当時、とある社会問題を引き起こした某大企業様。その節は資金面でも大変お世話になりました）
ホントでしたら、こんなワクワクする話はまたとありません。昭和の日本男児たるもの、野球か映画、どちらかの監督をやるっていうのが共通の夢みたいなものでしたから。
ところがアタクシ。その当時の、特に日本映画なんかには全く興味もなく、「映画マニア」と言われる人達に比べたら、作品鑑賞の数も、思い入れや知識の量も桁違いに低かったと思います。だから、さすがにアタクシ、この話には暫し逡巡致しました。それに映画の世界って、話に聞くところではずいぶんオッカなそうだし、映画マニアたちの「闇」は深そうに思えた。
でも最終的には「やる!!」と決断したのです。
それはまず第一に、余裕ありげな振る舞いが得意で、人に弱みを見せるのが大嫌い。そして何でも「安請け合い」してしまうアタシの性格に起因する

砂ほか。主人公ヒロシが作中で語る「暑かったけどヨゥ、短かったよナァ、夏。」という言葉が、作品のテーマと雰囲気を象徴する。

のであります。

背中を押してくれたもう一つの理由は、異業種の人が映画監督をやる例が、その頃はかなりありありましたからね。

当時「サブカルチャー」なるモノが流行り、良く言えば従来の価値観を壊す……壊せばイイってもんじゃないけど……さらに言えば「軽薄短小」といったノリを大いに良しとした時代でもありました。

その頃、異業種の人材が映画監督に参入する例として最も話題だったのは、何といっても北野武さんでございます。

アタクシの映画が公開される前年、一九八九年に発表されたのが北野監督のデビュー作『その男、凶暴につき』。

観る者の度肝を抜く、凄まじい作品でしたよね。タイトルの通り全編ヴァイオレンスな雰囲気に満ちていて、同時に独特の〝映像美〟があって。

お笑いの世界で頂点に立つビートたけしが監督した映画とは思えない!!

誰もが当時これを観て、そう驚愕したものでございます。

先走ってお話しすれば、その北野武さんには、完成したアタクシの作品を「オモシロくない」と厳しく批評されてしまったんですね。

その事を『稲村ジェーン』公開初日に、マスコミの皆さんからどう思うかと聞かれ、「老舗大旅館の価値観で、アタシのような新興ビジネス・ホテルの事を、どうのこうのと語って欲しくない」みたいな事を言ったんですな、アタシが。

たけしさんからズバリと言われて、ムッとしたのも事実でしたが、自分の作品の出来に、内心では確固たる自信が持てなかった〝後ろめたさ〟もあった。話題の作品として持ち上げられる中、わざわざ観て頂いた挙げ句、〝北野監督〟に見抜かれた瞬間の言い知れぬ〝怖さ〟を、その時大いに感じたものでした。

ともかく、〝機運〟だけはありそうだ。たけしさんの批判も、即座にメディア受けしそうな言葉で切り返すほど、プロレスチックで確信犯なアタシがそこにはいたのです。

アタシ自身が監督をやって、主題歌も全て手がけるという、映画の枠を超えた「映画」ではない映画。

最初はそんな「メディア・ミックス」なイメージでしょうか。「俺にやってやれないことはない」とばかりに、畏れ多くも丸腰で飛び込んでいったのであります。

〝音楽も映画も、ジャンルは違えど「根っこ」は同じだ〟
〝自分も、ミュージック・ビデオやテレビ番組など、映像作品との関わりは経験値もかなりあるはずだ〟

そんな事を絶えず自分に言い聞かせました。

実際に内側へ入ってみると、すぐに分かりました。現場の方々は本当に映画を心から愛していて、仕事にトコトン熱心で、仲間を大切にする人ばかりだった。

そりゃ文化の違いは感じましたよ。かの大島渚監督のチームにいらした助監督さんは、議論の仕方から、人を怒鳴る口調まで大島監督ソックリ。

そんな人がイイ意味で現場を仕切ってくださった。演出と制作と総務の折り合いが悪くて、怒鳴り合いの儀式が毎日のように始まる。

酒を呑むと、アタシに必ず議論をふっかけて来るスタッフもいた。

「カッコよくやろう」なんてタイプの人は、ノッケからいませんでした。

気概に溢れた仲間たち

一番辛辣だったのは、映画の世界の外側を取り巻いている層。意外や音楽界の人たちからも、

「調子に乗ってる」

「あんな素人、現場で舐められるのがオチだ」

「アンタも怖いモノ知らずだね」

などという冷やかし半分の声を直接、間接的に言われました。コレには燃えたし、スイッチが入った!!

だけど、もう「音楽界」には戻れないような気がした。その時腹を括ったんでしょうな。

毎日、映画の現場とレコーディング・スタジオに通い詰め、撮影のための「絵コンテ」を描きまくり、曲もたくさん作った。それ以外にも映画の作業は目白押しだった。

でも、アタクシの場合、何より心強かったのは、新しいモノを作ろうとする気概に溢れたスタッフ陣を揃えて頂いたこと。そして、サザンや小林武史

君らの音楽仲間がいなければ、『真夏の果実』や『希望の轍』といった曲とも出会えなかっただろうしね。

一緒にロケハンして回ったり、伝説のサーファーに取材をしたり、食事をしながら何度も打ち合わせを共にした、作詞家の康珍化さんが素晴らしい台本を書いてくださった。

プロデューサーの森重晃さんや当時のマネージャーが、うまくバランスを取って、アタシと現場とを繋ぎ、最後まで作品として成立させてくれた。

撮影の猪瀬雅久さんや照明の丸山文雄さんといった方々は、映画界はもちろんのこと、ＣＭや音楽の仕事も手がけていて、アタクシの〝ケッタイな〟要求を前向きに理解し、正当化し、それを倍にして表現してくださった。

大変お世話になった「記録」や「編集」や「美術」の方たちとも、撮影が進むにつれ、心が通い合う事が出来て、たまらなく嬉しかった。

「安請け合い」で関わった映画。最初ははっきり言うと舐めていたかなぁ（恥）。だからそれなりの「洗礼」も浴びて、現場にいる全員が「敵」に思えたし、言い知れぬ孤独を味わいました。

しかし、挙げ句こんなに素晴らしい経験をさせて貰ったこと、こんなに充実した『稲村ジェーン』の日々は、それまでの人生には無かったものでした!!

映画そのものの出来？　さあね。これは全て監督であるアタシの責任であります!!（汗）

次回、苦みと愉悦の入り混じったアタクシの「映画監督の頃」、もう少し詳しく振り返ってみましょう。

【真夏の果実】
サザンオールスターズ28作目のシングル曲として1990年にリリース。映画『稲村ジェーン』主題歌は当初「忘れられたBig Wave」が予定されていたが、クランクアップ後につくられた同曲があてられることとなった。

【希望の轍】
1990年リリースのサウンド・トラックアルバム『稲村ジェーン』に所収の、サザンオールスターズ楽曲。シングルカットはされていないものの、ファンからの支持は厚く、ライブでも多く披露される曲のひとつ。2018年の「第69回NHK紅白歌合戦」にサザンオールスターズが出演した際には、同曲と「勝手にシンドバッド」が演奏されることに。

23 続・『稲村ジェーン』秘話

時は一九六五年、昭和四十年の湘南稲村ヶ崎、夏の終わりだった。

海沿いの骨董店を預かるサーファー、ヒロシのもとにはチンピラが訪ねて来たり、ボーイ・ミーツ・ガールがあったり……。退屈だった毎日が、にわかに彩られていく。

時を同じくして海洋上には台風が発生し、海は沖合いからうねり始め、サーファーの心は躍る。果たして二十年に一度の大波はやって来るのか……??

アタクシが監督した映画『稲村ジェーン』は、大まかなところこんなストーリーになっておりました。

舞台を、勝手知ったる湘南にしたまでは良かったけれど、何しろ映画制作の現場なんて初めてだったアタクシ。撮影が始まっても、最初の頃は進行の仕方もよく分からなくって、

「えーっと、あれ? 今日はどのシーン撮るの?」

なんてこともありました。いや実にお恥ずかしい。

やっぱりそれじゃあいけません。映画の現場において監督たるものは、常に何でも把握していなくては。すべての答えを持っている人であるべきなのだと、この撮影を通して学んだのであります。

だって現場では、監督って質問攻めに遭うんですよ。

「ここで使うグラスの大きさはどれくらい？」

「プラスチックですか？　それともガラスですか？」

「年代的にはどのあたりでしょうか？」

などなど。細部に至るまで、あらゆる質問が飛んでくる!!（汗）

そりゃそうですよね、スタッフや俳優陣からしたら、まだ「絵に描いた餅」である実体のないイメージを、現実のカタチあるものへと替えていかなければならないんですから。

そしてそのイメージの正解というか完成形は、監督の頭の中にしか存在しないのであります。コップの色や素材や形、登場人物一人ひとりの髪型や化粧、歩く速度や方向まで、すべてアタクシが把握して答えなければいけないのは、至極道理なわけであります。

まあ実際のところ、質問攻めにされていたのは、監督として「ちゃんとこの人、頭の中に絵が描けているのかな？」と試されていた面が大いにあったのだと思います（汗）。

それは何となく、いや、あからさまに気づいておりました。

だからこそ、です。こちらも「絶対に舐められちゃいかん」という事で、どんな質問にも確固たる信念のもと、胸を張って答えているポーズをとったものでした。

観念的なサーフィン

ただ、どうしても無理がくるところはありましてね。例えばサーフィンの事。主人公がサーファーだというのに、実はアタクシ当時はまだサーフィンなんかやったことなくて（汗）。細かい感覚は正直よく分からなかった（こういうところも映画を〝舐めてる〟よね）。

だからこの映画では結局、実際に波乗りしているシーンが、〝敢えて〟出てこないんですよ（波に乗るという事を「実際に映さず観念的に表現しよう」などと言い、ちょっとスカしていたのである）。

そもそも、この映画のアイデアだって、アタシがサーフィンに詳しいから出て来たわけじゃあないんです。きっかけは、新幹線の座席に置いてある冊子で、たまたま読んだお話（ストーリー）でした。

どんな記事かといえば、一九五〇年に「ジェーン台風」が日本に上陸して、そのとき湘南界隈に信じられない大波が来た。それに匹敵するビッグ・ウェーブが期待できる時にだけ開かれる「稲村クラシック」なる大会があるのだという。

それがとても強く心に残っていて、よーし、湘南を舞台にこの話をモチーフに!!　と決めたのであります。

それにしても前回にも述べた通り、この映画を完成に漕ぎ着けることが出

ジェーン台風
1950年9月3日から4日にかけて日本を襲った大型台風。広い範囲で強風に見舞われ、高潮が発生するなどして、近畿・四国地方に甚大な被害をもたらした。

来たのは、俳優陣はもとよりひとえに素晴らしいスタッフに恵まれたからでした。

皆さん職人気質で、映画愛の塊（かたまり）のような人たちでしたけど。喧嘩をしたり怒鳴り合ったりなんて、しょっちゅうですよ。でも知るにつれ意外にも、純粋で照れ屋で真っ直ぐな人達ばかりでしたね。

映画人たる所以（ゆえん）か、頭の回転が早い人、見識の広い人が多いんだなと実感しました。だってアタクシのいい加減な話を辛抱強く聞いてくれて、

「それは、こういうことですか？」

「じゃあこうするのはどうですか？」

と、すぐに話の肝を呑み込んで解決策を示してくれるんですから。

そして、アタクシの『絵コンテ』（玄人（くろうと）はだし、じゃなくてシロウト丸出しの）を、皆さんがすごく尊重して撮影を進めてくれた事が、コミュニケーションを取る上でも本当に有り難かった!!

お陰様で、アタクシは彼らによって「映画監督」にさせてもらったし、自分としても「にわか」とは言え、映画監督になるために、一歩ずつ進んでいこうと努めたものでした。もう「音楽の世界に戻る」事さえも、あまり考えなくなっていた。

映画に携（たずさ）わる集団は丸ごと「桑田組」と呼ばれるわけですが、車両選び一つから編集に至るまで、全ての細部に監督たるアタクシの人間性が出てしまうと言って過言では無いと思います。

映画はよく「総合芸術」と言われますが、その監督はまさに人間としての

稲村クラシック

鎌倉市の由比ヶ浜と七里ヶ浜に挟まれているのが稲村ヶ崎。古くからサーフィンの盛んな地として知られる。ここを舞台に開かれる稲村クラシックは、大会にふさわしい3～4m級のビッグ・ウェーブが来たときにのみ開かれる。夏になるとウェイティング期間が設定されるが、開催に漕ぎつけられる年のほうが圧倒的に少ない。

「総合力」が試されるわけですね。そんな映画とはなんて怖ろしい、そしてまた愉(たの)しい〝娯楽装置〟なのでしょうか!!

ですから映画を作っていた時というのは、それはそれは「学び」に溢れた日々でした。

まずは監督として、人を束ねる組織論を嫌というほど思い知らされましたね。

「この指とまれ！」と言えば、優秀なスタッフは全員がそれに向けて全力で動いてくれます。ですがトップがブレたり、「誰か何とかしてくれ」などと言ってしまったら、物事は決してまとまらない。

リーダーはどんなに困っていても、弱った顔や迷いを見せてはいけない……といった、帝王学を学ばせて頂いたと思います。

「もっと早めにカットを」

映画的な手法の数々も、勉強になったなぁ。

ついアタシが〝狭い画(え)〟ばかりに偏っていたのを見てとったカメラマンの猪瀬雅久さんが、「このカットは広い画も撮ってみましょうよ」と提案してくれて、なんと狭い宿屋の天井裏から、シーリング・ファン越しに芝居の様子を撮ってみるなど、それによって演出の世界観がガラリと変わった事もあった。

また、レンズにワセリンを塗って、幻想的なカットを表現する技法など、プロの引き出しの多さには、何度も舌を巻きました。

いろんな映画用語も知りましたよ。「順撮(じゅんど)り」「バレメシ」「つぶし」「スクリーンプロセス」「順光」……。どういう意味か分かります?

フッフッフ、監督をやったアタクシの頭の中には、お陰様で、こういう言葉が山ほどインプットされたのであります。まぁ、こういうのも役得の一つなんだなぁ(笑)。

「記録」の津崎昭子さんには撮影中、いつも「監督、もっと早めにカットをかけてください。どんどんタイムが長くなると、最後に編集で一番苦労されるのは、監督ご自身ですよ!!」

と、口酸っぱく言われたが、全て撮り終えた後、指摘された通りになり、彼女に深く頭を下げた事が忘れられない。

あのとき映画を撮ったこと、そして同時に並行して自分で音楽を作ったことなどは、我が人生を振り返っても本当に大きな経験であり、大切な財産になったと思う。あの映画こそが、アタシの「青春」だったかもしれない。

計り知れないほど沢山のものを習得出来たし、いまだに「大いなる糧(かて)」になっている事、あの時関わっていただいた皆さんには、感謝の想いで一杯である。

じゃあ、もう一度映画の話が舞い込んだらどうするかって? ……それはもう、スミマセン、と言いつつ、非常に悩ましいところですなぁ(大汗)。

だって、映画って本当に大変だっていうのは、もう身に沁みて経験させて頂きましたからね!! あれは「ラッキーパンチ」が当たったとも言える。

記録

映画の撮影現場における「記録」とは、撮影シーンごとの内容を事細かく記録し管理していく職種のこと。メインスタッフのひとりとして映画制作上の重要なポジションを占める。スクリプターとも呼ぶ。あるシーンと次のシーンで話の辻褄や絵柄が合わないようでは困るのが当然で、そうした「つながらない」状態を防ぐため、小道具の有無から光の差す方向まで、ありとあらゆる記録をとりチェックをしていくのが役目となる。

その時の勢い、自分の立ち位置、周りの人、時代の空気……すべてが一期一会でうまく噛み合って成立したものだったのだと思うのです。良き思い出とともに、アタクシの監督作品は『稲村ジェーン』一作に留めるってことで……いや、ホントの事言うと、出来れば死ぬまでにもう一度やらせて欲しい!!（祈）

映画の世界よ、永遠なれ!!　本当にありがとうございました。

24　やっぱりライブはいいよね!!

我らサザンオールスターズには〝デビュー記念日〟がありまして、六月二十五日ということになっております。

感謝の気持ちを込めて、毎年いろんな事をさせていただいて来たものです。では今年は？　と言えば、なんと一夜限りの特別ライブを開催させていただく事と相成りました!!

会場はなんと横浜アリーナ。大きく出ましたよ（笑）。とは言え、こんなご時世ですから、皆さんに集っていただくわけには参りません（汗）。

そこで「無観客」という形をとらせていただき、皆さんには〝視聴チケット〟をお買い求めの上、インターネット中継で楽しんでいただく、そんなカタチとなった次第でございます。

デビュー四十二周年を迎え、すっかりベテラン面（づら）をしている我々とて、この「無観客ライブ」というのはさすがに初の試みでございます。

目の前にいないお客さんと、一体どうやってマグわい、絡み合えばイイん

六月二十五日
サザンオールスターズのデビュー記念日が6月25日。記念日や節目を大切にするバンドゆえ、この日は毎年何かしらのトピックが用意される。2018年には40周年ライブツアーのキックオフライブが敢行され、19年は『サザンオールスターズ公式データブック1978-2019』を刊行。20年はコロナ禍の中、横浜アリーナで無観客配信ライブを。21年には映画『稲村ジェーン』Blu-ray & DVDを発売。

だろうか⁇　果たして、皆さん盛り上がってくれているかどうかも分からず、ヤってる途中で不安になっちゃうかなぁ……（汗）。

でも考えてみたら、聴いてくださるファンの方々も状況は同じなんですよね。〝画面越し〟にライブに参加するなんて、生まれて初めてという方が圧倒的に多いでしょう。

よし!!　こうなったら、ファンの皆さんと〝がっぷり四つ〟に組んで、時代に合った新しいライブの楽しみ方を見つけていこうじゃあ、ありませんか!!

そうそう、こんな時もありがたい事に、我らサザンの周りにはいつも、最高の「コンサート・スタッフ」がいてくれるんです。

昨年の全国ツアーも支えてくれた素晴らしい面子（メンバー）が、今回もまた全員顔を揃えてくれました。それでアタクシとしては、大船（横浜の手前の駅じゃなくて）に乗った気分で、安心してステージを務められるわけであります!!

コンサートの仕事に携（たずさ）わる人たちは、このコロナ禍の自粛期間中に現場が動かなくて、本当に大変だったそうです。

モニターや楽器の整備を担ってくれるスタッフは自粛期間中、

「ずっと事務所で機材のメンテナンスをしてました」

と言っていました。

いつも舞台美術を作ってくれるスタッフにどうしていたのか訊（たず）ねたら、まったく畑違いの看板⁇　を請け負って絵を描いたりしていたそうです（銭湯の壁画や、ストリップ小屋の看板書きとかのお仕事だったら、それも素敵だけどね!!)。

　そういう皆さんに「コンサートやります!!　また力を貸してください!!」と声をかけると、

「ヨシきた!!」「オッケーに決まってるだろう!!」

とばかりに、舞台監督の南谷さんはじめ、皆さん駆けつけてくださった!!　再会した全員が、これまたイイ顔をしてましてね。

　こんな大変な世の中で、本当に有り難いかぎりだし、お陰様でサザンはデビュー四十二周年を迎える事が出来ました。

　そう言えば、アタクシも音楽ファンの「端くれ」として、人生思い起こせばこれまで色んなライブを観たり、体験してきたものです。

　記憶をちょいと遡って(さかのぼって)みれば、イイ思い出もガックリな思い出も、アレコレたくさん甦って(よみがえって)参ります。

　例えば「良かった方」の思い出としては、アタシが大学一年生だった一九七五年三月の事。「バッド・カンパニー」というバンドの武道館来日公演に行きまして、そりゃあ涙が出るほど感動したものでした!!

　何が良かったかって、彼らが〝真剣に〟演じてくれたこと。

「え、そんなの当たり前だろう?」

　って言う人は、昭和の「外タレ事情」をご存知ないんでしょうね(笑)。

　その昔は、半分バカンス気分で日本に来て、気の抜けたパフォーマンスをするバンドって、結構いたんだよね(汗)。残念なことに。そこへいくとバッド・カンパニーは超アッパレでした!!

バッド・カンパニー
英国のロック・バンド。シンプルで力強いサウンドによって多くのファンを獲得。1973年にボーカルのポール・ロジャース、ドラムスのサイモン・カーク、ギターのミック・ラルフス、ベースのボズ・バレルで結成。メンバーチェンジなど変遷を経ながら現在まで息の長い活動を続けている。

たった一枚のデビューアルバムを引っ提げて、「元フリー」や「元キング・クリムゾン」のメンバーが結集した、まさにスーパー・グループであり、ブリティッシュ・ロックの王道を行く四人組は、母国から遠く離れた日本の地でも、全身全霊を込めた最高のパフォーマンスを魅せてくれたのであります!!

目の当たりにしながらアタシは「おお……!! ……ナンだかこの人たち、本気でやってくれてるぞ!!」

「こないだの、ヘロヘロだった◯リック・◯ラプトンとは、まるで違う……」

みたいな事を思い、本場の強烈なハード・ロックに度肝を抜かれながら、武道館スタンドの片隅で、思わず手のひらを合わせたアタシなのであります。

しかも〝顔面・尾崎紀世彦〟みたいな、天才ヴォーカルのポール・ロジャースが、なかなかサービス精神旺盛な人だった。

ライブの真っ最中、ナンと興奮した客からステージにグラビア雑誌が投げ込まれたのであります。たぶんアレは、当時売れに売れていた「平凡パンチ」だったと思う。

雑誌が武道館の宙を舞いながら、まるで「糸の切れた凧」のように折り込みグラビアのページをビラビラビラッと風になびかせる!!

そこに写っていたのは、グラマラスな体型と愛くるしい顔立ちで僕らを夢中にさせていた女優、水沢アキさんの一糸纏わぬ見事な肢体!! 妖艶なソフト・フォーカスに揺らめく女神の裸身。『Photo By』は当然の如く、かの篠

ポール・ロジャース
英国のロック・シンガー。ソウルを強く感じさせる歌唱に定評あり。1969年にバンドFREEを結成。その後はバッド・カンパニーのボーカルやソロ活動を積極的に展開。1971年にFREEとして初の来日公演をして以来、2010年の「BAD COMPANY JAPAN TOUR」に至るまで、日本で数多くの公演を果たしている。

山紀信さんでありました!!

奇跡のコラボに涙

　すると、足元に落ちた「平凡パンチ」をMC途中、男前のポール・ロジャースが拾い上げ、グラビアページを高々と掲げて我々に見せる仕草をするではないですか!!

　その瞬間、地鳴りのような「うおぉぉぉぉぉ!!」……どよめきや歓声というより、それまで少し遠慮がちに外タレ・洋モノを受け入れて来た、ニッポンのロック・ファンの〝魂のガマン汁〟が滲み出て、一万人の「咆哮」が武道館にコダマした!!

　そして次の瞬間、我々は目を疑った。彼はおもむろにマイクを股間付近へ持っていき、そのグラビアを見ながら水沢アキを「ずりネタ」に、自分のアレに見立ててシゴいてみせる〝マイクパフォーマンス〟を始めたのであります!!

　なんとPAUL（ポール）様が、自らの〝POLE（ポール）〟を擦（こす）る芸を、我々の前でおやりになっているではないか!!（驚）

　ちなみに、ポール様の当時の奥様は日本人。ニッポンのオンナ、イイだろう!!

　歌も演奏も、確かに超一流だった。

　ポール・ロジャースこそ、ロック・ヴォーカルのまさに「神」であった!!

そんな神が、こんな極東のロック・ファンに寄り添い、人間性丸出しのパフォーマンスまでされると、もうロックであろうが何であろうが、感動で胸を撃ち抜かれた思いがしたものである。

めちゃクチャ大盛り上がりの武道館で、一万人分の本気汁が、大粒の涙となってアタシの目から溢れた!!

アタシが、「一生、この人について行こう」という感覚を初めて味わったのは、何を隠そう、この時のポール・ロジャースの、「奇跡のコラボレーション」を目撃し、そこで見事に〝昇天〟したのである。

我々昭和のロック・ファンは、水沢アキとポール・ロジャース様だった。

あの当時、実は社会の雰囲気がかなり重苦しい時期だったのを覚えている。三菱重工爆破事件とか日本赤軍による事件が続発して不穏だったし、七四年の秋にはあの長嶋茂雄さんも引退してしまった。

それに、アタシ自身は大失恋の真っ最中だったし(涙)。

そんなとき、海の向こうから「超」のつく「本物」がやって来て「本気」のパフォーマンスを魅せてくれた。

音楽は人の気分を癒したり盛り上げたり、ひいては社会の空気を変えてしまう事だって出来るだろう。いや、あの時アタシは人生の奥深さ、未来に夢を馳せる事を学ばせてもらったのだ。

偉大なるポール・ロジャース&水沢アキという、我が青春の黄金コンビよ、本当にありがとうございました!!

あ、特に水沢アキさんには、当時すっかり「お世話に」なりました!!

25 続・やっぱりライブはいいよね!!

最強のスタッフと最高のお客さんに恵まれて、我らサザンオールスターズは特別ライブ「Keep Smilin' ～皆さん、ありがとうございます!!～」を、無事に終えることが出来ました。

心から皆々様、本当にありがとうございました!!

「無観客」の「配信型」という新しいライブのカタチ。

楽しんでいただけましたか??

今回で味をしめて（笑）我々これからもいろんな形のライブ、模索していきたいと思っております。

さて前回からここでは、アタクシ自身の「ライブ観戦体験」をツラツラ書き綴って参りました。水沢アキさんとのカラミ（客席から投げ込まれた、雑誌のグラビアを通してだけど）まで見せてくれた「バッド・カンパニー」ポール・ロジャース様は本当に素晴らしかった!!

そんなお話を致しましたが、逆に〝低調な〟パフォーマンスでガッカリし

特別ライブ
コロナ禍で時が止まったかのようになっていた２０２０年6月25日、サザンオールスターズは自身初の大規模な無観客配信ライブを敢行した。横浜アリーナを丸ごと使って繰り広げられたステージは、意気消沈していたエンターテインメント業界を刺激し、再び動き出すきっかけとなった。

た例も、これまでの人生でいくつか経験したものでございます。

では、その実例を挙げちゃいましょうかね。

アタシの大好きな、心の師匠でもある……。

一九七四年のエリック・クラプトン、初の来日公演なんて、いろんな意味でスゴかったですよ!!（汗）

当時のクラプトンと言えば、久々のニュー・アルバムだけでなく、『I Shot The Sheriff』などという大ヒット曲もかっ飛ばし、まさに世界のロック・ミュージック界の「ど真ん中」に君臨しておりました!!

若くして「神」「天才」「世界一のロック・ギタリスト」などと、名声をほしいままにしてきた伝説のスーパースターが、遂に日本にやって来る。

ここに至るまで、いろんな紆余曲折もあり、まさに「栄光のカムバック」を果たしたばかりのクラプトン（だったはず）。

そんな〝神様の降臨〟とも言うべき、待望の来日公演が実現!!

そりゃあファンはおろか、日本中のロック・ファン、マスコミが沸きたったのは、言うまでもございません。でも、ちょっぴり時期が悪かった（汗）。

その頃のクラプトンは、フロリダ州マイアミの太陽の下、腕利きのアメリカ人ミュージシャン達とバンドを組み、レゲエを始めとする「レイド・バック（ゆる〜い感じ）・サウンド」にハマり、伝説のバンド「クリーム」で見せていたような、緊張感たっぷりのアドリブ奏法や、ブルース・マンとしての求道的な佇まいは、すっかり鳴りを潜めておりました。

齢三十にして、もはやある種の「達観」の境地に達していたんでしょうな。

我々「クラプトン・ファン」の、超絶的なギター・テクや、「スローハンド」と言われる咽び泣くようなブルースを、〝しこたま弾いて欲しい〟という願いも虚しく……。御本人はどうもその頃、そこに気持ちが無かったみたいで（泣）。

加えてクラプトンは、私生活がかなり乱れていたようで、女性やお酒、ドラッグのスキャンダルがあれこれ取り沙汰されていたものでした。

それでも、憧れの人の来日と聞いて、ナケナシの金を叩いて武道館公演のチケットを取ったアタクシ。期待と不安を入り混ぜながら、いざ会場へ。しかし、ステージに上がったクラプトンは案の定、あんまり調子が良くなかった。

そんな中、来日する前から日本のマスコミ、特に音楽専門誌は彼の特集を組んだりして、いやがうえにもファンの期待は日に日に高まっておりました!!

中でも、もっとも有名大手のロック&ポップス月刊誌「M」（アタシも毎月コレを読んで、洋楽が大好きになったんだけど……）。

当時この「M」誌が、「来日記念／クラプトン帯同記」のような特集をやった。よく覚えていないが、表紙一面タイトルは『神様、来日!!』のようなものだったと思う。

初来日のクラプトン御一行様に、数日間ピタリと編集部女性記者が密着取材するという、当時としては画期的なモノ。

そこで面白いのが、記事になったクラプトンの呼称がすべて「神様」だっ

スローハンド
エリック・クラプトンのギター奏法はしばしばスローハンドと称される。その由来は諸説ある。非常に流麗な演奏をしているというのに、チョーキングを多用するせいか、不思議なほど運指がゆっくりに見えるから。または、あまりの音への強い執着のため、チューニングや弦の張り替えに異様に時間がかかる、などなど。

た事（笑）。

「いつもホロ酔い加減の神様」

「よく吸い、よく食べ、よく呑む神様」

「代々木のリハーサル・スタジオにて。あんまりヤル気が出ない神様」

「夜、ディスコに遊びに行って、近くにいた女性ファンのTシャツを脱がせて喜ぶ神様……」ｅｔｃ．

現在だったら……プロモーション的にも倫理的にも、ＮＧな話ばかりだ。

だけど、ミュージック・ビデオすら無いあの時代、アタシ達にはこういったメディアの情報が希少価値だったたし、コレを読んで、有り難くもこんな大人になった（笑）。異国の地で、ちょっと〝リラックスし過ぎ〟の神様のご様子を、すべて「好意的に」解釈し、リポートする女性記者の姿が垣間見え、なんだかとってもいじらしく可笑しかった。

そして、ライブ本番当日。

開演前から、明らかに「日常」とは違う匂いや煙が立ちこめる武道館。異常なまでの期待で、興奮のるつぼと化した観客席。中には〝キメた〟感じの「長髪集団」や外国人達の姿も目立つ。

ついに客電が落ち、短髪に女性用ブラウスのような衣装で、ステージに現れた「神様」は、アコギを抱えて歌い始めた。

だけど、一曲目からずいぶん声が小さくて（汗）。

『Smile』という、チャップリンの名作だと後から知った。

「エリック!!　ブルーズ!!」と叫ぶ、後ろの席のガイジンの声がウルサくて、

「Smile」

チャールズ・チャップリンの

歌、聴こえねぇし（泣）。

　しかもどうやら神様、のっけから酔っ払っているご様子で目もうつろ。観客を楽しませようなどという気概すらあまり感じられず、たまにギターのミス・トーンはするわ、皆が期待していた「ブルース」は殆ど無い。アタシが行った日は大ヒット曲『いとしのレイラ』も演奏せずじまいだったと思う。

神様は音楽の殉教者に

日本という場所が、その時代多少ナメられていたかどうかは分からない。それでも懲りずに、何度もクラプトン・コンサートに行った。

するといつしか、神様は《音楽の殉教者》となり、本当の意味でカムバック、いや生まれ変わったような素晴らしいプレイを魅せてくれるように……なるには、少し時間がかかったけど……そんな日がやって来た!!

〝このままじゃマズイ〟〝俺、ヤバくね？〟と思ったのかどうか……。

あの方の、実に生真面目で、ストイックで謙虚なお人柄が想像できる。

幼い息子さんを事故で亡くされ、さぞかし失意を味わったことだろう。アルコール依存症の治療にも、真剣に取り組まれたそうだ。

一時は、自信を失いギターをすべて手放したこともあるという。

九〇年代に入ると、クラプトンさんは見事に立ち直り、再び世界の音楽シーンのトップに立った。

『Tears In Heaven』や『Change The World』をたずさえ、彼が「この国

映画『モダン・タイムス』（１９３６年）で使われたインストゥルメンタル曲に、54年、ジョン・ターナーとジェフリー・パーソンズが歌詞をつけて歌唱曲に仕立てたもの。ナット・キング・コールが歌って広まり、後にマイケル・ジャクソンがカバーして話題ともなった。

が大好きだ」と言う日本のファンの前にも帰って来てくれた。

老年の域に入られても、相変わらずハンサムだし「品」があって羨ましい!!

そして弦をチョーキングする時の、お決まりの「イッた顔」がこれまたファンにはたまらない!!

フェンダー「ブラッキー」は、歪(ひず)みから枯れたトーンまで、もはや彼の身体の一部のように〝哭(な)き〟そして〝歌い〟あげる!!

二〇〇四年以降、彼が主催する「クロスローズ・ギター・フェスティバル」において、演奏前「ブルースの父」B.B.KINGが、すでに舞台袖に引き揚げたクラプトンを、愛情いっぱいの言葉で称えるシーン、これが本当に泣ける。

「人生に失敗がないと、人生を失敗する」(斎藤茂太氏の言)

〝良くも悪くも〟、これまで観て来た色んなライブを振り返ると、そんな言葉が頭に浮かんだ。

次の来日公演も楽しみにしています!!

やはり、クラプトンさんは神様です。

クロスローズ・ギター・フェスティバル
エリック・クラプトンは1998年、アルコールや薬物依存症患者治療施設「クロスローズ・センター」をカリブ海・アンティグア島につくった。同施設を助けるチャリティー・コンサートがクラプトンの呼びかけで開かれるようになり、ギタリストを中心に多くのミュージシャンが参加して回を重ねた。近年では2019年、米国ダラスでボニー・レイットやジェフ・ベックらが集まり開かれた。

26 マドンナ様こそ最強だ!!

六月二十五日の無観客配信ライブ。皆さん、改めて本当にありがとうございました。

さて、先々週、先週と、アタシがかつて観たライブの中で「良くも悪くも」人生の指針となったモノを、ひとつずつ挙げ、書かせて頂きました。

それは一九七〇年代の片や「バッド・カンパニー」、片や「エリック・クラプトン」という、〝ブリティッシュ・ロックの雄〟!!

その「雄」イコール男社会が、まだまだ〝幅〟を利かせる時代に生まれ育ったアタクシ。長髪と髭とジーンズの「ロック」こそ知れ、「エンターテインメント」なんて、ちょっと女々しい（失礼）というか、気取った感じの言い方が、どうもしっくり馴染めずにおりました。

しかし時代は変わり、アタシがはっきりと「エンタメ」なるモノの正体と凄味を目の当たりにした「ライブ」がございます。

数多、これまでに観たライブの中の最高峰、誰のライブをも凌駕する、正に「最強のエンターテイナー」とは誰であったか??

私が思う「この人のステージは凄かった!!」と言えば、かの「Madonna」様なのであります!!

二〇〇〇年代に入ってからの事ですが、東京ドームにマドンナ様の公演を亡き姉と一緒に観に行きました。この巨大な「容れ物」において、ひとつのショーとして、パフォーマンスとして、これほどまでに圧巻なものを観た事は、いまだかつてなかった!!

彼女のどこがイイって、まずはあの〝肝(きも)っ玉(たま)の据わりっぷり〟です!!(笑)

と言うのも、アタシが観に行った時も公演開始が一時間半ほど遅れまして
何かトラブルがあったわけじゃあ、たぶんないんです。恐らくはマドンナ様のご機嫌というか、お気持ち次第でその遅れは生じるらしい(招聘(しょうへい)元のスタッフさんが、苦笑いしながら教えてくれたからね)。

(確信犯との説が有力ですが)。

こっちは開演時間に合わせて席に着き、彼女の登場を今か今かと待ちわびているのに(汗)。何故か定刻が来ても過ぎても、あのオンナ、いやマドンナ様が出てくる気配なんてまるで無し!! アタシも含めた観客はみんな、〝餌(えさ)を待つ池の鯉〟のように、薄い空気の中で口をポカンと空けながら、〝待ちぼうけ〟を喰らわされて……。

ライブがいつ始まるかなんて皆目(かいもく)分からないから、「オレちょっとロビーでタバコ吸って来る」なんてわけにもいかんしね(汗)。

Madonna
マドンナ。米国のシンガーソングライター。人呼んで「クイーン・オブ・ポップ」。1980年代にデビューし、ミュージック・ビデオを活用した表現で一躍トップ・パフォーマーに。アルバム発表後にワールドツアーをおこなうのが長年のパターンとなっており、高さ6mにおよぶ十字架など凝りに凝った巨大ステージ・セットでも話題を呼ぶ。

悟りを開いた高僧

で、キョロキョロ周りを見回してたら、観客席になんとあの〝叶姉妹〟や〝安室奈美恵ちゃん〟の姿を発見。「やった!!」喜ぶオレ……って、ほとんどシロウトか??（泣）

「五万人」をこんなに蔑ろに、いや、堂々と待たせる度胸……。とてもアタクシにはございません。時々痺れを切らした観客が、手拍子と共にヤケクソ気味のマドンナ・コール……。

「お〜い、マドンナ様ァ〜、どうされてしまわれたのですかぁ??」「銭とっといて、ナンやねん？　早よ出てこんかい!!」

と、そんなイライラや不安が徐々に募って参ります。

アタシなんて、自分のライブで楽屋にいる時、そりゃあ従順で大人しいもんですよ、マドンナ様に比べたら。

舞台監督が「十分前ね!!」と言いに来たら、「ハーイ!!」って元気に返事をして、五分前にはそそくさと楽屋を後にしますから（笑）。

マドンナ様の場合はまったく違う。スタッフさんに聞くところによると、「彼女が楽屋のドアを開けた瞬間が開演ベルを鳴らす時」というのが絶対的方針なんだそうな。

だからマドンナ様の楽屋には、ウチの舞台監督みたいに「十分前です〜。ウンコするなら今のうちですけど〜!!」なんて言いに来る人がいないんでし

ような!!（いねぇよ）

でも、彼女にそんな「マイ・ルール」が許されるのは、いざステージに上がった時の、あの度肝を抜くインパクトとエネルギーが〝半端ない〟からなのだと、のちのち合点がイクのでございます。

焦らしに焦らされ、さすがに客席全体がぐったりしてきた頃に、「ドカーンッ!!」と、雷鳴と稲光を伴って（イメージです）ステージ上に現れたマドンナ様は、まさに〝存在そのものが、圧倒的にスキャンダラス〟でありました!!

齢五十間近でも、鍛え抜かれたカラダはエロくて強くて美しい!!

「オンナを武器にするな」などという議論が、ちょっとお門違いなほど、マドンナ様は全身全霊を駆使して、我々観客の本性を徐々に解体し、オーガズムへと導いて行くのであります!!

「一歩間違えたら」、B級ともC級路線とも捉えられかねない、ギリギリのパフォーマンスで綱渡りする彼女。誇り高きエンターテイナーの、日々ストイックな鍛錬で得た「肉体」と「魂」。アタシには、彼女がまるで〝悟りを開いた高僧〟のようにも見えた。

声量だったら、あのレディー・ガガやマライア・キャリーの方が圧倒的に上だろう……などと下衆に勘ぐってはみるも、いやいや、エンターテインメントの底力というのは、そんなところも〝凄味〟に変えてしまう。

当時、何かと〝物議を醸した〟（アタシ、このフレーズ嫌いなんだけど）、マドンナ様が十字架に張り付けられて歌うシーン。日本公演以前も、これを

レディー・ガガ
米国のシンガーソングライター。2008年、歌詞づくりから歌唱、シンセサイザーまでを本人が手がけたデビューアルバム『ザ・フェイム』を

やって〝顰蹙（ひんしゅく）を買う〟（これも嫌いだ）ことが、間々（まま）あったらしい。

しかし彼女は、東京ドームでもキチンと〝妥協なく〟これを演（や）ってくれた（オレなら、めんどくさい事になるからやめてるかもしれない）。

〝安全な所から冷ややかに論じて来る人たち〟を、相手にするのは疲れる。それは彼女だって同様だろう。

しかし、「アーティストという名の闘士」マドンナ様は、エンターテインメントを愛する者達を決して裏切らなかった!!


圧倒的で緻密な〝大作〟


舞台の作り方も、やっぱりレベルが非常に高くていらっしゃる!!

驚異的な動きを見せる、ダンサー陣の配置や振り付け一つを取っても、どの角度から観ても「多面体的に」面白みが観客に伝わるよう、実に計算し尽くされているのだ。

「そこ、見切れてるからイイよ、大体で」

なんてことは、絶対にないんでしょうな（あ、ウチもないですよ）。

圧倒的でありながら、非常に丁寧で緻密な〝大作〟を魅せつけられたようだ。ヴォーカリストとしては、「パワフル」と言うより、どちらかと言うと「正統派」タイプ。だが、まるで細い竹のように、シナって折れないマドンナ様!!

彼女はきっと、主役としての自分が、一体どう振る舞えば、舞台（ステージ）で最も映

リリース。全世界で１０００万枚以上を売り上げるヒット作に。以降『ザ・モンスター』『ボーン・ディス・ウェイ』『クロマティカ』などのヒット・アルバムを生み出す。２００９年以来、日本公演も多数。東日本大震災へ多額の寄付をするなど日本とのつながりは深い。

えるかを、考え抜いておられるんだろう。

そうでなけりゃ、馬のマシンに乗って騎乗位よろしく腰振ったり、お股モッコリのピンクのレオタード一丁で、あれだけ「画(え)」になる「アラフィフ」って、なかなかいませんから(笑)。

観ている皆さんが喜んでくれるんだったら、ワタシ何でも引き受けるわよ!! ……みたいな、大いなる気概と懐の深さ!!

貴女のエンターテインメント魂には、ひたすら頭が下がる思いです。

でもね、その公演の時、アタシは見たんです。完璧なるステージを繰り広げる彼女のレオタードのある所……モッコリお股の、一番小高い「丘」の部分に、直径三センチほどの水滴? シミがくっきりと付いているのを……。

あれってワザとなのかなぁ? いや、さすがにそこまで〝仕込んで〟はいないか? 今でもアレが気になって仕方がない(汗)。

超人的なパフォーマンスと、あんな人間的な一面を同時に魅せつけられたら、誰だって益々トリコになってしまいます。

あのシミの事、ご本人に直接聞いたら何ておっしゃるかしらん? 怒るかな? それとも、意外と恥ずかしがるかな??

あれだけの人物だから、相当度量もデカい。ケラケラと笑いながら、きっとこう言う。

「まあ、どんなシミだった??……」(すべったな)。

27 出でよ!! 色っぽい歌姫

アタクシもこれで日頃、いろんな音楽を聴く方なんだけど、最近注目している事があって。

それはね、そろそろ日本にも、セクシーな女性歌手出てこないかなぁ……。ってことなんだよね。

平成から令和にかけて、思えば「頭数で勝負」「ウチの店は可愛い子揃えてます」みたいなアイドル路線ばかりで、そんなニッポンの歌謡界に対して、正直オジさん「?・」でござった。

彼女たちも一生懸命やっているのは見てわかる。だけど、アレばっかりじゃあ……ねぇ。「オタク」の青少年だけでなく、このおじさんをもう一度奮い立たせておくれ!!

突然だけど、倖田來未はホント良かったね!! 歌良し、ルックス良し、品も良し、喋ってもオモロイし!! だから「日本一のセクシー・クイーン」という称号は、彼女が商標登録して全然よろしい!! 事務所もレコード会社も、

倖田來未
２０００年に米国でデビューを果たす。日本では２００４年のシングル「LOVE & HONEY」がヒットして人気を確立。「エロかっこいい」と称される新たな立ち位置を得る。休止時期を含みながら息の長い活動を続け、ライブ活動も精力的にこなしている。

そこを絶対ブレずに攻めて欲しい。

で、「セクシー・クイーン」は別にして、今、あんまりいないじゃないですか色っぽいひと。それがオジサン、いや音楽ファンとしては気がかりというか、ちょっと残念なんだなぁ（涙）。

そりゃ最近の流行りが「文化系」だか「草食系」だってのは、アタシだって何となく知っている。

あいみょんとか、米津玄師、サカナクション……。男女を問わず、品があって頭も良さそうな歌い手たちが人気なんだって。若いスタッフに教わった。いや、よく分かりますよ。でもアタシの言っていることも、それほど世間とかけ離れているわけじゃないんだよ、たぶん。

〝セクシー〟つってもエロばかりじゃなくて、なんかこう〝匂い立つ〟というか、色っぽさみたいなものが滲み出たってイイのにね、と思うわけで。

で、全然脈絡ないけど、「ニッポン最強の歌姫」は誰か??

歌が上手い、色っぽい、ステージ映えする、人気がある……色んな判断基準があると思うけど。

今週は「ここだけの話」として、アタシなりにそれを考察してみよう。

個性溢れる昭和の歌姫

「昭和の歌姫」で括れば……美空ひばり、ちあきなおみ、藤圭子、都はるみ、いしだあゆみ、由紀さおり、伊東ゆかり、和田アキ子、奥村チヨ、八代亜紀……挙げればキリがないが、この時代はスゴい人たちがゴロゴロいた。

しかも、それぞれが〝一筋縄でいかない〟個性溢れる皆さんであり、大スター!!　この頃の「紅白」はホンマに良かった。

時代と共に、ＹＵＫＩ、大黒摩季、渡辺美里、山下久美子……。出てくる、出てくる。どれをとってもロックでキュート!!

「最強」と聞いて、ユーミン、中島みゆき……なんかは、ホント説得力があるよね!!　売り上げや動員数やカリスマ性からして「私を女王様とお呼び!!」である。

今の時代に目を向ければ、吉田美和、Superfly、ＭＩＳＩＡ、椎名林檎……なんて人たち、歌唱力抜群でスケールがデカい!!　と、される。

そして、ニュー・ミュージックやシティ・ポップの開拓者たち!!　髙橋真梨子、竹内まりや、山本潤子、大貫妙子、吉田美奈子、矢野顕子、大橋純子、金子マリ、浅川マキ、山崎ハコ……こんなに名前挙げてどうすんだ?

とにかく素晴らしい青春をありがとう!!

歴代ハーフ枠で、カルメン・マキやＡＩ、アン・ルイスにクリスタル・ケイなんてのは、もはや別格である。彼女らと正面から勝負してはいけない!!　絶対負ける。

♪なんやかんや言うても演歌はイイな!!（『ヨシ子さん』から抜粋）

天童よしみ、坂本冬美、島津亜矢……染みる。

やっぱりね、色恋と盛り場のニオイがして初めて、歌に魂が籠るってもんだ。

他にも、「歌が上手い」「踊りもイケる」「スター性がある」「芝居も出来る」って事になれば、前田美波里、本田美奈子、木の実ナナ……ｅｔｃ．おじさんの戯言（ざれごと）で申し訳ないが、挙げれば才能溢れるスター達が、ワンサカといる!!

まぁ、ここまでは「シロウト」でもわかるだろう。

じゃ、ズバリ申し上げよう。これらの居並ぶ強豪を抑えて、アタシが思う「最強のエリート歌姫」は……（ジャーン）小柳ルミ子である!!!!!!

理由その１「歌がうまい」

ここは当然クリアしなくてはいけない。彼女は、宝塚音楽学校出身。しかも首席で卒業のサラブレッド。音楽はおろか芸事の基礎はもはやバッチリ。『わたしの城下町』で、アイドルとしてデビューした彼女。ぱっと見からすると、「え、どこが最強なの??」「何がエロいの??」って感じでしょう。

そう、表面的に露出が多いとか艶のある表情してるとかじゃなく、秘めたオーラが滲み出ていたあの頃のルミ子、とてもヨカです。

理由その２「エロい」

あらかじめ「エロ」と分類などされておらず、市中に隠れ紛れているが、ふとした弾みで内側に隠されていたセクシーさがフイに顕（あら）われる……。そんな、出会い頭の意外なるエロとの邂逅（かいこう）。これこそ、ルミ子を最強の存在へと押し上げたのだ。

小柳ルミ子

福岡市出身の歌手で、女優としての活動歴も長い。１９７０年、ＮＨＫ連続テレビ小説『虹』で女優デビューし、翌71年に「わたしの城下町」で歌手デビュー。72年の「瀬戸の花嫁」ともども大ヒット曲となる。当初はアイドル路線だったが確かな歌唱力を武器に「冬の駅」「お久しぶりね」などをヒットさせる。同時に映画『白蛇抄』で第7回日本アカデミー賞最優秀主演女優賞を受賞。

理由その３「踊りが上手い」

クラシック・バレエで鍛えたその美しい肉体、そのラインを出し惜しみすることなくステージやテレビ等で披露する。健康的、大人の女の魅力が満載のダンシング!!「踊る紺屋高尾」大澄賢也も頑張れ!!

理由その４「芝居が上手い」

内に秘めたる強烈な炎が、絶えず燃え盛っていることを感じさせる演技。芝居に対する、または人に対する熱情のようなものが、しっかりと核にある。エッチだと思うなぁ、あのひと……。

そして、あの志村けんとの「夫婦コント」は秀逸!! アタシはYouTubeで何度も見ている。

ルミ子を超えるのは…

と、それなりの才能と努力を重ねれば、〝この四つ〟は誰でもクリア出来る……かもしれない。

しかし、他の歌手の追随を許さない、「ルミ子最強説」を裏付けるもう一つの理由、それは……。

理由その５「脱げる」

言わずもがな、映画『白蛇抄』（『誘拐報道』も良かった）。白衣で滝壺をさまようエロスの化身。宝塚で培（つちか）われた身のこなしに加え、その苦悶に満ちた表情は、何とも妖（あや）しく美しかった。

官能ドラマも、当時三十一歳、美貌のルミ子が演じると「文芸作品」に昇華するのだ。


ちょっと待て。脱ぐのなら、五月みどりや西川峰子はどうだとおっしゃるかもしれない。否、彼女たちはダンスを踊らない!!

かくして、五拍子も揃った〝最強の歌姫〟まさに〝人間テイク・ファイヴ〟のルミ子、いや「スーパー・エリート芸能人」小柳ルミ子に、何か「記念品」をお贈りしたい。

彼女を「最強」たらしめる、同じ条件を備えたエンターテイナーは、世界を見渡しても、あのマドンナか、レディー・ガガしかいないだろう（いや、もっといるよね）。

そして、この令和の世に、そのルミ子を超えて行って頂きたい歌姫がいる。

「あゆ」こと、浜崎あゆみである!!

最近じゃ、ご自分をモデルにしたテレビドラマで話題だ。出産を経験され、「大人の女」の色気を纏（まと）った彼女は、今が最も美しい。ぜひ若い頃にはあり得なかった、〝汚れっちまった〟ビリー・ホリデイのような歌声をたくさん聴きたいと、アタシは切に願うのだ。

彼女の曲や歌声は、その内面から絞り出す情念のようなものが漂っていて、

浜崎あゆみ
モデル、女優業を経て1998年「poker face」で歌手デビュー。99年のファーストアルバム『A Song for ××』リリース以来ブームに火がつき、街に彼女のファッションやメ

多分に切ない。

若い頃からそういうSomething Elseを持つ人だったから、今後年齢を重ねたら、さらに美味しい味が出せると思う。昨今の歌謡界をお嘆きの貴兄よ、いかがだろうか⁇

彼女が今、自分の起伏（スキャンダラス）に富んだ人生を背負い、虚飾を取り去り、切々朗々と歌い上げたら、先に名前を挙げた偉大で色気たっぷりの歌手の方々に、絶対負けない存在感を放ち、パフォーマンスが出来ると信じている。

浜崎、あーゆーれーでぃー⁇（ごめんちゃい）

イクを真似る若者が溢れた。
２０１９年にはその半生を題材にした小松成美の小説『M 愛すべき人がいて』が刊行され、翌20年ドラマ化された。

28 偉大なる八木正生さんに感謝!!

突然ですが、〝僕ぁ幸せだなあ……〟と思います。

これまで色々な人に教えを授かり、導かれながら、ずっと音楽を続けて来られたんですから!!

そんな大切な「導師」のおひとりに、八木正生（やぎまさお）さんという方がいらっしゃいます。

八木さんと言えば、あの渡辺貞夫さんや武満徹さんと共に、日本のジャズを創成した人物。ピアニスト、作曲家、そしてアレンジャーとして、記憶に深く刻まれる数々の「音」を生み出してこられた方です。

『網走番外地』をはじめとする数多くの東映の映画音楽や、アニメ『あしたのジョー』の主題歌作曲。また、あのデューク・エイセスの作・編曲や、コンサートの音楽監督としても知られ、そのマルチなお仕事っぷりも、実にお見事でございました!!

「そのような方が、なんでオマエの導師なんだ??」

「涙のアベニュー」
サザンオールスターズ6作目のシングルとして1980年に発表された。アルバム『タイニイ・バブルス』に所収。「Harbor light」に「Chinese Style」と、横浜の街を連想させるフレーズが歌詞にちりばめられている。

と訝る向きもございましょう（笑）。

いや、実は一九八〇年代前半に八木正生さん、どういう風の吹き回しか、サザンオールスターズの楽曲を沢山アレンジしてくださったんですね、大変ありがたい事に!!

ヨリによって、何でアタシらなんかとお付き合い頂けたんでしょうか？

それはね、〝普段はアホでも、仕事は命懸け〟の、我らがビクター名物ディレクター高垣さんが、ナント引き合わせてくれたんですね!!（高垣さんは、サザンを発掘し育ててくれた……素敵なアホです）

『涙のアベニュー』に始まり、『チャコの海岸物語』や『シャ・ラ・ラ』、『匂艶 THE NIGHT CLUB』などなど、数年間にわたり、主にストリングスやブラスの編曲をして頂きました。

年齢はアタシと親子ほど違いますが、「こんな親父、親方がいたらサイコー」などと、お逢いするたびにその魅力いっぱいのお人柄や、あの方の音楽に対する姿勢に、ズンズン惹かれていったのであります。

よく、スタジオのピアノ・ブースの中に二人で籠り、新曲のアレンジ等を一緒に考えさせて頂いた経験は、アタクシの音楽人生の宝物でございます。

日本のセロニアス・モンク

ギターを抱えてアタシが「こんな曲が出来たんですが」と申しますと、

「そうかそうか。凄くいいね（毎回そうは言ってくれませんでしたけれど）。

「チャコの海岸物語」
1982年、サザンオールスターズ14作目のシングルとしてリリース。歌謡曲らしさを意識した曲調で、歌い方はどこか田原俊彦を思わせる。年末のNHK紅白歌合戦でも同曲が披露された。

「シャ・ラ・ラ」
サザンオールスターズ11作目のシングルとして1980年に発表されたミディアム・スロー・ナンバー。ボーカルは桑田佳祐とともに原由子のパートも多く、デュエットに近いかたちとなっている。

「匂艶 THE NIGHT CLUB」
1982年発表、サザンオールスターズ15作目のシングル。金管、弦、コーラスと多彩な音が絡み合って、アップテンポなラテンテイストの曲調が生み出されている。

これは……こんな感じ？　それとも、こうかな？」

なんて言いながら、様々な音域やコード・ワークを鍵盤で押さえ、アタシの顔色……というか理解力をも確認しつつ、主に新曲の構成や弦管のアレンジを考えてくださいました。

アタシが歌うメロディを、温かく受け止めてはくださいますが、決して妥協はしないし甘やかしてもくれない八木親方。

こっちも若かったから、つい難しいコード進行や〝覚えたてのテンションン〟を使って、おっかなビックリ、ある時は自信あり気に出来たての曲を『八木さん塾』に持って行くと、

「ディミニッシュ？　それより、ただのFセブンでいいんじゃない？」と一蹴されたり、

「シャープ9thの音はトップに置かずに、内声（ないせい）に入れてみてイイ？」とかって……そんなヤリ方知りませんでした（汗）……みたいな。

アルバム「NUDE MAN」の時、原由子のために書いた『流れる雲を追いかけて』のアレンジ模索の最中、

「そうだ!!　これ満洲大連の歌にするなら、コルネット・ヴァイオリン（もはや誰も使っていないような、言わばラッパ付きのヴァイオリン）を使ってみようか？」

などと、人懐っこい丸顔に満面の笑みを浮かべ、この《日本のセロニアス・モンク》は、とてもシンプル且つ大胆に、進むべき方向性を示してくださったのです。


「流れる雲を追いかけて」

サザンオールスターズとして5枚目のアルバムとなる『NUDE MAN』所収で、ボーカルをとるのは原由子。第二次世界大戦中の満洲が歌の舞台。子を持つ母の心境が、レトロな雰囲気の曲調のなかで歌い上げられていく。

なるほど音楽は、知識や技量の難解さを競うものではないって事も含めて、アタシも身に沁みて勉強させて頂きました。

そしていざ、スタジオで管弦楽パートを録音する現場でも、「さすが八木さん!!」と、いつも頼りにさせて頂くことばかり。

というのも、当時の弦や管のスタジオ・ミュージシャンの方々って、なかなか気難しかったりしたんですよ（汗）。クラシック畑やジャズ方面のミュージシャンが多くて、何だかアチラにも〝プライド〟のようなものがあったのか……（大汗）。

ナメられるんでしょうなぁ……アタシら「ポッと出」は。

「え、今回は何だよ、これか？　ここ、どうなってんだ？」

「もっと、ハイハットをコッチのモニターに返せよ」

なんて、スタジオでアタシやエンジニアが軽く詰め寄られたりしていると ころへ、八木さんが到着する。

すると皆「おはようございますっ!!」なんて、手のひらを返したようにニコやかで行儀良くなっちゃったりして……。

さすがは、数々の修羅場を乗り越え、日本の音楽、映画、CM、舞台に貢献して来られた、ジャズ・ピアノのレジェンドは格が違います!!

実績の裏打ちもさることながら、人間としての迫力もスゴかったなぁ。

いや何も、武闘派の匂いが漂うとかではなく、正に「オシャレな不良」「粋な遊び人」という風情でいらした。

もちろん「ハッキリ言う」べきところはハッキリ言う人でしたよ。

当時人気があり、引っ張りダコのミュージシャンが、我々のスタジオにダビングで現れても、納得が行かないプレイをすると、かなり手厳しく叱責しながら、何度もやり直させるお姿がちょっと怖くもあり、頼もしく思えたものであります。

音楽の奥深さを謎解き

そしてあの方は、実に「ポップ」であり、新しいモノ好きでもありました。

その当時、チャス・ジャンケルの『愛のコリーダ』をカバーしてヒットさせ、マイケル・ジャクソンのアルバム「Off The Wall」をプロデュースし、世界中で大ヒットさせた、ご自分と同年代のクインシー・ジョーンズの大ファンであり、彼を最大の好敵手（ライバル）と自ら言い切る八木さん。

若きサザンとその音楽性に、新たな道を切り開き、豊かな多様性を追求してくださったあの方に敬意を込めて、我々も一九八一年のアルバム「ステレオ太陽族」に、『ラッパとおじさん（Dear M・Y's Boogie）』という曲を作り収録したのであります。

もちろん、ブラス・アレンジは八木正生さん御自身にお願いして。

正直言うと、最初『チャコの海岸物語』や『匂艶 THE NIGHT CLUB』に弦と管をかぶせて頂いた時は、「なんか古臭えなぁ……」とか、アタクシ思ったんです。

時代は巡り、まるで「みかんのあぶり出し」のように、この偉大な名アレ

「ラッパとおじさん（Dear M・Y's Boogie）」

サザンオールスターズ4枚目のアルバム「ステレオ太陽族」に所収。「M・Y」とはもちろん八木正生のイニシャルで、出だしの歌詞にも「I believe in Mr. Yagi」とある。ストリングスとホーンのアレンジは八木正生自身が担当。

ンジャーの匠の技が、アタシに「音楽の奥深さ」を、ゆっくりと時間をかけて謎解きしてくれました。

今となっては、あんなに豪華（ゴージャス）で美しく、享楽的なアレンジメントが出来る人……「プロの音楽人」は、もう日本には居ないのかもしれません。

あの日、親方がビクター４０１スタジオで、大きな編成の管弦楽団を前に、ノリノリの笑顔でタクトを振る姿が、目蓋（まぶた）の裏に浮かんで参ります。

『ラッパとおじさん（Dear M・Y's Boogie）』の曲名通り、親愛なる八木正生さんの思い出は尽きない……ので、次回もこのお話の続きを!!

29 続・偉大なる八木正生さんに感謝!!

我が音楽の、そして人生の「導師」。八木正生さんのこと、引き続き語らせてください!!

深くお付き合い頂いていた一九八〇年代は、今より都会のネオンも煌びやかだったし、緩やかに移ろう季節の中で、ジャズやフュージョンの野外コンサートが各地で盛んに行われていました。そして、阿川泰子さんやマリーン、笠井紀美子さんといった女性シンガーの登場で、「日本のジャズ」人気はその隆盛を博したものです。

八木さんは六本木の「バランタイン」や「ピットイン」というジャズ・バーでよくライブをされたり、青山の「Bar Radio」によく滞在されていたから、アタシもよくそこへ遊びに行かせて頂きました。また、そういう酒の席でご紹介いただいたのが、「週刊文春」の表紙絵でも知られる和田誠さんでした。

お二人は、TVの「ゴールデン洋画劇場」のアニメと音楽の担当をされた

和田誠
イラストレーター。広告制作の「ライトパブリシティ」でデザイナーとしてキャリアを

関係でもあったそうで、本当に仲がおよろしい!!

　ある晩、レコーディング終わりに、Bar Radio のカウンター席で、八木さんと和田さんの間に挟まり、お二人が楽しげに映画やジャズのお話を聴かせてくれた時の事を、アタシは決して忘れません。

　若かりし頃、和田さんの奥様である平野レミさんと二人、米サクラメントを旅行中の事。レミさんの父上にあたる仏文学者、平野威馬雄（いまお）さんのこれまたお父様……レミさんのご祖父に当たる方のお墓を、大雨の夜、〝雷に打たれたかの如く偶然見つけてしまった〟時の様子など、奇々怪々&抱腹絶倒の和田さんの話術に、身をよじらせて驚いたり、笑ったりさせて頂いたあの夜を。

　和田さん御自身が名付け親という、今もこのお店に残る「ソフィスティケイテド・レディ」というカクテルや、生まれて初めて呑ませて頂いたBar Radio 特製の〝スイカのカクテル〟の味も格別でございました。

　八木さんという、一見ちょっと頑固そうなオヤジの親友である、理知的で柔和な感じの和田誠さん。そんな和田さんが、多くの人から信頼され愛されているという理由が、よ～く分かった気が致しました。


出会いも〝アレンジ〟

　数多く、素敵な出会いを〝アレンジ〟して頂いた事も、八木さんには感謝しています。

スタートさせ、退社後にフリーランスとなり、「週刊文春」表紙や、星新一をはじめ多数の書籍表紙を手がける。映画監督、エッセイストとしても広く活躍。２０１９年にこの世を去る。

ある日、取材か何かで大橋巨泉さんとご一緒した時、「オマエ、最近ヤギボーとやってるんだって？　渋いねぇ（笑）。アイツのバンド、昔は〝八木のペイ中(チュー)・トリオ〟って呼ばれてたんだよ（笑）」なんて事を言われましたが、ペイ・チューを意味するものが、お菓子のハイチュウや酎ハイでない事は、アタシも容易に察しがついたものです。それにしても、巨泉さんくらい豪快な人はいないと思う。

人生色々あった上での、あの偉大なる八木さんですから。

こんな事もありました。アタシが、ある「日本で最も人気のある司会者」に曲を書く事になり、そのアレンジを担当したのが、その司会者の音楽番組でピアノを弾いている、言わばバンマスでした。

また、そのバンマスは八木さんの事を師と仰ぐ人物でもあります。

カセット・テープにギターと歌を吹き込み、アタシはその人に二曲分のスケッチとコード譜を届けました。

その数日後、渋谷東武ホテルのロビーで初めて対面し、バンマスと編曲の打ち合わせをしようという事に。

バンマスは、率直に言って、とても真面目で律儀な方だと思いました。

するとそこには、「アタシの作ったメロディ」をすべて丁寧に譜面に書き起こし、あろうことか、ところどころに〝添削〟よろしく、赤鉛筆でバツ印が付けてあるのです!!

そして「キミね、このメロディはダメ。あと、こんなコードも使っちゃダメよ、わかった？」みたいな事をコンコンと言われ、さすがにアタシもムカッと来たのであります。

で、この顚末を……わざわざ言わんでもイイのに……八木御大に話しちゃったアタシ。

すると八木さん、顔を真っ赤にして激怒!!　という、ある種「期待通りの展開」となり、たぶんアチラにも連絡が行ったんでしょうなぁ（汗）。

打って変わって二回目の打ち合わせの時、「こないだは、ついつい言い過ぎちゃって、ごめんね」

なんていう事も、件のバンマスに言われ……いや、こちらこそ言いつけたりしてホントにメンボクない……（謝）。

でもその二曲は、その後、バンマスのお陰でキチンとビッグ・バンドでジャズっぽく素敵にアレンジして頂き、アタシも今では大いに〝笑っていいとも！〟とばかりに感謝しております!!

メロディは言葉から

八木さんの謦咳に接していて印象的だったのは、もとはジャズの方だというのに、言葉をずいぶん大切になさっていたこと。

アレンジの相談に上がると、よく言われました。

「これって、歌詞はまだないの？」

アレンジャーにとって歌詞は一番大切な要素であり、編曲を進める上で大きな「手がかり」だと仰るのです。

この曲の舞台が春なのか秋なのか、主調は哀しみなのか人恋しさなのか……。言葉より雄弁な音楽は無いし、音楽は最も雄弁なメッセージだという事も、アタシは八木さんから教わりました。

それに、言葉には意味と共に「音(おん)」がいつだって付随しています。言葉の持つ「音の側面」を無視して音楽は演(や)れないよ、と、八木さんは仰っていたわけですね。

例えば、ジャズで『A列車で行こう』だったり『枯葉』だったり、そういう曲をサックスやトランペットでソロを取るとしますね。

英語の分からない人が吹くと、英語ネイティブの人がやるソロとは、そのニュアンスが同じにはならない……んだと。

これ、逆の状況を考えると分かり易いかもしれない。

日本の童謡『さくら　さくら』を、日本語を解さない外国人ミュージシャンが、メロディだけ聴いてコピーして演奏すると、

〈♪さ〜くらっ、さ〜くらっ〉

みたいな、変わった節回しになってしまう……という考え方。

それもファンキーで良いんだけど（笑）、「桜、桜……」という言葉や文字とも結びつかないし、美しく咲き誇り散っていく、我々日本人の持つ「桜」のイメージとは、幾分離れていってしまうというのは、言い得て妙なものですなあ。

言葉にはメロディが内包されているし、メロディは言葉から生まれる、という事。眼から鱗、でございました。

八木さんは横浜のインターナショナルスクール出身で、英語も堪能でいらしたから、そのあたりの感覚をしっかりと摑み、拘っていらしたのでしょうか。

米国が生んだ偉大なるエンターテイナーに、フランク・シナトラがいます。彼には一心同体と言っていいほどの良き理解者として、ゴードン・ジェンキンスというアレンジャーがついておりました。

このゴードン・ジェンキンス、戦中戦後にかけてアメリカン・ポップスの礎を築いた作曲・編曲家、ピアニスト、指揮者であります。

一九七三年。シンガーソングライターのハリー・ニルソンが、スタンダード・ナンバーを歌ったアルバム『夜のシュミルソン』で、オーケストラ・アレンジを手がけたりもしておりますね。

しかし何を措いても、フランク・シナトラとの黄金コンビが最高!!

彼がいたからこそフランク・シナトラは存在し得たと言っても過言ではないでしょう。

シナトラとジェンキンスのような関係性で音楽を作っていけたら……。そんな事を、生前八木さんがよくアタシに言ってくださった事が、今となっては有り難くも、〝勿体なさ過ぎる〟ような思いで、胸が熱くなります。

音楽の、また男としての、進むべき道をアタシに示してくださった八木正生さん、本当にありがとうございました。

またお逢いする日を楽しみにしております。

30 日本じゃ何でも「道」になる

柔道、剣道、合気道。茶道、華道にエロ道、任侠道、カラオケ道、フェリーニの『道』なんていうものまで。

日本人の「道」好きは、ホントに筋金入りである。何でも「道」にしておいた方が、どこか安心出来るというものか?

ま、いかにも「極めてる」感じがするもんね、「道」を説いたり、それに従っている方がラクっていうか。

その①【ポンタさんのドラム道】

かつて私もよく演奏でご一緒させて頂いた、日本が誇る名ドラマー、村上〝ポンタ〟秀一さん。

彼の演奏はおろか、生き様や楽器に対する態度もまた、「ポンタ道」「ドラム道」を追求してやまないと思えるものだった。

彼は、スタジオでもステージでも、己のドラムセットの前に立つやいなや、

村上〝ポンタ〟秀一
兵庫県出身のドラマー。ロック、ジャズ、ポップスとジャンルを超えて打楽器演奏の第一人者として音楽と関わり続ける。自身のバンドも結成し

気合一発いきなりバスドラに蹴りを入れる!!　というのがお決まりの定番なのだ（アタシは見た事がないが、呑みの席でご本人の口からよく聴いたからね）。

何でも、「ドラムセットにナメられちゃいけねえ」ってことだそうで（ポンタさん、イイ加減にしなさい!!）。

もちろん壊したりしないよう、加減して蹴ってるんだろうけど（笑）。

つまり、そうすることによって、自身のドラムや音楽に対するリスペクトの念を表し、若い者への「示し」をつけていたんだ、と思う（アタシもあの人と呑む時は、トコトン覚悟がいったし）。

お酒が好きで二日酔いもチョイチョイしていたポンタさん。ライブの際にはドラムセットの横に、いつ何時◯◯を吐いても良かれと、ポリバケツが置かれていた!!　とにかくやる事なす事ツワモノなのである!!（一緒にやる方の身になりゃ、タイヘンだよ）

お付き合いしてみると、実に味わい深く素敵なお方。あれほどの実力者でありながら、ドラムや周囲への威嚇も、まあ〝見せモノ〟と言うか、ポンタさん流の洒落であり、流儀（パフォーマンス）としてプロレス的なところが多分にあったと思う。

その②【プロレス道】

プロレスで思い出した。日本じゃ、なんとプロレスの世界でも「道」が語られ、重んじられた事がある。

ているものの、セッションドラマーとしてそのときどきに各界の実力者と音を合わせていくスタイルをとることが多かった。２０２１年に逝去。

あれは一九八七年のこと。ガチンコ勝負で鳴らすレスラー前田日明が、リング上で長州力の顔面を蹴り上げたことがあった。世に言う「長州力顔面蹴撃事件」だ。

この「顔面蹴撃事件」を重く見た団体社長たるアントニオ猪木は、「プロレス道にもとる」として、前田を解雇することとなったのだ。

んーむ、「プロレス道」とは一体どんなものなんだ？「五秒以内」なら、何やってもイイってのがルールちゃうんかい？？？

「出る杭は打たれる」組織の体質が、こんなところに露呈した。

前田からすれば、「なんだよ、急に〝常識(コンプライアンス)〟ぶりやがって。アンタだって今まで、さんざっぱらやりたい放題やったじゃないか!!」と、なる。

あらかじめ基準を明確にしておくのではなくて、それこそ「空気」や「不文律」の支配するところがまた、日本という村の「道」の特徴なのかもしれない。

まあジャンルを問わず、よくあるよね。「道」を隔てて師匠と弟子、先輩・後輩のあいだに深い谷底があることって。儒教的なのか封建的なのか分からんが、とにかく先人を敬(うやま)わねばならぬ、という空気は令和の世にも立ち込めている。

その③【東北道】
音楽の世界だって例外じゃないだろう。音楽なんて気軽(フランク)にやればイイと思うんだけど、気にするヤツもいるようで。

アタクシが若き日の夜、仙台の屋台で飲んでいると、同年輩のミュージシャンからご挨拶を受けたことがあった。

「先日デビューしたハウンド・ドッグの大友康平です、よろしくお願いします!!」

「あ、知ってるよ。曲、聴かせてもらったよ!!」

「ありがとうございます。僕、青学と姉妹校の東北学院出身なんですよ」

なんて和やかにやりとりしていると、大友が不意に尋ねた。

「ええと、すみません。桑田さんって、年齢は……?」

「オレ？　昭和三十一年の二月だよ」

すると大友は、

「エッ！　俺より下ですか!?」と言う。同年生まれなのだけど、彼は一月生まれだから、少しだけ〝年上〟になる……らしい。

それを知ったとたん、急に大友は、「おい、桑田ぁ〜」……。

ナンなんだ、コイツは??（笑）

まあ康平ちゃんは、たいへん分かりやすくていいヤツなのですが、いかにも自由そうな音楽の世界ですら、そうした「徒弟制度」「封建制度」っぽい空気はあった気がする（大友の場合、彼の方から目に見えない「壁」を乗り越えて来てくれたと思う）。

秩序を守って修行に励み、礼に始まり礼に終わる。教える立場と習う立場は、厳格に分けるべし。そうして一つの「道」を極めるのが、正しき生き方である。

大友康平
宮城県出身のロック・シンガー。大学時代にサークルメンバーらとバンド「HOUND DOG」を結成、ボーカルを務める。１９８０年にデビュー、「ff（フォルティシモ）」などのヒット曲を生んできた。太く男性的なボイスに対する根強いファンが多数。

そんな考えは、我々の性根の部分にこびり付いているのか？

昨今のコロナや暗いニュースばかりの中、大谷翔平さん、藤井聡太さん、池江璃花子さん……といった若い人たちが画面に現れると、「年齢」や「格」などを超越して、無条件に希望で胸が熱くなる。

実績はもとより、この人たちの人間性が何より大きいのだ。

「不埒」で悪いか？

その④【芸の道】

以前、テレビを観ていたら「バラエティ番組を舐めるな!!」みたいな話があって、アタシは何だか妙に違和感を覚えたものだ。

別にナメちゃぁいないが、そんな真面目に語られても、ナンだかなぁ、である。娯楽が、いつからそんなに物申すようになった⁇

気持ちは分からんでもないが、なんだかそこに「群れる」というか、特有の「村社会への同調」が見えた途端、シラけた。

真面目に語られるエンタメや芸人・タレントほど、つまらないモノは無い。行き着くところ「権威」や「人の道」で武装しないと、芸事も成立しないとしたら……ツライよなぁ。芸人やタレントが「ご意見番」化する最近の風潮、あれは一体ナンなんだ⁉

キャラクターの問題も大きいと思う。アタシと同い年の明石家さんまちゃんに、「お笑い道」みたいな匂いは全く感じない。そんな「道」に頼らなくても、さんまちゃんは面白い。あの人はそういうのが根っから嫌なんだろうと思う。

その⑤【人の道】

そうだ、「道」といえば、昨年から今年にかけて放送されていたテレビドラマ「やすらぎの刻〜道」にも、日本的精神が横溢していた。

アタクシもこのドラマに、どっぷりとハマった。

脚本の倉本聰さんがドラマに絡めて、こんなことを仰っていた。

「山が遠くに見えて、そこに繋がる道があり、その手前には故郷がある。それこそ、我々日本人の原風景だ」とのこと。

なるほど同感。ただ、同時にふと気づかされた。

原風景についてのイメージがそう刷り込まれているのも、ある種のステレオタイプな「道」なのではないかと。

言ってみれば、「日本道」のようなものに、我々はみんなどっぷり浸かっているんだろうねぇ。

昨今、アタシも含めて、著名人風情がネットやマスコミに叩かれる。ヘタこいたり不倫したりして……。

昔から、叩く方はあくまでもそれが「良識」らしいから、もうしようがない（笑）。

かく言うアタシだって「他人の不幸は蜜の味」だ。

だけど、知りもしない奴らから、むやみやたら「人の道」を諭されたり説いたりされてもなぁ……。そんなに暇や正義感を持て余しているなら、テメエが少しでも世の中の役に立てばいい。

人生や人間関係は、「筋道」ばっかりじゃなく、「横道」に逸れたり「寄り道」も必要だったと、生きて来て思う。

そろそろ結論を言おう。胸に手を当てて考えてみてくれ。

何が人の道だ？「不埒」で何が悪いか？

踏み外して初めて気付くのが「人の道」だ。

人は皆、不安だから「道」を説くのだ。

「わかっちゃいるけど、やめられない」のが人生だ。

ハイ、それまでョ!!

31 邦題をナメるな!!

長引くコロナ禍でも衰えを見せないものと言えば、日本人の造語能力ですな。

「三密」「新しい生活様式」「ウィズコロナ」……。

時世に乗った新語が続々と出てきて、感心するやら呆気に取られるやら。

さすがは毎年、「流行語大賞」なるモノの行方(ゆくえ)を、国民がこぞって注視するお国柄です!!

アタシたちが携わる音楽業界でも、この造語感覚が大いに発揮されて来た分野・領域がございまして……。

そう、それは何を隠そう「邦題」なのであります!!

洋楽が日本に入って来る時には、曲名やアルバムのタイトルが「日本語化」されて紹介される。この慣習の歴史はけっこう古くて、戦後間もなくポップスやロックが輸入され始めた時から、この業界に脈々と受け継がれて参りました。

アタシがこの世に生を受けてから子ども時分の一九五〇～六〇年代、この邦題というモノが、まさに「ポップ・ミュージック」から「映画」に至るまで、全ての娯楽作品の「顔」であり「名前」であり、その内容を端的に示す「道標(みちしるべ)」でもありました。

ですから我々、当時は「邦題」にすっかり慣れ親しんで……と言うか、外国語の〝正式タイトル〟がある事さえ、知らなかったほどです（笑）。

例えば、数多あるビートルズ・ナンバー。

『抱きしめたい』とか『涙の乗車券』とか『ひとりぼっちのあいつ』なんて邦題がある。それぞれ原題は『I Want To Hold Your Hand』『Ticket To Ride』『Nowhere Man』……と言われても、当時は何の事だかわかりませんやねぇ（汗）。

でも、比べてみても邦題の方がスカッとするし（死語だ）、グッと来るし、イカしてると思いませんか⁉（死語連発）

情緒が溢れ出るというか、「内容」が想像出来るし、作品が身近になって、我々からしても非常に〝とっつきやすく〟なる訳ですな‼

「ひとりぼっち」や「乗車券」なんて、語呂も良いし、古(いにしえ)より、俳句や都々(どど)逸(いつ)、落語や講談なんかに慣れ親しんだ、我ら大和民族の語感にフィットし、感情移入もし易いわけであります。

そもそも、『抱きしめたい／ビートルズ』なんて表記そのものが〝意味合い〟なんか一気に通り越して、胸を掻(か)き毟(むし)るほど愛おしいじゃあないですか（涙）。

「抱きしめたい」
ザ・ビートルズの楽曲として1963年にリリース。作詞作曲はレノン＝マッカートニー。原題は「I Want To Hold Your Hand」。全英シングルチャートで発売日に第1位を獲得。翌64年には全米シングルチャートでも1位に。

一方で、不思議な事にビートルズの場合、アルバムのタイトルは〝原題そのまま〟にしてあるって事……お気づきですか⁇

『ラバー・ソウル』に『リボルバー』、『サージェント・ペパーズ・ロンリー・ハーツ・クラブ・バンド』などなど。これらに邦題は無かった。

あれっ？　どうしたの？

宣伝会議が盛り上がらなかったの？　担当の皆さん、アイデア浮かばなかったの？　何かの都合で英語解る人が居なかったの？　……アタシも子供心に、そう心配になったものです（嘘つけ）。

この方針はずっと貫かれていて、最後期の『アビイ・ロード』や『レット・イット・ビー』も、原題をただ〝カタカナ表記〟に留めている。

いや、結果的には、このあたりのご判断は大正解でした!!（拍手）

後述するが、同じ発売元の某・プログレグループなんか、とんでもない邦題が付いてたもんだけど、我々ビートルズ・ファンにとって、アルバム・タイトルはそのままにしておいて頂けて、なんだかグレずに済んだ気がする（笑）。

ヘタに日本語のタイトルなんか付けちゃって、『レット・イット・ビー』を、

「なあ、ビートルズの新譜『なすがままに』聴いた⁇　全部通して聴くとスゲエ泣けるんだよ!!」

なんて話になっていたら、その後の人生も多少歪んでいたかもしれません（笑）。

このあたりのネーミングは、当時日本でビートルズを一手に扱っていた東芝音楽工業の担当者、あの高嶋ちさ子さんのお父様であられる高嶋弘之さんがやられていたそうです。

洋楽ディレクター高嶋さんの、「邦題」における最初のヒット曲は、ブライアン・ハイランドの歌う『ビキニスタイルのお嬢さん』（原題はItsy Bitsy Teenie Weenie Yellow Polkadot Bikini）だったそうで。

「ヒット曲になるためには、イイ曲、イイ詞が必要なわけだが、洋楽の場合、イイ曲は分かっていても、イイ詞となると外国語というハンデがある。だから日本語タイトルでもって、聴き手に一つのイメージを持たさねばならない。タイトルとメロディから、日本のリスナーの頭の中に、ひとつの〝ポエム・イメージ〟が生まれるはずである。仮に原曲の意味とは違っていても、聴き手が満足するポエム・イメージが聴き手自身の中に生まれて来るのなら、タイトル命名者としては、以て瞑（めい）すべしである」

とは、高嶋さん御本人の弁。

アタクシどもは、この方のお陰で「ポップ・ミュージック」や「エンターテインメント」の道を、ワクワクしながら今日まで歩いて来られた!!

そう言っても過言でなく、たいそうクリエイティブなお仕事であり、文化的偉業を成し遂げられた事、謹んで敬服の意を表させて頂きます!!

さて、ビートルズが解散した一九七〇年前後から、世界の音楽界には「プログレッシヴ・ロック」が台頭して参ります。革新的かつ実験的な精神を持った、ちょっぴり難解だったり複雑な曲を演（や）る人たち。

「ビキニスタイルのお嬢さん」
1960年に発表された楽曲。ブライアン・ハイランドが歌い、米国ヒットチャート「ビルボード・ホット100」で第1位を獲得。日本では同年のうちに岩谷時子・訳詞、ダニー飯田とパラダイス・キングの歌で、また漣健児・訳詞、田代みどりの歌でレコードが発売されてヒット曲となる。

この未知なるモノを、日本のマーケットでいかに浸透させていくかが、レコード会社としても、やはり大きな〃賭け〃であったと思われます。

『原子心母』って何だ!?

この「プログレ」の代表格と目されたバンドが、ピンク・フロイド。

当時の彼らは、名盤をガシガシ発表していくんですが、それらが日本に輸入され発売される際には、これまたイカした……というか、ブッ飛んだオリジナルな邦題が付けられていました。

例えば一九七〇年にリリースされた『Atom Heart Mother』の邦題は、『原子心母』!!

ナンダ、それ?? 訳としては〃そのまんま〃だし、よく考えると意味はまるで分からない。だけど理屈を超えたナニかが伝わって来るというか、プログレという「未知との遭遇」、「エイリアン」たるものを絶対売り捌(さば)いてやろうという気概と言うか気合いが、大いに感じられるではありませんか!!

一九七三年に発表の『The Dark Side Of The Moon』は、ズバリ『狂気』!!

当時、この作品を初めて聴いた瞬間(とき)の衝撃!!

それを表現するのに最もふさわしい言葉は、まさにこの邦題そのまんまの印象だったのだと思う!!（曲と曲の繋ぎ目が、どこにあるのか分からず……焦った）

「原子心母」

1970年発表のピンク・フロイドによるアルバム。原題は「Atom Heart Mother」。1曲目として収められている表題曲は23分超の大作インストゥルメンタル。アルバムは全英初登場1位となり、米国など各国でも大きな話題となった。

全世界で五千万枚以上売れ、全米チャートに七百四十一週連続でランクインした『狂気』。

世界中のコアなプログレ・ファンは、〃探究（たんきゅう）〃と〃模索（もさく）〃のため、当時このアナログ・レコード盤に、繰り返し何度も（文字通り擦り切れるほど）針を落としたと言われる。

だから、すぐにこの『狂気』のレコード盤は劣化して〃針飛び〃を起こすので、マニア達は改めて幾度でも買い直す状況となったらしい。

そんな理由もあって、このアルバムは全世界で怒濤の如く、天文学的枚数でバンバン売れた!!　……という、まことしやかなお話もある。

『The Dark Side of the Moon』。まあ、「月の光」はよく人を狂わすと言うから、この邦題の付け方、然（さ）もありなんといったところか。

余談だが、アメリカ・ロック界の奇才フランク・ザッパ。八三年のアルバム『The Man From Utopia』の邦題をご存知か？

原題も案外分かりやすいから、無理して邦題なんて要らない……とアタシは思うのだが、言うにこと欠いて『ハエ・ハエ・カ・カ・カ・ザッパ・パ！』である……。

うーむ、怖れ入りました!!　ここまで破天荒なら、もはや悟りの境地すら感じる!!

こうして見ていくと、「邦題傑作選」は誠に奥が深いですなぁ!!

このお話、次回にもう少しTo Be Continuedさせていただきます。

32 続・邦題をナメるな!!

「邦題」という、日本ならではの文化は想像以上に豊穣である!!　……というお話の続きです。

一九六〇年代のビートルズ・ナンバーや、七〇年前後から台頭して来た「プログレッシヴ・ロック」の輸入にあたっては、大胆かつセンスフルなネーミングが連発されたものだと、前回はご紹介したものでした。

これら「名付け」のお仕事を担ったのは、高嶋弘之さんと同じく輸入元・東芝の洋楽部にいた、石坂敬一さんでありました。

石坂さんは、この〝翻訳意訳〟とも言うべき、独自の〝名付け理論〟を確立し、前述したピンク・フロイドに関しては、アルバム『おせっかい』に収録されていた『One Of These Days』を『吹けよ風、呼べよ嵐』と命名。それを当時プロレスラーのアブドーラ・ザ・ブッチャーがリングに上がる時のテーマ曲として使い、悪役だったブッチャーが大人気者になるという社会現象までもたらしたのであります!!

他にもT.Rexの『Electric Warrior』を『電気の武者』と命名。まさに文武両道かつキャッチーな名称で売り出し、すべて大ヒットさせたのでありました!!

この所業は、コピーライターとしても超一流であり、様々な外国ロック・アーティストやその作品の本質を、〝ネーミング一発〟で見事に言い表し、我々ポップ・ユーザーの心を鷲摑みにした功績は、あまりにも大きかった!!

ここで時代をさらに、一九六〇年にまで遡(さかのぼ)ってみましょう。

その年、あのベンチャーズが『Walk Don't Run』という曲でデビュー。コレが日本に入って来たのが、四年遅れの一九六四年(昭和三十九年)。で、この曲の邦題が『急がば廻れ』なのでした。

「名曲に名タイトルあり」「ポップスはタイトルがすべてである」とは、けだし名言!!(これ、オレの言葉です)

当のベンチャーズがどう思われたかは別にして、この邦題を考えた人を、アタシは〝アカの他人〟とは思えないのであります!!

直訳すれば、「歩きなよ、走らないで」なんだけども、ポエム・イメージとしてはいささか弱いではないか(この曲インストなんだけど)。

――ここでいきなり当時の某洋楽宣伝マンの日記――

さっぱりアイデアが湧いてこない……。

もう夜明けが近かった。会社のデスクの椅子にもたれ掛かったまま、白み始めた空を見上げる。今日は、よりによって午前中から宣伝会議だ。

ふと窓外に目をやると、来たる東京オリンピックに向けて様変わりする風

「急がば廻れ」
もともとは1950年代に米国のジャズ・ギタリストであるジョニー・スミスが作曲したインストゥルメンタル曲。60年にザ・ベンチャーズが演奏しシングル盤として発売して人気を博す。サーフ・カルチャーのノリを表現したサーフ・ミュージックというジャンルにおける初期の代表曲のひとつ。

景の中。隣りのビルに横断幕が掲げてあり、そこには《大幅賃金勝ち取れ!!》の文字がある（まったくのフィクションです）。

　この時、冷め切ったコーヒー・カップを啜る、私の朦朧とした頭の中に何やら唐突に〝あるイメージ〟が浮かびあがった。

　走らないで、歩け……。

　て、ことは!?

　あっ……!!

〈もののふの　矢橋の船は速けれど　急がば廻れ!!　瀬田の長橋〉（室町時代の宗長という歌人の短歌。舞台は何故か琵琶湖）

〝横断幕〟の文言に刺激された（?）とある洋楽宣伝マンの閃きが、『Walk Don't Run』に神風の如く魂を吹き込んだ瞬間だった（全部フィクションですから）。

　事実、「歩け」も「走れ」も使わずに、海の向こうの音楽を、『たった五文字』の言語を以て、日本人に向けたメッセージとして邦題に認めた功績は、これまた凄まじく大きい。

　元々日本人は、言葉をこねくり回して意外な結びつきを考え出したり、舌の上でアレコレ転がして味わってみるのが大好きだ!!

「言葉遊び」の文化と伝統が非常に厚いのである。

　表記の仕方だって、漢字と平仮名とカタカナの三種類があって、さらにアルファベットを交ぜることだって平気の平左という節操の無さ!!

　タイトルを付ける場合でも外国語を意訳したり意味を掛けてみたりと、い

宗長
駿河国出身の室町時代の連歌師。大徳寺の一休宗純に仕えるなどしたあと、連歌の大成者・宗祇の跡を継ぎ、連歌界の指導的立場に就く。句集『那智籠』、『宗長手記』『宗長日記』などを残した。

ろいろ工夫出来ちゃうのは、日本語及び「島国列島」ならではの、自由奔放で豊富なヴァリエーションがあってこそ。

名作・傑作のタイトルは、その語呂だけでなく、文字ヅラも実に美しく力強い。

外国映画に目を向ければ……。

もし、一九六〇年の『The Apartment』のタイトルが、従来の邦題「アパートの鍵貸します」ではなく、単に「アパート」だったり、一九六二年の『The Longest Day』が「史上最大の作戦」ではなく「最も長い日」だったり、一九六六年の『For a Few Dollars More』が「夕陽のガンマン」でなく「たかが二、三ドルのために」だったら……。

当たり前だが、我々の青春はもっと違った趣(おもむ)きを見せていたかもしれない。

〝歌詞の無い〟JAZZやクラシックにまで、何故「タイトル」があるのか？

かの松本清張の作品『点と線』『ゼロの焦点』『砂の器』『黒革の手帖』……なんて、絶対にタイトルから先に決めている……と、アタシは勝手に睨(にら)んでいる。

それくらい、これらの〝作品の顔〟には、大衆の気持ちを捉えて離さないVisual Ability（視覚的能力）があるのだ!!

音楽でも映画でも、また小説でも……作品の良し悪しは歌詞とメロディ、監督と脚本だけでは決まらない。

そう。タイトルがあってこそ、初めてその作品は〝命を宿され〟成立するのである!!

松本清張
1953年『或る「小倉日記」伝』で芥川賞を受賞し、歴史小説や現代短編を書き継ぐ。58年『点と線』のヒット以降、社会派推理小説に注力。第一人者となる。上記のインパクト大なタイトル作の他にも、『眼の壁』『わるいやつら』『告訴せず』『十万分の一の偶然』『迷走地図』といった、想像高嶋、石坂ご両人のような「名人芸」を繰り出せる者は、その後なかなか登場せず、一九九〇年代以降、イカした邦題にはあまりお目にかかれなくなった。

まあ、日本人もだんだん海外の文化や英語に慣れて、いちいち日本語に転換しなくてもコトが通ずるようになったという面もあるんでしょうね。

脱力こそ「創造」の源

アタシの曲で『波乗りジョニー』というのがある。

あれは大学一年の時の事。通学の東海道線に乗っていて、ふと「『波乗りジョニー』ってフレーズ……イイな」と、思った。

曲どころかメロディのカケラも浮かんでいないのに、その言葉だけが浮かんで来たのである。

それから二十年以上経って、アタシはプロとなり曲を作った時「あ、あの時の『波乗りジョニー』ココで使っちゃおう!!」となった。

ずいぶん〝お気楽な稼業だ〟と思われるだろうが、『いとしのエリー』も『真夏の果実』も『悲しい気持ち』も……、あまり悩むことなくスンナリと付けられたタイトルほど、楽曲の出来栄えと相まってハマりも良かったと思う。

逆に言えば、悩み抜いた題名を冠した曲ほど、出来栄えもイマイチなものが多かった（汗）。


力を喚起するタイトルを持つ作品が多数。


「波乗りジョニー」

桑田佳祐ソロ名義として6作目となるシングル曲で、2001年リリース。ミュージック・ビデオ内のサーフィンシーンは、本人がスタントなしで実演。2021年にはユニクロ「LifeWear」CMソングとしてオンエアされた。

「創造」とは、なんの造作もなく脱力した状態から生まれるのだろう。

高嶋さん、石坂さん以外にも、映画においては水野晴郎さんのような「名コピーライター」の遺伝子が、令和の世にも「名作」を生み出してくれる事を願っている。

最後に、アタシが一番好きな邦題を四つだけ。

『孤独の旅路（Heart Of Gold）／ニール・ヤング』

『ダンス天国（Land Of Thousand Dances）／ウィルソン・ピケット』

『青春の光と影（Both Sides Now）／ジョニ・ミッチェル』

『雨の日と月曜日は（Rainy Days and Mondays）／カーペンターズ』

解説不要。失礼申し上げます。

33 我が愛すべき茅ヶ崎の人々

今年も夏が過ぎ行きて候。帰省すらままならぬ方も多かったでしょう。早く、かつての日常を取り戻したい一心ですね。

我が故郷と言えば茅ヶ崎ですが、思い起こして蘇る光景は、何故か幼少時代のモノが多いように思います。

往時の雰囲気がどんなだったか。それをよく伝えてくれる映画があるんですよ。

それは我ら茅ヶ崎ピープルの誇り、小津安二郎監督の『早春』。岸惠子さん演じる「金魚」という愛称の若い女性が、会社の同僚とピクニックに出かけて、今の国道134号線を皆で口笛を吹きながら歩くシーン。海の向こうに江の島や烏帽子岩が見える。ただただ抜けるような空以外、他は伽藍として何も無い……。

嗚呼、懐かしさが募ります!!　この映画は一九五六年の公開。私の生まれた年と同じなので、幼少の記憶とはちょっとズレますが、アタシらの原風景

『早春』
1956年に公開された小津安二郎監督47番目の作品。出演は池部良、淡島千景、岸惠子ら。丸の内の企業に勤めるサラリーマン夫婦のあいだには幼子を亡くして以来、隙間風が吹いていた。夫の心には、妻以外のひとりの女性が入り込んでくるのだが……。戦後の東京に生きる若者たちの姿を丁寧に描き出した映画である。

茅ヶ崎
神奈川県湘南地方の中部に位

とは、正にあんな感じでしたよ（涙）。

　東京から足を延ばして、海水浴やピクニックに繰り出すような土地で、お金持ちの別荘や、外国人のちょっとした居住地でもあった茅ヶ崎。小津監督自身も、海岸にほど近く、今なお当時の面影を留める「茅ヶ崎館」を定宿にして脚本書きをしたそうですし、東京の喧騒から一時逃れるにはちょうど良いところだったんでしょうね。

　それ故、だからでしょうか？　かつてこの辺りには、文化芸能関係者が多く住んでおられました。

　代表格はもちろん、歌手としてまた銀幕の華としても輝き続けてきた加山雄三さん!!　まさに茅ヶ崎の誇りであり、我らが大スターであります!!　そこには当然加山さんのお父様で、昭和の大俳優・上原謙さんもいらっしゃったわけです（かの有名な加山雄三通り。それ以前の愛称は〝上原謙通り〟でした）。そして、その「華麗なる一族」が湘南茅ヶ崎の海辺の一等地に建てたのが、あのお洒落で小粋な「パシフィックホテル」!!（地元の人間は、これを〝パーク〟と呼んだ）

　一九六五年の開業だから、ちょうどアタシの子供時代に、その当時には珍しい〝究極のリゾート・ホテル〟として、栄華を極めたものでした!!　ここで食事をしたり、プールで泳げる事自体が、地元民の大いなるステータス!!

　そこには次々と芸能人がお忍びで遊びに来たり、仕事で訪れては数多のショーを繰り広げておりました。なんたって、加山雄三とザ・ランチャーズや、来日したベンチャーズまでが、プールサイドでコンサートをやったくらいで

置する。茅ヶ崎という名の由来は、一帯に茅が生えた土地だったことからと言われる。室町時代の史料に早くも地名の使用例が見出せる。明治〜昭和初期は温暖な別荘地として広く知られ、ハイソサエティな香りが戦後も残っていたのはそうした歴史と関係しているかもしれない。

すからね!!

普段は口の悪いウチのおふくろと、加山さんのショーを観た時、おふくろは感激のあまり泣き過ぎて、顎の関節が外れそうになった事がありました。涙とヨダレを垂れ流しながら、失くしてしまった付け睫毛を探して、地べたを這いつくばる中年の女が、子供ながらにとても哀れに見えたものです（汗）。

そうだ、加山さんと同じく、アタシの中学校の大先輩、「日本歌謡界最高のヴォーカリスト」尾崎紀世彦さんも茅ヶ崎出身でございます!!　その名が知られるようになってからも、「浜降祭（はまおりさい）」という地元の祭りに毎年参加しては、神輿（みこし）を担いでおられました。

ブレッド＆バターのお二人も、茅ヶ崎ですね。七〇年代、市営球場の裏手に「カフェ・ブレッド＆バター」というお店を開いていて、そこにユーミンさんや南佳孝さんなんかがよく遊びに来て、イメージを拡げては、曲を作ったりしたんですよね。『あの頃のまま』や『HOTEL PACIFIC』など、地元を歌った曲も素敵であります。

言っときますけど、これは同じ茅ヶ崎でも「雲の上」の方々のお話です。当時、我々「シモジモの人間」は、駅前の蕎麦屋「こまき屋」や、中華の「北京亭」には入（はい）れても、なかなかこのカフェなんかに踏み込む度胸はありませんでしたから（泣）。

閑話休題。

歌い手だけじゃぁありません。茅ヶ崎は、作詞・作曲関係でも豊富な人脈を誇っております。

古くは、かの山田耕筰。彼は四十代の時期を茅ヶ崎で過ごし、誰もが口ずさむ童謡『赤とんぼ』を、この地で作ったのでした。

大人気ジャズピアニストにして、『上を向いて歩こう』『こんにちは赤ちゃん』『明日があるさ』など昭和の名曲を手がけた天才作曲家、中村八大さんも茅ヶ崎にご自宅を構えておりました。

ロカビリー歌手から転じて作曲家になった平尾昌晃さんは、アタシの実家のすぐそばの、広大な芝生の邸宅に住んでいらっしゃいました。幼い頃、アタシはよく姉貴と二人で、平尾さんのお宅の横にある電信柱によじ登り、平尾さんご一家の様子を〝覗き見〟したものでございます（コレは絶対ダメでしょう!!）。

日本の芸能・音楽史を彩ってきた偉大なる方々が、いつの時代も茅ヶ崎に集い、住まわれていたのです。

魂の四点ポジション

そう言えば、アタシが大学生の頃、近所の漁師さんから、

「この頃よ、烏の濡れ羽色みてぇな長ぇ黒髪の女がよ、背の高ぇ鷲っ鼻の、メガネかけた白人の男とよ、二人で手ぇ繋いで海辺歩ってるけどヨ、なんだか薄気味悪ぃだぁよ〜」

なんて話を何度か耳にした事がありました。

その人達って、もしかして「世界で一番有名なご夫婦」じゃないの？　想

像してごらんよ。その女の人、辻堂に実家が有るし……。

　大して人口も多くないこの街に、歴史に残る人々が何故こんなにもたくさん……？

　戦後間もない頃、お隣辻堂には、在日米軍の大きな施設がありました。その米軍の射撃演習の際、標的にされたのが、あの「烏帽子岩」なんだそうで。なるほど、戦前の写真などと見比べると、烏帽子岩の先端が今より鋭く尖って見える!!〝アメ公の奴ら、ウチんとこの「守り神」に対して、一体なんてコトをしやがる……!!〟

　そんな思いを胸に、茅ヶ崎に生まれ育った人間は烏帽子岩を眺めて来た。ど正面に（一）烏帽子岩。右手に（二）富士山。左手に（三）江の島。そしてなんだか、妙に後ろ髪を引かれると思いきや、振り向けば（四）寒川神社が鎮座する。

　この《潮風香る魂の四点ポジション》の霊力は凄まじい!!　強力な磁場に引き寄せられるように、文化芸能関係者のみならず、多くの人たちが茅ヶ崎に魅せられ、訪れたのではなかろうか？

　しかし、時は無情なり。

　一九七〇年代に入り、かの「パシフィックホテル」は倒産。加山雄三さんご自身も、当時は莫大な借金の返済に追われたと聞きました。

「音楽をやるには、イイところで育ったんじゃないか」って??

　それはその通り、なんだけど……。一つ残念なのは、アタシの「青春期」は時代がちょっとズレているんですよね。

茅ヶ崎にハイソサエティな香りが強く漂っていたのは、アタシなんかの幼少時代がギリギリというところでして（汗）。

音楽に興味を持ち始めて、自分でバンドを始めたりした一九七〇年代の茅ヶ崎は、すでに閑古鳥の鳴きそうな空気が立ち込めておりました……。だからアタシは、加山雄三さんが海に船を出して遊んでいたような、茅ヶ崎の「一番良かった時」を見逃してしまった《失われた世代（ロストジェネレーション）》ということになりますよね。

アタシは今でも、自転車に乗って茅ヶ崎の街を巡るのが大好きなんです。戦時中、お隣の平塚市は軍需工場などが沢山あった事で、米軍の空襲をモロに受け、街の殆どが焼け野原と化したという。

そんな平塚に比べたら、昔ながらの細長い小道が数多く残る茅ヶ崎は、地味だけど、今だにキラキラした「木漏れ日の街」という趣きがある。

そうこうするうち、自転車は鉄砲通り（てっぽうどお）りを抜けて、同級生の宮治淳一が営むカフェに到着した。

ガラス越しに見やると、あ、アイツ……いたいた。

「おい、宮治。来週はお前が主催した『湘南ロックンロールセンター』の話をしたいから、ちょっと思い出話を聞かせてくれないか？」

淹（い）れたての「ブランディン・ブレンド」を飲みながら。また来週。

34 続・我が愛すべき茅ヶ崎の人々

前回も、我が故郷・茅ヶ崎のお話を致しました。

加山雄三さんをはじめ、綺羅星(キラほし)の如く音楽関係の先達が茅ヶ崎には沢山いらした事、大変誇りに思っております。

しかし残念ながら、私が音楽を始めた七〇年代頃には、そんな「茅ヶ崎ハイソサエティ・カルチャー」は、すでに下火だった……。

そんな中、「なんにも無い」茅ヶ崎の街で、自分たちで地元の音楽シーンを盛り立てよう!!　なんていう殊勝な輩(やから)もおりまして……。

アタシの小中学校の同級生で、幼馴染みの宮治淳一君であります。彼は、小学校の時から脇目もふらず「音楽マニア」の道を邁進(まいしん)してきた人です（笑）。ちなみに勉強もよく出来たんだよね（汗）。宮治は、自分ではあまり楽器はやらなかったけど、お姉さんの影響などもあり、ビートルズ、ベンチャーズ、ビーチ・ボーイズなどを始めとする、欧米のロック、ポップス、黒人音楽に関して幅広い知識と愛着を持っていました。

宮治淳一
音楽評論家、ＤＪ、音楽プロモーター。茅ヶ崎でミュージック・ライブラリー&カフェ「ブランディン」を営み、日本有数のレコードコレクターでもある。桑田佳祐とは10代の頃から厚い親交が続いている。

小学校高学年の時には、近所のゴミ捨て場にあった二台のレコード・プレイヤーを部屋に持ち帰り、それを自分で修理して、アタシが遊びに行くと、その二台を絶妙に駆使して矢継ぎ早にレコードをかけ、丁寧に曲ごとの解説をしてくれたものです。外資系レコード会社に就職し、長年の海外赴任も経験した後、今はラジオ番組のパーソナリティをやったり、自ら経営するカフェでＤＪ（ディスク・ジョッキーね）をやり、彼の語り口や人柄は、地元以外にも多くの方々から愛され、慕われているそうです。

　そのカフェのレコード棚にある、おびただしい数のアナログ・レコード盤は、彼の〝美しき人生〟そのもの。宮治淳一君は「世界のレコード・マニア」の間でも、マジで相当名の通ったお方なのであります!!

　でも、宮治の《魂の分母》《核》となっているのは、やはり「茅ヶ崎への地元愛」なんでしょうな。一九七五年、大学生の時に、彼は「湘南ロックンロールセンター」というサークルを立ち上げ、報酬などは度外視で運営しておりました。そして、茅ヶ崎や藤沢界隈の会場を押さえては、色んなバンドが参加できるコンサートを、定期的に企画し開催していたのです。

　この事が無ければ、たぶんアタシも今ごろは、別の生き方をしていたかもしれません。アタシも学生時分にはしばしば、彼の創ったステージに立たせてもらっていました。そして何より、宮治の「偉大な功績??」のひとつは、アタシが大学二年の時、藤沢青少年会館の集会室で行われた「湘南～」の定期コンサートの時の事。

「藁半紙（わらばんし）にガリ版刷り」という、当時ならではの告知ポスターを何十枚と製作し、知り合いのお店に貼り出すなど、要は裏方作業の一切を、他ならぬ宮治がやってくれていたのです。

その時、ピアノの原由子らと組んだ、新しいバンドの名前が決まらず、主催者である宮治が、〝事前に申告し忘れていた〟アタシの代わりに、付け焼き刃的にバンド名を考え、そのポスターに「桑田佳祐とサザンオールスターズ」と書き入れた事が、不思議なことに現在まで続いているのであります。

人生どうなるかなんて、わからない!!

でも、少なくとも彼がいなければ、「サザンオールスターズ」というバンドは存在しなかったわけであります。

え?　ところでアタクシの「地元愛」はどうなのかって?　そ、それは、若い頃から変わってないですよ(汗)。

大学が青山学院大学だったから、渋谷まで通わなくちゃいけない。

茅ヶ崎からだと、けっこう行き帰りも遠いんだけど。東京に入り浸(びた)ってしまっても、おかしくはなかっただろうに。何故か不思議とそうはならなかった……。下宿したりしなかったのは、きっと正解だったと思う。アタシなんかが一人暮らしを始めた日には、ただただ呑んだくれて、他に何もしないで自堕落になっていたに違いないからね。

そうそう、毎日アタシが茅ヶ崎にちゃんと帰っていたのには、もうひとつ、ちょっとした理由がありました。

当時ウチの母親は、平塚あたりで夜の店をやっていたんだよね。夜中に店が終わると、そこで働いている女の子たちを、クルマでそれぞれの自宅まで送り届けなくちゃならない（茅ヶ崎、平塚、大磯あたりは、夜間の交通機関も乏しかった）。その仕事、というか手伝いを、毎晩アタシがやらされていたんですよ。

　クルマを運転するのは好きだったし、酔っ払ったホステスさんたちの話を聞くのも、なかなか刺激があってね（笑）。たいそう陽気なご帰還の日もあれば、何があったか泣き通しの夜もある。酒を呑み過ぎたら、水を飲ませたり。田んぼの畦道で背中をさすったりして、なんだか彼女達といる時の方が、大学にいる時よりも「人生がリアル」に感じた。

　たまに、黙って運転していると、後ろからアタシの肩を突いて、

「ねえ、黙ってるとお互い疲れるからさぁ、なんか話してよぉ……」

なんて甘いトーンで言われる。それで、他愛もない世間話をしたり、ちょっとした身の上話を聞いたりする。艶っぽい大人の世界を垣間見る……というより、等身大の彼女たちに触れることが、なんだか良かったんだよなぁ……。

　ひとり、よく送っていくオネエさんの中に、「あやこさん」という小柄で色っぽくて、とても人懐っこい笑顔のヒトがいた。どこか地方の出身だそうで、少し訛があって垢抜けない感じはするけど、そこがまた魅力的で。よく言えば女優の山本陽子さんに似た……お客さんにも、かなり人気があったそう。

「声が凄く素敵だね!!」

ある晩、彼女が帰りのクルマの中で話しかけてきてくれた。

「佳祐さんて、なんか大人しいけど……普段、何やってるの？　そう言えば、ママに聞いたらバンドやってるんだって？」

〃大人しそうな〃アタシしか知らない彼女は、〃バンドをやってる〃アタシのイメージなんて、まるで浮かばなかった……と思う。

「あやこさん」にそう訊かれて、話のきっかけを貰ったと思ったアタクシ。あれこれ説明すると、

「へえーっ、私、一度聴いてみたいなぁ!!」

なんて言うから、思わず嬉しくなっちゃって、

「今度、藤沢でやりますよ!!　よ、良かったら、来ます??」

生まれて初めて女性を口説いたみたいで「テンション」が上がった!!

そしてタイミング良く、宮治の「湘南ロックンロールセンター」のコンサートが、近く予定されていたところだった。まあ、その時は調子良く話を合わせてくれただけだろうと思ったけど。

　ところが当日、ライブ会場の藤沢青少年会館の、「音楽室」に彼女の姿があった。昼間のあやこさんは、地味だけどとても落ち着いた大人の雰囲気を漂わせながら。

　その日の夜も、クルマで店に行くと、あやこさんが乗り込んで来た。アタ

シが昼間のお礼を言おうとするや否や、彼女「ねぇ、佳祐さん、すごく良かったよ!!」「私、びっくりした!!」「声が凄く素敵だね!!」なんて褒められた事は、バンドをやって初めてだった。

「え、ホント……？　ありがとう……」

天にも昇る気持ちとは、まさにこの事だ。それ以降も、「あやこさん」を送ることが毎日の心の張りになった。年齢も二十六歳と言っていたけど……(女性に年齢なんて無い)。

こちとらそんな大人の女性に対して、手も足も出やしない。モヤモヤした気持ちは、行き着く先もなかった……。

「生涯忘れ得ぬいくつかの場所がある
今はもう無い場所や
昔のままに残る場所
そうしたいろんな場所で
恋人や友達と一緒に
時を過ごした
今は亡き人　元気でいる人
みんな僕が
人生で愛した人たちだ」
～In My Life / The Beatles～

「In My Life」

1965年発表、ザ・ビートルズ6枚目のアルバム「ラバー・ソウル」に収録されている。作品名義はレノン＝マッカートニーだが、情緒あふれる詞を書き、作品世界の雰囲気を決定づけたのはジョン・レノンのほうだと目される。

アタシにとって、家族も友人も憧れの人もいた茅ヶ崎が、年追うごとにいっそう大切な場所と感じられるのであります。

その街並みや活気のほどは時代によって変われど、我が故郷・茅ヶ崎よ永遠なれ!!

35 「内山田洋とクール・ファイブ」にシビれた!!

最近、アタシが特に思うのは、〝シビれる歌い手〟……特にニッポンの男性歌手に関しては、コレというのがなかなかいないよなぁ……と、感じるのであります。これぞっ!! と心酔する歌声に出逢えるなんて、めったにない事。ましてや、己のDNAが震撼するほどの歌い手に巡り逢える事は、言わば〝人生の宝物〟を見つけるようなもの!!

生まれて初めてアタクシに、「歌声にシビれる」どころか、「その人の魂が乗り移る」ような経験をさせてくれたのは誰であったか……。

はい。それは、前川清さんであります!!

一九六九年に内山田洋とクール・ファイブのヴォーカルとしてデビュー。『長崎は今日も雨だった』がいきなり大ヒットし、その後も『逢わずに愛して』『噂の女』『そして、神戸』『中の島ブルース』『東京砂漠』……。歌い継がれる楽曲を続々と世に放ちます!!

前川さんの、あの顰(しか)めっ面(つら)した表情と、喉奥から〝愚痴でも吐くように〟

絞り出されるみたいな歌声。幅広のネクタイと細身のスーツを纏い、長身を直立不動にしてマイクを握り佇むそのお姿……。さらに、背後からは最強のドゥー・ワップ・コーラスが援護射撃する!!　それをアタシは、彼がデビューの頃からずっとこの目に焼き付けて参りました。もちろんテレビを通して、なんですけれども……。当時は、数多あるテレビの歌番組に、毎日何度もお出になられていたので、クール・ファイブさんの新曲が出ると、レコードが発売される前から、ブラウン管（古くてゴメン）にかじり付いては、あっという間に歌詞を覚えた!!

街中でも曲がガンガン流れていたから、いつだって前川さんの歌声が耳元にあるような気がしておりました。

『長崎は今日も雨だった』が出た後には、やはり長崎に観光客が大挙押し寄せるようになったとか。本来なら天気が悪いと、お客さん達はブーブー文句を垂れるんだけど、この歌が売れてからというもの、雨が降ると皆さん大喜びした……ウソかマコトか、そんな噂も耳にしたほど、流行歌というのが影響力を持った時代でした。

アタクシも学生時分、教室でよく前川さんのモノマネをしては、友人たちの喝采を浴びたものでした（一部の、ごく少数の級友でしたけど）。気難しげな表情を崩さず、直立して歌う姿ばかりに惑わされちゃあいけません。前川清さんほど「洋楽的な訛」があり……つまり、今風に言うとグルーヴィーで、スウィングしまくりの歌い手は、他にあんまり例を見ないと申しましょうか……。

言い忘れたけど、クール・ファイブ以前のムード歌謡コーラスは、マイナー調のラテンやハワイアンの人たちが多かった。子供のアタシから見ると、ダークダックスはマジメな大人だし、東京ロマンチカやロス・プリモスは酒場の匂いがする。そして、マヒナスターズは裏声が入ったりして、なんだか少しナヨッとしているように見えた。

ところが、腹の底からシャウトする前川さんは、ムード歌謡界ではかなりの異端児であり、斬新だった!! 作詞、作曲、および編曲家の先生方が、音楽的に指定した「本来の歌い方」とは、ちょいと違う「ノリ方」「解釈の仕方」で彼は啼き、慟哭ぶ!!

クール・ファイブのデビュー六作目『愛のいたずら』なんて三拍子のナンバーは、まさに前川清の真骨頂!! もちろん、この頃の先達の演奏陣もアレンジもぶっ飛んでいるのだが、前川さんの歌唱はジョン・コルトレーンやエリック・クラプトンのアドリブ並みにファンキーでフリーでカッコいい!!(ま、この辺の話はテキトーに聞き流してください)

三橋美智也や北島三郎のような、日本民謡をルーツに持つ人たちの歌唱も素晴らしいが、前川さんのルーツは多分に洋楽的な影響が大きいと、アタシは確信するのでありました。

明らかに「夜の酒場演歌」とは違うノリを持つ前川節!! その辺の「日本のロック」なんかより、よっぽどガッツのある「ロッカー」であり、「R&Bシンガー」なのであります!!

一九七〇年代初頭といえば、「日本のロック」を標榜して登場してきたバ

ムード歌謡
戦後に一世を風靡した歌謡曲の一ジャンル。戦後日本に駐留した占領軍相手の歌手やバンドが、求めに応じてムーディーなダンス音楽を演奏したのがその始まりと考えられている。繁華街や港などを舞台に、大人の夜の世界が情緒たっぷりに歌い上げられる。コーラス主体のものを特に「ムードコーラス」とも呼ぶ。

ンドなどが沢山あった。それぞれ、ずいぶん「革命的」と評されたり、「風格あり気」だったけど……。アタシなんかからすると、どうもその波にうまく乗れなかったたし、ピンと来なかった。

だって、その当時の「日本～」だろうが「東京のロック」だろうが、どれをとってもなんかマジメで理屈っぽいし、ツマンナイんだもん（あーあ言っちゃったよ……）。演奏はそこそこお洒落だったり、テクは上手いけど、ほぼ「自己満足」だったり、歌や生き方も「ロジック」で武装しないと成り立たないみたいな……（もう、やめときなって……）。

言っとくけどその頃はアタシだって「歌謡曲がイイ」なんて思った事はなかったのよ。それなりに狭い視野の中で、欧米のポップスやロック・ミュージックに心冒されていた年頃だった。

そして、神戸……いや二〇二〇年。今だからこそ断言しよう。「日本のロックにおいて日本語と英語の壁を取っ払ったのは、はっぴいえんどでも矢沢永吉でもサザンでもなく、誰あろうそれは内山田洋とクール・ファイブである」と!!

だってそうなんだもん。前川さんの場合、よく言われる「大袈裟なヴィブラート」だって、実は泥臭い洋楽（的な）の発声だった。曲も良かった。無口で顰めっ面を貫いた前川清のキャラ作りも秀逸だった。藤圭子さんをはじめ、多くの女性歌手に彼はモテまくった!!（悔しい……。チ、チクショー!!）

で、何より前川さんの「俺、東京なんか来るんじゃなかった」みたいな、嘆き節とも取れる仏頂面唱法が、堪らなく功を奏し、圧巻だったのである!!

父親と「喜びを共有」

内山田洋とクール・ファイブのメンバーは、皆さん九州の出身。

長崎市内の高校を中退した前川さんは、ギターを入手してミュージシャンを目指します。当時憧れていたのは、長崎きってのナイトクラブ「銀馬車」専属の人気バンド、それがクール・ファイブだったとのこと。

エルビス・プレスリーが大好きだった前川さん。派手にロックを歌いたい気持ちもあったが、そこで求められたものはチョイと違っていました。クラブやキャバレーのお客さんは、ホステスさんとチークダンスでも踊って、シッポリ、ネットリやりたいわけです。ガンガンうるさく演(や)る曲よりも、雰囲気たっぷりに朗々と歌い上げる曲ばかりが要求されるのは、いわば当然の慣(なら)わし。

そんな「夜の街」の要望に揉(も)まれ鍛(きた)えられ、内山田洋とクール・ファイブのドゥー・ワップなムード歌謡&前川清さんの独自の歌唱は確立されていったのでした。そして、いつしか彼らのようなコーラス・グループは、日本中の港町やら炭鉱といった、労働者が多く集まる地でも大いに受け入れられ、広く愛されるようになっていったという事です。

アタシはと言えば、中学から高校にかけて、特に父親とは折り合いが悪かった。

「そんなオンナみたいな髪は切っちまえ!!」とか言われながら、学校の成績はガタ落ち。親の財布から無断で金を抜き取り、昼間は親父のバーに忍び込み、酒を飲んでは大騒ぎをしたり。誰もが受かる（?）「原付免許」の試験に落ちた腹いせに、夜中にエレキを大音量で弾いて通報され、オトガメを喰らったり。自立するほどのガッツも無く、毎日部屋でレコードを聴いてばかりのアタシを父親は「この穀潰し（ごくつぶし）」と罵った（泣）。

ある晩、親父が怒りに任せてアタシのベッドをひっくり返したら、隠してあった大量のエロ本が見つかった時は……恥ずかしいを通り越して、親子揃って「虚しく」その場にへたり込んだものだ。

そんな時だった。部屋の片隅に置いてあったクール・ファイブのデビューアルバムを父親とふたりでしみじみ聴いた。無類の歌謡曲好きの父親と初めて「喜びを共有」出来る音楽、歌手がここにいたのだ。それが前川清さんである。

以来アタシは長髪をやめて、前川清ばりのシチサン分け。高校の学園祭。マンを持して教室の教壇で歌った『逢わずに愛して』を聴いてくれたのは、やはりいつもの友人だけだったけど……。

内山田洋とクール・ファイブ様、本当にありがとうございました!!

クール・ファイブのデビューアルバム
内山田洋とクール・ファイブのファーストアルバムは１９６９年リリースの『内山田洋とクール・ファイブ』。「長崎は今日も雨だった」「逢わずに愛して」「噂の女」など、ヒット曲が目白押しの全12曲が収録された。

36 日本の四季と情緒はどこに行った⁉

コロナ禍に続いて猛暑に台風……。どうにも自然の猛威に振り回されっ放しの日々ですが、皆さん御無事でいらっしゃいますか⁇

それにしても……暑さ寒さや、日照と降雨の加減が、こうもトチ狂ってしまうなんて、正に尋常ならぬ事態‼ そのうち四季が巡らなくなってしまうんじゃないかと……いや、もはや世の中、それが現実となって余りある様相を呈しております‼

こんな状況が続くとしたら、色々とヤバイ事になりますよね（汗）。私たちの生活や文化の基本は、〝春夏秋冬〟の流れに則して出来上がっていますから。

季節感が無くなると、暮らしにメリハリがなくなって、こころ千々に乱れたり、身体は張りや色艶（いろつや）を失い、ダラけてしまう。アタシなんか、還暦を越えてからは、チ〇コだってダラけて久しいというのに……（泣）。

何より、本来ニッポン人が持つ「情緒」ってものが、消えて失くなる事を憂慮して止まない昨今であります。いや、「情緒」や「風情」なんて言葉すら、すでに死語……この「死語」という言葉だって、若者の間では「死語」なんだそうな（なんだ、こりゃ?・）。

かく言うアタシなんか、〝季節の変わり目〟というのに大変敏感で愛着がございまして。熱帯夜が続いた後で、ほんのちょっぴり夜気に涼なる薫りが感じられた日には、

「あ、秋近しかな……」

と思い、隣りにいる誰かのケツなんかを触ったりする……（女房以外は犯罪です）。

生き物に季節を教えてもらうのも好きだなぁ（喜）。梅雨になってアジサイの葉っぱにカタツムリを見つけたり。夕暮れ時、蛙の合唱を聴いては、夏の到来を知ったり。夜は網戸にミズアオイ蛾の姿を見つけては、秋を迎えたり……。

異常気象で自然から感じられる情緒・風情が無くなると、「命を守る行動を取る」なんて事が最優先になり、我々にとって生活はおろか、物事を嗜む余裕なんかも、どんどん失せてしまうのであります。

我らが音楽にだって、少なからず影響が出て来ますよ。

そりゃそうですよね。民謡、演歌、歌謡曲、ポップスやロックに至るまで、そもそも音楽ってのは、人の「情」を表すものだったんですから!!

特に日本では、古来「うた」と言えば和歌のようなものが中心にありました。そこで謳い上げられて来たものとは、何だったでしょうか??

「うた」と言えば和歌
平安時代に成立した歌集・古今和歌集には、冒頭に仮名序と呼ばれる序文がついている。その出だしは、「やまと歌は、人の心を種として、よろづの言の葉とぞなれりける」という。和歌とは、人の心をもとにあらゆる言葉が紡がれていくものとの意味で、日本の「うた」の起源が明らかにされている。

一つには、〝花鳥風月〟といった自然を愛でて慈しむこと。もう一つには、恋情を中心とした人の心の移り変わりですよね。

つまりは、「もののあはれ」と「ひとのなさけ」。そうした濃やかな心情を、日本人は「うた」に乗せて巧みに表現してきたわけであります。

時代ごとの流行歌だって、我々は「あはれ」や「なさけ」をそこに見出し、心底楽しんで来ました。歌詞の中にも、自然や心情を表す言葉がたくさん使われています。例えば、雨という現象一つとっても、「涙雨」「霧雨」「小ぬか雨」「氷雨」「通り雨」「篠突く雨」などなど……。美しい日本語が数多く歌われて来ました。

それなのに……。最近じゃそうした「多様な雨模様」が、なかなか現実に見られなくなっております（汗）。

なんたって、一カ月くらいの酷暑続きで干上がりそうになったかと思えば、突然のゲリラ豪雨!! 続いて、史上例を見ない巨大台風がやって来て……といったアンバイですから（泣）。

氷雨や通り雨なら情緒たっぷり、想いを込めて歌詞やタイトルにもしやすいけれど、「ゲリラ豪雨の夜に忍び逢う」とか「線状降水帯のように涙溢れて」なんて、ちょっと歌いづらいし、なんか嫌ですよね……。

「雨宿り」などといった言葉も同じ運命にあります。にわか雨を避けて道端の軒先で雨宿りでもしていれば、そこから淡いラブストーリーの一つも浮かび上がりましょう。でもこれが、集中豪雨が当たり前の時代になれば、呑気に雨宿りなんてしている場合じゃない!! 何を措いても、身を守る事が先決であります。

それに最近じゃ、Ｙａｈｏｏ!天気の「雨雲レーダー」なんてのも、スマホでチェック出来るから……。今どきの女性に、「雨宿りでもしていかない?」とか、「通り雨だよ、濡れて行こうか……?」なんてホザいたら、昭和のおじさん達、小馬鹿にされるか、気味悪がられるかのどちらかでしょうな（何が令和だ!!　お前らに「巨人Ｖ９戦士」の名前が全員言えるか!?　大きな胸の女性を「ボインちゃん」と呼んだ時代を知ってるか!?）。

閑話休題。

我々の情緒は、テクノロジーにも気圧（けお）され気味なのです。

スマートフォンなんて、我々の行動体系にまで大きな影響を与えていますから。スマホのせいで使われなくなっちゃった言葉、シチュエーションて結構あるんですよ!!

例えばほら、「待ちぼうけ」とかね。

もし、これが映画『男はつらいよ』だったら……。

寅次郎「あれ?　柴又の駅で待ち合わせたはずのリリー（浅丘ルリ子の役）のやつ、どこにも居やしないなぁ……」

ヒロシ「お兄さん、しっかりしてくださいよ!!　だったら今すぐ電話なりＬＩＮＥで『今どこだい?』って、ご本人に確認すりゃあ済む話でしょう!?」

（以上、サクラの夫ヒロシが、フーテンの寅に言い聞かせるシーン）

「すれ違い」なんてことも、実際のところ、もうなかなか起こり得ません。

「寅のヤツ、今しがたまでここにいたんだよ……」と、おいちゃんがサクラに告げる。すると、本来なら下駄をつっかけたまま、粗忽な兄を追いかけるはずの妹サクラだが……すぐさまスマホを取り出して、「お兄ちゃん、今、どこにいるの？　すぐに戻ってきて!!　わかったわね？」と、あっさり寅次郎の居場所を突き止めてしまう、この味気なさ……（映画『男はつらいよ』も、令和の世では色んな意味で「つらい」のであります）。

「愛」も「恋」も可哀想

アタシが歌詞に使ったりする「慕情」とか「逢瀬」なんて言葉も、すでに存続の危機に晒（さら）されていると言ってイイでしょう。

長らく逢えず、連絡も取れない相手を想うのが「慕情」で、ようやく落ち合えるその時こそが「逢瀬」。

でもスマホがあると、「とっとと連絡してよ」で、事は足りる。さらに今時は、「ナンならZoomで、顔見て話す？」などと提案されてしまう。

面倒なプロセスより、手っ取り早く効率良く結論に到達するのが、今の人間関係においては必要不可欠なんでしょうね。

「密にならない」「リモート」「人と人とが接触しない」……。

敢えて申しますけど、コレじゃあ、「愛」も「恋」もみんな可哀想だ。大好きなエッチが出来なくなっちまう!!（泣）

スマホ、二次元の相手に恋する若者、コンプライアンス、SNS、……表

慕情　逢瀬
桑田佳祐の生み出す歌詞や曲・アルバム・ツアータイトルには頻出語がいくつもあって、「慕情」「逢瀬」もそうした例に入る。たとえば桑田佳祐名義で2007年に発表された「風の詩を聴かせて」では、「ひとりぼっちの世界で　かりそめの逢瀬」「真夏の夜の星座が　慕情に霞む時」と、いずれの言葉も歌詞に使われている。

向きは暮らし易くなったけど、世の中から「暗闇」が排除され、人が感じ取る微妙なニュアンスを、〝言の葉〟に託して「やったりとったり」する事が、実に希薄になりました。

天候不順やテクノロジーの進展が、寄ってたかって「日本の情緒」をどこかへ追いやってしまう。このような状勢を、アタクシは憂慮しております。

最後に。昔、付き合っていた彼女と、夏の終わりの逗子海岸で泳いだ時のお話。

陽が傾いた頃、黒いビキニを着た彼女が、

「私、トイレに行きたい」

と、砂浜で身体をモジモジさせながら言い出した。

アタシはあたりを見廻しながら、

「もう、海の家も閉まり始めたし、人も少ないから、一緒に海の中でやっちゃおうか？」

と言って、彼女の手を取り、そのままふたりで波間に駆け込む。

胸のあたりまで、並んで水に浸かりながら、遠く夕陽を背にした富士山を眺め、うっとりと「水面下で用足し」をする若い恋人同士。

赤い夕陽が完全に隠れてしまったその刹那、アタシと彼女は見つめ合いながら、同時に「ブルッ」と、身震いをした……（笑）。

なんとまあ、情感溢れる、甘く切ない風情のあるお話じゃあありませんか!!

み、皆さん、ご機嫌よう。

37 一九七九「江の島ジャパン・ジャム」

やりたいのに出来ないことがあって、我慢に我慢を重ねなくちゃいけないのって、何歳(いくつ)になってもツライですよね……（汗）。

ナニをそんなにヤリたがってるのかって？　そりゃあもちろんライブですよ!!

我らサザンオールスターズ、ありがたいことに六月には無観客ライブをやらせていただきました。あれも実にイイ思い出だ……。

でもやっぱりさ……皆さんの前で、皆さんと一緒にガツンと盛り上がりたい!!

そんな気持ちが、日に日に強くなるばかりでございます。

まだまだ何かと制約のある日々。今は、かつての「ライブの記憶」を、あれやこれやと思い返したりしております。

そうこうするうち、ひとつ鮮明に頭に浮かんできたライブがあります。

あれはデビュー二年目の一九七九年。サザンオールスターズが、初めて真夏の屋外フェスに参加した時の事（夏フェス、なんて言葉すら存在しない時代だった）。

毎日、取材やコンサートやテレビ出演等で、右も左も分からぬまま「プロ」としての活動を続けていた我々のもとに、その話は突然舞い込んで来た。

場所はと聞けば、なんと我が故郷「江の島」だという。

その名もずばり「ジャパン・ジャム'79江の島」と題されたものでありました!!

あの、〝暑かったけどヨゥ、短かったよナァ夏〟……どこぞの映画の謳(うた)い文句の如く、「逃げ水のようなエンドレス・サマー」の思い出が、甘いコパトーンの香りと共に、未(いま)だアタシの鼻先と脳裏に焼き付いて離れないのであります。

海水浴客で大賑わいの八月の江の島。ヨットハーバー脇の広大な駐車場に特設ステージが築かれ、二日間にわたる公演が催されたのでした。

出演バンドは錚々(そうそう)たる顔触れ。ＴＫＯ、ファイアフォール、ハート、そして大トリを飾るのは何と、あのザ・ビーチ・ボーイズ!!

中心人物のブライアン・ウィルソンは、この時が初来日。よくぞはるばる日本、いや江の島くんだりまでお出(い)でくださった、ありがたや、ありがたや（涙）!!

この豪華ラインアップに、なぜかデビューして間もないサザンオールスターズが加わる……。自分たちとしても、その〝立ち位置〟には、ちょっとばかり戸惑いましたけど（汗）。

ジャパン・ジャム'79江の島
江の島ヨットハーバー脇の空き地を会場に開かれた音楽フェスティバル。海外のバンドがイベント参加するというのはまだ珍しかった時代にTKO、Firefall、Heart、The Beach Boysという豪華な顔触れが来日。日本からはサザンオールスターズのみが迎え撃つかたちとなった。

ブライアン・ウィルソン
米国のバンド、ザ・ビーチ・ボーイズのベーシスト・ヴォーカリストとして1961年にデビュー。66年、ロック・ポップス界の名作として今なお名が轟くアルバム『ペット・サウンズ』を発表。88年、初のソロアルバム『ブライアン・ウィルソン』をリリースした。

その頃、クルマの中でいつも聴いていた在日米軍放送FEN（現AFN）までもが、日が近づくにつれ、このフェスの「煽り宣伝」をガンガン流した。米軍のアナウンサーが出演バンドの名前を次々と連呼するのが、あまりにもカッコ良くて、いやが上にも我々の、いや、少なくとも〝地元民〟の期待は膨らんでいったのであります。

心残りがあるとすれば、米軍アナの口から「サザン」の名前は、ついぞ呼ばれなかった事（苦笑）。

六万五千人の観衆!?

そして当日。

あの日は、運命の神様と、江の島の弁天様が見事にコラボして、微笑んだ!!

晴れ渡る青空、どこまでも続く相模湾の大海原……。

その頃、半ばヤケクソ気味だった仕事と生活に、束の間の光が差し込んだ。

我々は、当時「セレブのランドマーク」とも言われる「逗子マリーナ」に前日泊して、翌る日の午前中、そこからボートに乗り込み、炎天下の中、海路江の島を目指した（陸路134号線の大渋滞が予想されたため）。

正直、茅ヶ崎に生まれ「湘南」を絵空事のように歌っても、実生活ではマリン・スポーツの「マ」の字も、リゾートの「リ」の字も知らない田舎者を乗せたプレジャー・ボートは、光る波しぶきを上げて洋上を進んだ。

あまりにも天気が良かったせいで、途中ボートを沖合いに停泊させて、我々は海に飛び込んだり、加山雄三を歌ったりして大ハシャギした!!

照りつける太陽に吹き出す汗。眩暈がしそうなほど、波間に浮かんでは消える、グラビアの女神「アグネス・ラム」の豊満な姿態……そんな幻影さえもアタシは見てしまった!!

貧乏性のアタシは、こんな生まれて初めての経験が、贅沢過ぎて何だか怖かった……。

そしてもう、こんな夏は二度と来ないような気がした（本当に来なかったけど）。

ともあれ、海外組メンバーの豪華さから、世間の注目も大いに集めた模様。あろう事か、「ウッドストックの衝撃が今甦る!!」とまで、当時のポスターにコピーが躍ったこのフェス。公式発表では、二日間で延べ六万五千人の観衆が詰め掛けたという……まぁ実際のところ、そりゃちょっと「下駄履かせ過ぎ」でしょ?? という感じだったけど（汗）。

江の島に到着すると、船着き場には綺麗な水着のお姐ちゃんたちに混ざって、我が友・宮治淳一が待ち構えていた。

ビーチ・ボーイズの熱狂的ファンであり、音楽オタクの彼は、アタシなんかよりよっぽど、このフェスの希少価値と重要性を見抜いていたのだろう。

盛り上がる米兵たち

出演者及び、関係者控え室となった、ヨットハーバー脇コンクリート造りの二階建てビルには、様々な人種、男女、もはや誰が誰だか分からないほど人々が行き交い、笑い声や歌声がコダマしていた。

ビーチ・ボーイズのヴォーカル、空手で右腕を折ったというマイク・ラヴさんや、ブルース・ジョンストンさんらにサインをもらったり、写真を撮ってもらう宮治とアタシ。

そして、二人で屋上に上がると、そこには身の丈百九十センチはあろうかという白人男性が、ひとり海の方角を見やり、虚に佇んでいる。

「あっ!!」と、声を上げたのは宮治だが、すぐさま彼はアタシに囁くように言った。「ブライアンだよ……」

ガチなビーチ・ボーイズ・オタクの宮治にとって、ブライアン・ウィルソンさんは「憧れの人」以上の存在だろう。

しかし、宮治は気遣うようにブライアンさんには近づこうともせず、アタシを促しながら踵を返し、静かにその場を離れた。

その時、ブライアンさんの体調は、すこぶる悪かったんだと思う。

八〇年以降も、彼の健康状態は悪く、ステージに立つ事はしばらくなかったという。アタシはと言えば、そんなビーチ・ボーイズの「音楽的偉大さ」に気づいたのは、それに遅れる事九〇年代に入ってからだった。

そして、凄まじかったのは米兵たちの盛り上がり!!　横須賀、横田、座間の米軍基地から数千人の米兵たちが、バスや電車に乗って集結したとされる。

正確な人数こそ把握出来ていないようだが、客席を見渡せば、その頃「フェス慣れ」なんかしていない「遠慮がちな」日本人客に比べると、明らかに米兵たちの振る舞いや存在感ばかりが目立っていた。

彼らがまた、どこで「調達」したのか……イカした日本の女の子達を連れてやって来ているのが、とても悔しくもあり、羨ましくもあった（泣）。

そんな米兵たち……。グデングデンに酔っ払い、クンズホグレツしながら音楽と、いや、それ以外の事も大胆に楽しんでいる!!（チックショー!!）

こりゃ、あらゆる意味で敵わないな……（汗）。

陽炎に揺れる水着姿の女の子たちの、プリプリとした胸やお尻の情景と共に、そんな思いがアタシの心に深く刻まれたものだ。

嗚呼、暑くて熱いあの夏の思い出は止まらない!!

続きは次回に!!　何やら、大事件勃発の予感がする!!

38 続・一九七九「江の島ジャパン・ジャム」

思えばあれが日本の夏フェスのハシリ……。

「これぞまさに伝説のステージ!!」と叫びたくなるような、悪夢……じゃなくて、夢のような時間だった……。

デビュー二年目のサザンオールスターズが参加した「ジャパン・ジャム'79江の島」の様子、前回に引き続き振り返ってみましょう!!

公演が始まる前から、各基地から集った米兵オーディエンスの皆さんは大盛り上がり。いざステージの幕が開くと、彼らはまさに「狂騒」の二文字がぴったりの状態に陥った!!

その凄さがピークに達したのは、三番手に登場した、アンとナンシーのウィルソン姉妹率いる「Heart」の出番の時である（二〇一三年にロックの殿堂入り）。

アタシ自身、それまでは〝たかが女の子のバンド〟とタカをくくって、言わばノーマークだったのだが……（汗）。

Heart
米国のロック・バンド。アンとナンシーのウィルソン姉妹によるユニットが核となって活動を展開。１９７６年にフ生まれて初めて、「フェスの怖さ」「洗礼を浴びた」のは、まさにこの時の「Heart」のステージングと、観客の米兵たちだと断言してもイイ!!

〝肉食〟な観客は、「盛り上がる」キッカケを、まるで獣のように待ちわびていたのである。

とにもかくにも、彼女たち「Heart」は演奏もパフォーマンスもハンパない!!

観客、特に海兵隊員（マリン）たちのボルテージは上がりまくり!!

今にも膨張して爆発寸前だった真夏の空気。「表面張力」でギリギリいっぱいの、ガソリン・タンクのような江の島の観客めがけて、満を持したように放たれたのは、Led Zeppelin の『ロックン・ロール』という超ド級ナンバーの〝絨毯爆撃〟だったのだ!!

ビーチ・ボーイズではない、こっちの「ウィルソン家」は、圧倒的な熱量で観客を煽りに煽りまくって、我々の度肝を抜いた!!

その瞬間、暴動クラスの歓声と響（どよ）めきで、我々のいた楽屋のビルまでがぐらりと揺れた。

米兵たちの狂乱と乱痴気騒ぎは、「Heart」がステージからハケた後も、しばらく収まらなかったほどだ。戦争が始まるかと思った。

「ヤバイね。ど、どうしよう……」

「このあと、俺たち。なんだか出にくいよね……」

武者震いというか、一気に怖くなった。

昼間遊んだ海が、遠い思い出のように感じる。

ァーストアルバム『Dreamboat Annie』をリリース。アンの力強い歌声にナンシーの繊細可憐なギターが絡んでオリジナルなサウンドを生み出す。

米兵の大ブーイング

そしてサザンは、トリ前のバンドとしてステージに登場。

日本から参加したのはアタシ達だけだから、言わばニワカ「ニッポン代表」みたいなもの。

これは目立たたにゃイカンと思ったのか、マトモに勝負したら勝てんと思ったのか……、ウチの大里社長（現会長）が摩訶不思議な演出を施した。

何故だか、前述の友人・宮治淳一までがチャイナ服姿でステージ上に駆り出され、爆竹が鳴り響く中、先頭で「ジャアアーンッ」と銅鑼（ドラ）を叩き練り歩く。その後に、横浜中華街で調達したようなハリボテの竜を、数人のスタッフが宙を舞わせる中、揃いの法被（はっぴ）姿のサザンが登場するという趣向（トホホ……）。

その場を〝東洋的な雰囲気〟で染めようという意図は伝わったと思うが、この演出がウケたのかどうかは、あまり考えたくもない（泣）。

大量のビールと汗と何かが混じったような匂い。そして法律的にアウトでスモーキーな香りにむせ返りそうになりながら、まずは『恋はお熱く』というバラードを演った。

いや、フェスに来たならば、こういうしっとりした曲で、連れや恋人とムーディーに踊ったりもしたいでしょう？　アメリカ人だって、ロマンティックがお好きでしょう??　……などと考えたアタシが甘かった（汗）。

「恋はお熱く」
1978年発表、サザンオールスターズのファーストアルバム『熱い胸さわぎ』に所収。夏の終わりの寂しさあふれるバラード。ビーチの雰囲気をすると、歌い始めてすぐさま米兵たちから一斉に大ブーイングを浴びるハメに!!　おいおい、君たちは「おごそか」とか「つつましく」みたいな言葉を知らんのか!?（泣）

曲のテンポに焦れ、暴れまくって、ステージセット用のベニア板を剝がし始めたヤツもいた（だから、Heartの後はヤリにくいって……）。

はい。そんなの求めてなかったんですね、米兵の皆さん。こちとらテンションョン上がりまくりなんだから、もっとノレる曲やれよ!!　ってコトだったんでしょうよ（汗）。

こんなに心細い経験はそれまで無かった。自分たちの経験不足を痛感した。だけどそれ以来、お陰様でステージでは「平然としたフリ」が、必然的に出来るようになった。

最後に用意していた曲が、『勝手にシンドバッド』だったのは幸いだったと思う。

こっちは、それなりに盛り上がったから、ちょっとホッとした。『恋はお熱く』の雰囲気のままじゃ、生きて帰れないかと思ったからね（泣）。

サザンがどれほど貢献出来たかは別にして、「江の島フェス」は時間を経るごとにイイ感じになっていった。米兵のお兄ちゃんたちのイカれっぷりに、カオスと化していた客席の様子も、ビーチ・ボーイズの登場と共に、すっかり穏やかな様相を取り戻していた。

ステージを終えたアタシたちは、客席とステージの間の、彼らを間近で拝める〝特等席〟に潜り込んだ。近隣住民に配慮したのか、午後七時までとさ

盛り上げるイントロの波の音はわざわざ葉山・一色海岸まで録音しに行ったもの。

れた江の島ジャパン・ジャム。日本人も外国人も、女も男も、陽に焼けたその表情は平和で満ち溢れている。

そして沈みゆく太陽さえもが、大トリ「ザ・ビーチ・ボーイズ」に対し、最大級の敬意を持ってアプローズしていた!!

一曲目の『California Girls』のイントロが鳴った瞬間から、会場は一つになり、観客全員の脳内モルヒネで江の島の時空は完全に捩(ねじ)れた!!

昼間のボートも、アグネス・ラムの幻影も、暴動まがいも、ブーイングも……。

この二日間は、まるで夢を見ていたかのようだ。

音楽の神様はいる

ちなみに「第二回ジャパン・ジャム」は、引き続き翌年、チープ・トリックらを招聘して横浜と神戸で開催されたが、大雨でステージのテントが崩壊したりして、そのまま中止となり、それ以降も行われる事は無かった。

この歳になっても、いまだにアタシは人生を「点」で捉える事しか出来ずにいる。

人生の日々がどんなに起伏に富んでいようがいまいが、時間(とき)は曖昧な記憶だけを残して、無機質に刻まれる。

物事の結末は、これからも「なるようになって」「なるようにしかならない」だろう。

まさに『God Only Knows～神のみぞ知る／ビーチ・ボーイズ』である。

だけど、音楽の神様がいる事だけは、ハッキリと確信した!!

米兵たちは、風に髪をなびかせた水着姿のガールフレンドを軽々と肩車しながら、音楽に合わせてウットリと身体を揺らしている。飲酒と日焼けで、まるで「筋骨隆々の赤鬼」と化した彼らの上半身を、落日の陽が血を噴いたように真っ赤に染めていた。やっぱりアタシたちとは、身体的パワーが全然違うね……（汗）。

ビーチ・ボーイズが美しいコーラスを響かせるステージに見惚れつつ、斜め下四十五度の〝特等席〟から、ふと舞台袖に目を向けると、関係者とおぼしき金髪や赤毛の女性たちの〝パンチラ〟や、中にはモロ見えの○○……、短パンから伸びた、はち切れそうな太腿に思わず息を呑んだ。

深い胸の谷間や、Tシャツを突き破りそうな乳首の突起……。

ビーチ・ボーイズならぬ「ビーチク・ガールズ」の存在にも、何だか熱いモノが込み上げた!!

我がウラ若きニッポンの女性たちが、米兵たちに肩車されたまま、全員水着で拿捕（だほ）されてしまうかのような錯覚さえ起こした、あの夏の日の出来事でありました!!（あの裸のヴィーナスたちは何処へ行った？）

あゝ、やりたい……。

だからライブだよ、ライブがやりたい!!

39 無人島に持って行きたいアルバム&シングル!!

いきなりですけど、質問してよろしいですか?

無人島に一枚だけアルバムレコードを持って行くとしたら、あなたは一体何を持って行きますか??

ウーン悩む、これは悩みますなぁ……。でもそうね、アタシだったらやっぱり『McCartney』だろうなぁ!!

その名の通り、ポール・マッカートニーのファースト・ソロアルバムでございます。ザ・ビートルズが解散することになって、メンバー各々(おのおの)がバラバラに活動するようになった頃、本丸のアルバム『Let It Be』に抗(あらが)うがごとく、周囲の反対を押し切ってまで発表したのが、ポール様のこの一枚でありました。

世紀のバンド解散という、〝大事件〟の最中(さなか)だったせいか、アルバム全体に、どうにも拭(ぬぐ)い去れない孤独感がこびりついていて……。アタシにとっては、そこがなんとも無性にタマラナイのであります!!


『McCartney』

元ザ・ビートルズのメンバー、ポール・マッカートニーが1970年にリリースした初のソロアルバム。邦題は『ポール・マッカートニー』。ジャケット写真はポールの妻リンダが撮影したもの。全曲のあらゆる楽器演奏をポール自身がこなして録音した。

一九七〇年四月に発売。全英チャートこそ二位に甘んじたものの、アメリカの「ビルボード」誌では三週連続の一位を獲得。年間ランキング第九位。アメリカだけで二百万枚の売り上げ……。

まぁ、この結果だけ見れば、さすがポール様だと言えましょう。

しかしながら、当時の音楽評論家やマスメディアからは、相当に「こき下ろされたり」「酷評されたり」といった、手厳しい洗礼を浴びる事となった『McCartney』。ビートルズ・ファンも含めて、「頭の硬い」「保守的な」人たちにとっては、パーソナルな要素が随所にちりばめられ、収録曲の半分くらいをインスト・ナンバーが占めるこのアルバムを、「駄作」と捉えた向きも多かったようであります（はい、正直アタシも当時はそう思いました）。

いろんな意味で、その時代は彼にとって分が悪かったり、逆風が吹いていたんでしょうなぁ（汗）。

今から五十年も前に出たこのアルバム。最初の思いはどうあれ、今日までアタシは、何百何千回とコレを聴いて参りました。確かに「名作」とは言い難いけれど、「今の時代が追いついた」としか言いようがないほどの斬新さと奥深さ……。アタシの人生において最も「心の拠り所」となったのが、この作品であります!!

今でこそ「宅録」など当たり前の時代。ビートルズ解散のゴタゴタで、身も心もズタボロとなったポール様。自宅に引き籠り、四トラックの録音機材と向き合いながら、歌も演奏も全てひとりでやり遂げた、元祖「ハウス・ミュージック」のようなアルバム（そして何よりも、奥様リンダさんの〝無垢な〃歌声と、〃ぶっきらぼう〃なコーラスが、アタシの心（ハート）を鷲掴みに致します!!)。

　収録曲はどれも、得も言われぬような郷愁をまとっていて、己の弱さを曝（さら）け出すかのような、ポップスの美学と極み!!

　中でも『Junk（ジャンク）』という曲が最大級にエモいのであります!!「ジャンク」ってガラクタのことですよね。あの感情を押し殺したような、どこか寂しげな声で、捨て置かれたモノや情景を、淡々と数え上げるように歌うポール様。コレを聴いた瞬間、人生や前世での、様々な光景が脳裏に浮かび、ワタシは胸が締め付けられるような思いがしたものです。

　世界一有名な英国（イギリス）人のポール様が、何故こんな極東の小さな国の、世代も違う〃ささくれた〃ガキの心に、ピタリと寄り添ってくれたんだか……。手前勝手ながら、何だか、言いようのない感覚に包（つつ）まれたのでした。

『Maybe I'm Amazed／恋することのもどかしさ』なんて、「ナ、ナンなの、これ⁉」ってくらい、土下座するほど天才的過ぎる曲もあって……。アタシは、「この人の周りを一生クルクル回って生きよう」と、コレを聴いた瞬間、心に決めたのであります。

　このレコードを最初に買ったのは、アタシが高校一年生の時だったかな。当時のアタシは、やたらと暗く寂しい気分に囚（とら）われていて。（公立の受験に落ちて）高校に進学したはイイけれど、夢も希望も勉強する気もまるで無いし、不良になるような度胸も無い。ましてや、彼女（ガールフレンド）のひとりも出来やしない……。何だか世の中で自分ひとりが浮き上がって、置き去りにされたみたいに感じていた時期でした。

そこにポール様が投げた、飾り気のない「侘び寂び」の境地と、哀れな高校生だったアタシの波長が、やたらピタリと符合した……と勝手に勘違いしたんでしょうね（恥）。しかし、これがポップ・ミュージックの素晴らしさなのであります。

日本では大阪万博が開催されたりしたけれど、あの頃は時代的にも暗澹とした空気が、世の中を覆っていたような気がします。

ドラッグ文化、学生運動、アングラ、ヒッピー・カルチャー、ベトナム戦争……。それら全てが、挫折によって《終わりの始まり》を迎えた時期だったのを、アタシなりに「肌感覚」で覚えたものです。

音楽の世界でも、「ウッドストック・コンサート」などが盛り上がりを見せた……と言われながら、一九六〇年代にあれほど盛り上がったロックの「負」の部分が、チラホラと見え隠れするようになっていた。当時のアタシは知らなかったけど、ジミ・ヘンドリックスとかジャニス・ジョプリンとかいう人たちや、知っている範囲では、ザ・ローリング・ストーンズのリーダー、ブライアン・ジョーンズまでもがこの世を去った（泣）。そのストーンズがトリを務めたコンサートで、四人の死者が出た「オルタモントの悲劇」が起こったり。何だか物騒な世の中になったと思った。

挙げ句の果てに、ザ・ビートルズの泥沼解散。その騒動、その末路、生き地獄の中で作られた『McCartney』だからこそ、アタシが人生で聴いた「最も暗いポップ・アルバム」であり、心に染みた《ガラクタという名の宝物》

だったのかもしれない。

『McCartney』からは多くを学んだ。

なんて……昔は、ナナメに構えてそんな風には言わなかったけど、今は声を大にして言う!!

ジョンと比較され…

思えばポールって可哀想だった（汗）。いつも相棒のジョン・レノンと比較されちゃったからね。

何しろジョンの方は「愛と平和の使者」にして、カリスマ性の塊。ロックンロールの魂の権化みたいな扱いをされていた時期があった。それに対してポールは、メッセージ・ソングなんか歌っても、「ナーニ、このノンポリの軟弱モノめが!!」と、バカにされがちな立場についつい置かれてしまう。かく言うアタシだって、若い時分には、「やっぱりジョンだよ、ジョンがイイよ!!」などと言っていた（ごめんね、ポール）。

でもね、齢を重ねると……今さら言い訳はやめよう（汗）。

あ、そうだ。アルバムはポール・マッカートニーにするとして、シングル盤だったらどうしようか？　無人島に一枚だけ持って行けるとしたら、そうねえ、これもまた迷っちゃうけど……。うん、決めた!!　やっぱりポール・マッカートニーにしよう!!（今日の気分で……という事で、どうか笑ってお許しを）

アタシのダントツのイチオシは一九七一年発売、これまたポール様のソロ・デビュー作『Another Day』!!　英語だからよくわからないが、〝朝風呂に入ったり、ストッキングをはいたりする……〟ＯＬ女性の日常が、これほど生々しく、美しく、愛おしく描かれた作品は他にないと思う。「変拍子」がバチバチ入ろうが、やはり天才ならではのバラードはカッコ良くて美しい!!

ところが、ジョン・レノンはこの曲を自分の歌の中でバカにしていた。こういう二人の関係性ってのも、ホントに羨ましいじゃあないか!!（笑）

こんなに好きなポール様だけど、アタシね、彼のライブは複雑な思いで観ているんだ。

「ビートルズの曲じゃなくて、もっとソロの曲やってよ!!」「ジョンやジョージの曲、歌うな!!」「同じテンポの『レット・イット・ビー』『ヘイ・ジュード』『ザ・ロング・アンド・ワインディング・ロード』の三曲メドレー、頼むからやめてほしい」……。

年老いた極東の国のポール・ファンは、心の中でそう叫ぶ。

ま、とにかく……、無人島に持って行くなら、このアルバムとシングルで決まりだ!!

でも無人島でどうやってレコード聴くんだろうね??

ダメだこりゃ!!（いかりや長介風に）

「Another day」
1971年に発表されたポール・マッカートニー初のソロ・シングル曲。ポールらしさあふれる優しげで軽快な曲調が全編にわたって続く。ザ・ビートルズが存続していた1969年にはすでに同曲の基本部分は完成していた模様。

40 バブル時代とテクノ・ポップ

思えばアタシ達の小さい頃って、テレビドラマから音楽、来日するプロレスラーに至るまで、憧れのエンターテインメントと言えば、その殆どがアメリカ由来の、強くて明るくてデッカイものだった!!

もちろん一九六〇年代には、「ブリティッシュ・ロック」や「フレンチ・ポップス」や「マカロニ・ウエスタン」なんてのも流行ったけど。しかし、コレらはあくまでも「傍流（ぼうりゅう）」であり、我々にとっての「主流」が〝アメリカ由来〟である事は、揺るぎそうになかった。

ところが一九七〇年前後、「アメリカン・ニュー・シネマ」と言われる、〝アメリカの闇＝病み〟を描いたような映画が、たくさん登場し始める。『イージー・ライダー』『スケアクロウ』『わらの犬』『ローズマリーの赤ちゃん』……。明らかにこれらは、《憧れの国》が政治的、文化的に疲弊している事を、自虐的に描いていた。

もちろん「疲弊」の要因は、ベトナム戦争によるものが大きい。スティーブ・マックイーンも、ポール・ニューマンも、ジャック・ニコルソンも、みんな「人間臭くて」カッコ良かったけどね!!　映画、音楽、テレビドラマ、アメ車、ジーパン、コカ・コーラ、プレイボーイのグラビア……、それらにまんまと洗脳された、アタシら〝高度成長期チルドレン〟の「思考」や「行動体系」は、その後も雑誌「ポパイ」なんかに誘導され、八〇年代初頭まで、アメリカ西海岸あたりを目指して漂っていた。

そんな《アメリカ一辺倒》なアタシの脳味噌を、耳の穴から手ぇ突っ込んで、鉄の爪でグチャグチャに掻き回したのは……ドイツ出身の「クラフトワーク」という、人間臭さとは対極の音楽ユニット……彼らを元祖とする、シンセサイザーやリズム・マシンを駆使した「テクノ・ポップ」の巨大な波であった。

そして、一切の無駄を排除した機能的で合理的な考え方……みたいなモノが、音楽だけでなく生活や文化にも影響を及ぼす事となる。

遡ること一九七二年。

アタシ自身の、「テクノ・ポップの筆下（ふでお）ろし体験」とも言えるような楽曲が、日本で流行った。

ホット・バターの『ポップコーン』という曲。口を金魚のように丸く開けて、周りの筋肉にやや力を入れる。そして頰っぺたを手の平で叩きながら、口の開け方を微妙に調整すると、音程が変わる。この「ポコポコ」という音を使って、ポップコーンが弾（はじ）ける様子を表現したインスト（?）・ナンバーである。

クラフトワーク
1970年ドイツで結成された音楽ユニット。74年アルバム『アウトバーン』が英国と米国でヒットし広く存在を知られるようになる。テクノ・ポップの開拓者として、日本のイエロー・マジック・オーケストラ（YMO）にも影響を与えた。

ホット・バター
スタン・フリーを中心に結成された音楽グループ。1972年にシンセサイザーを活用したカバー楽曲「ポップコーン」をリリースして、世界的なヒットとなる。

さらに七年後の一九七九年。アタシが、ニッポン放送「オールナイトニッポン」でパーソナリティを担当していた時、当時のディレクターが、よく番組オープニングでかけた曲が、イギリス出身のバグルスの『ラジオスターの悲劇』であった。

「なんか、当たり障りのない、番組のジングルみたいな曲だ……」

生放送で全国ネットのラジオ番組が、なかなか〝板につかないで〟いたアタシは、レコードがかかる合間も、次のトークの事を考えるので精一杯。だから、この〝歴史的エレクトロ・ポップの名曲〟に対してすら、その程度の感想しか持たなかった。

こうした《テクノ・ポップのための養成期間》も経て、我らサザンオールスターズも本格的な電子音楽の時代に参入する。アルバムで言えば、『綺麗』『人気者で行こう』『KAMAKURA』のあたりか。

電子楽器も、いろんな名機が登場。シンセサイザーのPROPHET-5とかMOOGやオーバーハイム。リズム・マシンのローランドTR-808とかリン・ドラム……。〝所詮は機械じゃないか〟〝無機的で味気無いものだろう〟などと思うなかれ。今でも大変重宝されるくらい、それぞれに不滅の個性と深い味わいがある名器なのだ。

ポコポコ、ピコピコ……シークエンス。幾重にもグラデーションを描き出すカラフルな音像。無機質だが、ホットにリズムを刻むドラム・マシンは、革新的でありながら絶妙な「懐古的情緒感」すら叩き出す。

とにかく、アタシらだって、その波に乗らざるを得ない雰囲気があった。

そして、クラシック畑出身の原由子をはじめ、それぞれのメンバーの中で眠っていた「テクノ体質」が目覚め始める!!

一九八四年に出した『ミス・ブランニュー・デイ（MISS BRAND-NEW DAY）』では、電子楽器を駆使した、所謂「打ち込み」を導入。YMOの仕事もしていた藤井丈司君がオペレーターに付いてくれて、アタシらが考えたメロディやリズムのラインを、見事にアレンジして打ち込んだり、彼独自の斬新な手法で、サザンの新たな道を切り開いてくれたのだ。

その藤井君の紹介で出会ったのがキーボード・プレイヤーの小林武史君である。

小林君には、アタシの1st.ソロ・アルバムから始まり、サザンのアルバムのアレンジ、プロデュースまで数多くをやって頂いたが、卓越した才能とミュージシャンシップを持つ彼との出会いがなければ、今の我々はおそらくここにいなかったであろう。

そんな彼らとの音作りや交流のお陰で、それまで煮詰まり気味だった我々の創作活動に風穴が開いた!!

日本を覆うシャボン玉

八〇年代に入り、アタシの髪も徐々に短くカットされ始める。好きだったネルシャツとティアドロップ型のレイバン・サングラスが、いつの間にか、ヨーロピアン・カジュアルに様変わりをしていた。「小柄な日本人には、ア

「ミス・ブランニュー・デイ（MISS BRAND-NEW DAY）」
サザンオールスターズ20作目のシングルとして1984年に発表される。アルバム『人気者で行こう』所収。80年代を席巻したテクノ音楽の電子音とスピード感に、ドラムのエコーを被せて切迫した空気感を演出。

メリカよりイタリアン・ファッションの方が似合うよ」なんて、あの頃はそんな事ホザいたりしてごめんなさい（汗）。

我々の周辺にいた男女は、似合う似合わぬに関わらず、後頭部を刈り上げ、モミアゲが急角度を成すテクノカットと洒落込んだ。なんだか昭和初期の奉公人か、髷を切り落としたサムライのように見えなくもない（笑）。

そして男女とも、コートやスーツには必ず肩パッドが埋め込まれ、大きくて厳ついシルエットがトレンドとなった。だってさ、スタイリストさんが、どんな衣装にも、当たり前のように肩パッドを縫い付けて来るんだもん（汗）。

当時は、ヘアメイクさんにもされるがまま。知らぬ間にアタシの後頭部は刈り上げられ、モミアゲは切り落とされていた（泣）!!

ふと見上げれば、日本の空一面を巨大なシャボン玉の膜が覆っている。コレが世に言う〝バブル〟の正体……冗談である。

「二十四時間戦えますか?」の掛け声の下で、増えに増えた国民の「財」は、身なりから趣味まで「総・洋物化」を完遂するのに使われたのだった。日本の企業が、ジャパン・マネーが、「憧れの地」ニューヨークのロックフェラーセンターを買収する……そんな絵空事が現実となるなんて、時代はバブリーにピコピコと動き始めた。

ウキウキするような高揚感に満ち溢れた日々が、今となっては懐かしい（涙）。

「時代」のせいにばかりしてはいけないが、アタシ自身も調子に乗って、夜な夜なよく遊びよく酒も飲んだなぁ（汗）。

　あと、八〇年代の音楽制作で大変だったのはミュージック・ビデオだ!!　小林克也さんの「ベストヒットＵＳＡ」などのお陰で、ＭＴＶってものが日本にも大量に流れ込んで来るようになる。だから新曲を出す際には、併せて必ず映像も作るというのが定番必須となった。でも当時の技術では、まだまだ凝った撮影をするには色々と苦労も多かった。レコーディング作業と並行し、よく夜を徹してＭＶなどの撮影をしたものだ。ピーター・ガブリエルの真似をして、何時間もかけてワンカットずつ「コマ録り」したり……。「若かった」と言ってしまえばそれまでだけど、よく気力と体力が持ったものだなと、我ながら感心してしまう……。

　やっぱり八〇年代のあの頃って、音楽的にも文化的にも、日本の社会全体が元気だったような気がする!!　そりゃ不条理なことも多くて、今思えば「アウト」なモノがまかり通った時代だったけど。未成熟だからこそ、訳の分からぬ勢いと明るさとパワーがあった。今になって振り返ってみると、アレはアレで信じられないほど魅惑的だ。

　あの頃の時代に、三日くらい戻れたら??　そ、そうねぇ……。

　若さに任せて、無粋で失礼なことをずいぶん言ったり、ヤラかしたりしたから……色んな人に深くお詫びをするね（汗）。

　あとは、あの人達のお陰でここまで来れたんだから、もっと大切にお付き合いし直すでしょう（好々爺かよ？　オレも丸くなったなぁ……今さら遅いけど）。

41　「また逢う日まで」

十月某日。

巣籠(すごも)りの日々は継続中。

明け方四時半ごろに目が覚めるのは、もう慣れっこだ。毎晩、睡眠導入剤を何錠か飲んでもこの有り様。以前なら、加齢による眠りの浅さに愕然としたけれど。もう、自分の「老い」を嘆くことさえあまりない（少しはあるけど）。

手探りで電気スタンドの灯りをつける。

色彩のない壁や天井が眼前に浮かび上がる。

クスリがまだ切れていないせいか、手足が怠(だる)くまぶたが重い。

隣りでぐっすりと眠っている女房に気付かれぬよう、アタシはこっそり部屋を抜け出した。

♪
さよならと書いた手紙
テーブルの上に置いたよ
あなたの眠る顔みて
黙って外へ飛びだした
いつも幸せすぎたのに
気づかない二人だった
冷たい風にふかれて
夜明けの町を一人行く
悪いのは僕のほうさ
君じゃない
〈さらば恋人／堺正章〉
（作詞：北山修　作曲：筒美京平）

その後トイレから戻り、いつも通り「二度寝」をする。

ベッドから這い出たのは午前八時半ごろ。

ここ数年、パジャマは上下違う種類のものを着るのが、意味はないけど、アタシの妙な流儀（こだわり）だ。

女房に歯を磨いたのかと問われながら、剝（む）いてもらった柿を食べる。

テレビで「じゅん散歩」をやっている。高田純次の「自己紹介」がテキトー過ぎて、その後の番組の流れがどんなだったか忘れてしまう。

筒美京平
日本歌謡界を代表する作曲家・編曲家。１９６６年「黄色いレモン」で作曲家デビューを果たすと、グループ・サウンズからアイドル歌謡、Ｊ-ＰＯＰ、アニメ主題歌まであらゆるジャンルでヒット曲を無数に生み出す。代表的な曲にいしだあゆみ「ブルー・ライト・ヨコハマ」、ジュディ・オング「魅せられて」など。２０２０年逝去。

青汁を一気呑みして、自転車で隣り町の公園まで行った。途中、いつものコンビニで新聞や弁当を買い、レジに向かう。

「……お持ちですか？」

「……押してください」

ビニール越しの店員は目も合わさないし、声も聞きづらい。何の事だかわからず、「あ、大丈夫」とか言って一万円札を出したら、怪訝な顔の店員と初めて目が合った。

♪
嫌われてしまったの
愛する人に
捨てられてしまったの
紙クズみたいに
私のどこがいけないの
それともあの人が変わったの
残されてしまったの
雨降る町に
悲しみの眼の中を
あの人が逃げる
あなたならどうする
あなたならどうする

泣くの歩くの死んじゃうの
あなたなら　あなたなら
〈あなたならどうする／いしだあゆみ〉
（作詞：なかにし礼　作曲：筒美京平）

だって、カード決済とかオレ自分で出来ないもん（泣）。もうすぐ「高齢者」なんだから、大目に見てくれよ。

ウチに来た小さな命

十月某日。

四年前に十歳で亡くなったトイプードルの「クロ」。家族皆んなが大好きだったクロ。今日はあの子の命日だ。

クロが死んだ日、家中の火が消えたようだった。もう二度とワンコなんか飼わない。あんなに人目も憚らず泣く、齢六十の親父に、悲しくて泣きたいはずの家族も調子が狂ったと思う。

月日は流れ、時はうつろい、喉元過ぎれば何とやら……である。あれから何度か、アタシのペット・ショップ通いが始まった。最初のうちはアタシ一人だったが、そのうち女房や子供たちも連れて行く。その頃にはやはりと言うか、もうすでに「意中の」「お目当ての」存在があった。そんなアタシに半ば呆れながらも、その小さな命を胸に抱き、頬ずりをする女房。

ところが、息子が「ねぇ、やめた方がいいよ。親父だってもうあんなに悲しい思いは二度としたくないだろう?」と諭すように言う。

ンなこと、わかってるよ。誰も飼うとは言ってないじゃん……。

♪

もっと素直に僕の
愛を信じて欲しい
一緒に住みたいよ
できるものならば
誰れか君にやきもち
そして疑うなんて
君だけに本当の心
みせてきた
会えない時間が
愛育てるのさ
目をつぶれば　君がいる
友だちと恋人の
境を決めた以上
もう泣くのも平気
よろしく哀愁
よろしく哀愁
〈よろしく哀愁／郷ひろみ〉

（作詞：安井かずみ　作曲：筒美京平）

ウチに来たのは、家具でも壁紙でも何でも齧（かじ）ってしまう、ミニチュア・シュナウザー。名前は「タロ」。罰として何度もケージに入れるのだが、タロの「噛み癖」は直らない。

十月某日。

アタシの傍（よこ）で仰向けになったタロのお腹を撫でながら、夕方の報道番組を観る。

米中対立のニュースが多い。それは新型コロナウイルスの感染が世界で拡大して以降、一層強まっているという。

日本とアメリカ、オーストラリア、インドの外相が、海洋進出を強める中国を念頭に、四カ国の結束を確認。来日しているポンペイオ米国務長官が中国を非難。中国軍機、台湾空域に接近。台湾当局も警戒を強める。中国軍、米海軍駆逐艦の台湾海峡通過を強く非難。香港をめぐる米国と香港政府、中国政府との軋轢（あつれき）などなど。

なんだかキナ臭すぎる。そんな中、米大統領だけでなく、その側近にまでコロナ感染クラスターが発生したという。

おいおい、大丈夫なのか??

最近、世界のトップ・リーダー達のコワモテぶりや壊れっぷりには、目が慣れて来たところだったが、それにしても昨今の緊迫感はハンパない!!

こんな時こそ、ガースー総理も河野太郎ちゃんも一肌脱いでおくれでない

か？　米国と中国との間を取り持って、あの両巨頭の〝逢い引き〟を演出してはくれまいか？（ちょっと手強そうだけど）

♪

彼の両手をとって
やさしいことば
さがしつづけた
彼の両手をとって
冷たいほほに
くちづけうけた
悲しい出来事が
起こらないように
祈りの気持をこめて
見つめあう二人は
白いかもめのように
体をよせて歩いていった
白いかものように
涙にぬれて歩いていった
〈真夏の出来事／平山三紀〉
（作詞：橋本淳　作曲：筒美京平）

〃お花畑〃で悪いか？
お・も・て・な・し……。
我が国は「世界を繋ぐヤリ手ばばあ」であれ!!

気遣い溢れる言葉

十月十三日。
朝のニュースで「ご訃報」に接する。
【筒美京平さん御逝去】

♪
また逢う日まで
逢える時まで
別れのそのわけは
話したくない
なぜかさみしいだけ
なぜかむなしいだけ
たがいに傷つき
すべてをなくすから
ふたりでドアをしめて
ふたりで名前消して

その時心は何かを
話すだろう
〈また逢う日まで／尾崎紀世彦〉
（作詞：阿久悠　作曲：筒美京平）

多くの世代、音楽関係者や歌手の方々から、深い悲しみと共に感謝の言葉が寄せられた。

残念ながら、アタシは一度もお逢いした事がない。

もちろん、アタシの音楽人生にとっても、かけがえのない、偉大な憧れの存在である。どれだけ影響を受けたかなんて、とてもじゃないが言葉には出来ない。言葉を尽くせば尽くすほど、筒美京平さんご自身がお笑いになるのではなかろうか⁇

筒美さん、どうかお笑いにならずに聞いてください。

アタシの〝座右の銘〟は、何を隠そう《また逢う日まで》なのでございます。

「こんにちは」でも「さよなら」でもない、けっして重くも軽くもなく、人に対してこんなに気遣い溢れる、さりげない思いやりの言葉、美しい響き。

そして、この歌にどれだけアタシ達は励まされたか。

日本歌謡史上「トップ・オブ・ザ・ポップス」であられた筒美京平さん。

素晴らしい音楽をありがとうございました。


「また逢う日まで」

尾崎紀世彦の2作目のシングル曲として1971年にリリース。作詞・阿久悠、作曲・筒美京平。オリコンシングルチャート1位、累計売上100万枚超、日本歌謡大賞と日本レコード大賞のダブル大賞受賞など、時代を代表するヒット曲となった。

42 ミュージシャンには定年なんてない⁉

「Don't trust over 30!!」

こんな言葉、聞き覚えのある世代もおありでしょう。

三十歳以上の大人なんか信じるな!! というわけね。

一九六〇年代に反ベトナム戦争の活動家として鳴らした、ジェリー・ルービンさんの言葉だそうだ。かつてのヒッピー・カルチャー、とりわけロック方面の方々がそう叫んで憚(はばか)らなかった、今となってはちょっとショッキングなフレーズでもある。

実際のところ、その当時のロックやポップスなんて、演(や)る方も聴く側もヤング（古っ!!）ばっかりが中心で、年寄りはおろか、大人が出る幕なんて無かったのだ。

確かに一九八〇年代くらいまでは、四十歳過ぎてロックの表舞台に立っている人なんて、ほとんどいなかったもんねぇ……あの内田裕也さん以外。

あのビートルズだって、解散した時はメンバー全員まだ二十代なんだから……。凄いよねぇ、昔の人は見た目も発言も貫禄があって。

人生百年。

今や、ジャニーズのアイドルだって四十過ぎが目白押しの時代。

それに比べりゃ、あの頃のミュージシャンてのは、実に早熟で老成していたもんだねぇ!!

だからね、アタシも昔は「いつ、どのタイミングで己れの引き際としようか……?」などと、時折考えていたんだよね。だって、「Don't trust over 30!!」みたいな考え方が、アタシらの骨身にはビッシリ刷り込まれていたからさ（汗）。

デビュー当時は、「せいぜい二、三年やれたら本望だ」とか「人気が下り坂になる前に辞めて裏方に回ろう」みたいな〝転ばぬ先の杖〟も含めて、アレコレ無い頭で考えていた。そして今でも「オレはこの仕事が本当に好きなのか?」と、よく自問自答を繰り返す。

「日にち薬」の効用

だけど二〇一〇年、五十四歳の時に食道ガンを患った時は、さすがに進退について判断すべき時が来たと思った。

手術、入院して退院。歌うこと以外にも、生活全般に不慣れや不自由な状況が生じた時は、正直何度かクジけた。

しかし、これがあったからこそ、《人生に無駄な事なんか無い》という事を、主治医先生始め、ファンの方々、家族やスタッフのみんなから沢山教えて頂いたと思う。

とある「医療従事者」であられるファンの方からもお手紙をいただき、「日にち薬」という良い薬もある。今は覚束(おぼつか)ない事も次第に受け入れられたり、自己免疫力で克服出来る事も知らず知らずに増えるだろう。だから、自分を信じて、ここはお医者様やご家族に甘え感謝して過ごしてはどうか。きっとそのうち「日にち薬」が効いてくるだろう。

という、意義深いお言葉を頂き、心底救われたものだ。

「時の流れ」が、いつしか身も心も癒してくれる。そんなメッセージを、今でもアタシは大切にしている。

病気もそうだが、現実的には「老齢化」する自分自身との闘いもある。デビューして四十三年目。年が明けたらアタシも「高齢者」の仲間入りだ。体力の衰えだけではない。知力だって胆力だって、日々〝上書き〟される現代社会の情報量には、もはやとっくについて行けていない(汗)。

「劣化」とか「老害」とか「醜態晒すな」とかネットに書かれる前に……もう充分言われてるけど……潔(いさぎよ)く カッコよく退(しりぞ)くスベはないものか⁇

例えば、「セミリタイア」なるモノ。これはご存知、かの大橋巨泉さんによって有名になった概念だ。生前、巨泉さんは「オレは早々にセミリタイアする」と宣言して、当時あれほど売れっ子だったのに、スッパリとテレビ出演などをセーブしてしまった。そうして一年の半分はカナダ等に住んで、サイド・ビジネスとゴルフ三昧という日々。

大橋巨泉
最もよく知られるのは「11PM」「クイズダービー」などテレビ番組司会者としての顔だが、ラジオパーソナリティ、放送作家、芸能プロモーター、ジャズや競馬の評論と幅広く活躍。56歳でセミリタイアを宣言し仕事量をセーブ。2016年、82歳でこの世を去る。

「自分の人生だ。好きにやって当然だろう。文句あるか」である。

いいえ、ございません!!　顔もデカいし態度もデカい巨泉さんにそう言われたら、黙って頷くしかない（汗）。

でもね、コレってなかなか「言うは易し、行うは難し」であって、実行するには相当の覚悟や根回し、緻密な準備が必要となってくると思う。基本的にワーカホリックである事が尊ばれる日本の社会で、堂々とセミリタイアすると言い出せる人はなかなか居ない。いくら時代が変わったと言っても、世間に向けてそう宣言……豪語して似合う人は、やっぱり大橋巨泉さんくらいしかいないだろう。

例えばアタシが、「明日からセミリタイアするから、後はよろしく」と言っても、「アンタ、何言ってんの??　はいはい、わかった。それはイイから……明日のミーティング忘れないで下さいよ」とか、マネージャーの木村に突っ込まれるのが関の山だ（汗）。

〝あと何年出来るだろう?〟なんて、考えてみたってしょうがないけど……。アタシだって「ラク」したい。ついつい人目を気にして真面目な事を言ってみたりするが、本性は不埒で怠け者で腹黒い人間なのだ。

何はともあれ、未練はあるけど、セミリタイアの夢は諦めている。だってさ、アタシに似合わないでしょう??　どう見ても……。

上の世代を見ると、（以下、敬称略）細野、矢沢、松任谷、小田、中島、山下、加藤、吉田、矢野、井上、浜田、ディラン、クラプトン、スプリングスティーン……。みんなしぶとい。しぶと過ぎる!!

アンタら、いくつだ??
Don't trust over……いくつなんだ、いったい??(泣)
この人たちが辞めないから、アタシらも辞められない。いや、この人たちがいるから、サザンだって頑張るしかないのだ。
ったく、こんな世の中になるとは思わなんだ!! 憧れの悠々自適生活よ、さようなら(泣)。コロナ禍が落ち着いたら、みんなでライブでもやるか??

八十二歳サーファー・ガール

コンプライアンスだとか、SNSに訴求しなきゃとか、何だか制約も増えて来た。窮屈で息苦しくて、不自由でイビツな社会で、ほんの少しでイイから夢が見たい。

最近、とある海辺の街で、何の運動経験も無かった八十二歳の女性が海のスポーツ、SUP(スタンド・アップ・パドル・ボード)デビューしたらしい。それまで彼女は、ごく普通に老後を過ごしながら、毎日海を眺めていたという。

ところがある日、降って湧いたかのような強い衝動に駆られる。

「あの人たちみたいに、板を使って波に乗ってみたい……」

すぐさまその足で、彼女はサーフ・ショップを訪れたという。

そのショップの社長がアタシに話してくれた。

「だって、本人がやりたいって言うんだから……(汗)。ウチのスタッフ総

SUP
スタンド・アップ・パドル・ボード。略称は「サップ」と読む。サーフボードより大きいボードの上に立ち、パドルで漕いだり波に乗ったりしながら、まるで海上を散歩するような気分で遊べるマリンスポーツ。ハワイが発祥の地。

出で彼女に教えましたよ」

「ウェット・スーツも作るって言うから、寸法計ってたら、〝きゃー、久しぶりに男にカラダ触られた!!〟だって言いやがんの」

「今じゃ、しっかり自分でSUP漕いでますよ!!」

社長の顔も幸福感で上気していた。

今どきこんな素敵な話はあるか!?

《老いては子に従え》のフリをして、《老いたら子を使って遊べ》ば良いのである。

それぞれの世代、それぞれの個人に見合った生き方を、みんなで尊重し、協力して見つけられたら最高だ。

そして、その八十二歳サーファー・ガールのように、おのれの内なる「衝動」や「閃き」に、素直に準じ、従う場面が大いにあって然るべし。

人間、「ブレず」にはいられない。

人生は複雑で面倒くさいから。

自信を持ったり挫けたり、飽きたり欲しがったりしながら生きている。

アタシもついつい、「自分の生きる道は音楽しかない」とか「一生歌い続けます」とか言いそうになるが、それはたぶんアタシの機嫌が、すこぶる良い時だけなんだろう。

「これからは好きな事をやって生きる」とか「作品を作り続ける」なんて言いながら、死ぬまでクヨクヨ「去り際」に悩む方が、ずっとアタシには似合っていると思う。

43 素晴らしき哉、坂本冬美!!

このたびアタクシ、二十三年ぶりに、他人様(ひとさま)へ楽曲提供をさせていただきました!!

そのお相手はと言えば……。皆様お馴染み、日本歌謡界の美しきミューズたる坂本冬美さん!! 曲名は『ブッダのように私は死んだ』でございます!! 十一月十一日にリリースとなりましたので、皆さま是非ともお聴きくださいね!!

しかし、あの坂本冬美さんに自分の曲を歌って頂けることになるとは……。アタクシ自身としても全くの想定外。一体どんな経緯(いきさつ)で、こんな事態になったのか??

実は不思議なことに、これまで冬美さんとはずっと面識がございませんでした。ようやく初めてご挨拶をさせて頂いたのは、二〇一八年の「NHK紅白歌合戦」に出場した時の事。その時だって、ほんの一分くらい立ち話をして、通り一遍の言葉を交わした程度。ちなみに、冬美さんとご一緒にいらし

「ブッダのように私は死んだ」
坂本冬美の50作目のシングル曲として2020年に発表された。

た天童よしみさんの存在感はインパクト大!!　あ、いや、お二人とも本当に素敵な方でしたよ。

　そして年が明けて数カ月後、アタシのもとに一通のお手紙が舞い込んだ。

差出人はそう、坂本冬美さん!!　和紙に達筆で、何やらサラサラと文言が認められてある。まるで、時を超えた小野小町からの恋文のようなその手触り。

　昂まる興奮を抑え、呼吸を整え読み下してみると、

「先日はお会い出来て本当にありがとうございました。以前から大ファンで……」

　などと、御丁寧かつ風流な筆づかいには、感服するやら恐縮するやら……。

「出来たら、他人目につかぬ場所で、二人っきりでお逢いしたい……」

　そんな事が書いてあればイイのに……と思いきや、それは全く書いてなかった（泣）。読み進めていくと、最後にはしっかりとお願い事が認められていた。

「私に曲を書いてくださいませんか」

　耳鳴りのように、頭の中で幾重にもそのフレーズがコダマする。

　便箋と封筒を両手に持ったまま、しばしアタシはその場に呆然と立ち竦んだ。

　あの〝歌うサイレント・ビューティー〟坂本冬美さんが、このアタシに？

自然に口角が上がるのが、自分でもわかった。

　実は、その頃アタシも自分のレコーディングで手一杯だった事もあり、最初はやんわりとお断りさせていただいたのです。

天童よしみ
1972年、「風が吹く」で演歌歌手としてプロデビュー。93年「NHK紅白歌合戦」初出場。96年「珍島物語」がミリオンセラーとなり人気を不動のものにする。代表的な曲に「いのちの限り」「人生みちづれ」など。

でも、ご依頼を頂けた事はとっても嬉しくてね。まるで、真冬の夜空に引っかかった三日月のように、心に刻まれた爪痕（つめあと）が疼（うず）いてやまない。以来何をするにつけ、冬美さんのお顔が頭に浮かぶ。何故か時折、天童よしみさんが現れて微笑む。冬美、天童、冬美、天童……。いかん、これでは《二対一変則タッグ・マッチ》ではないか!!（汗）

頭を振ってそんなイメージを拭（ぬぐ）おうとするや否や、ある晩、ふと曲が浮かんだ。

《魂の交感》……。そんな言葉が頭を過（よ）ぎる。

「冬美さん、羽目を外して誰かと遊びたかったんじゃないのかしらん？」

「この時代に、彼女がオレに求めているのは、単なる仕事（ビジネス）を超えたもの。チヨイと刺激的で、お互い普段やらないような事か？」

そうなると俄然、アタシも前向きになる。

「やらせてもらおうかな……!?」

《目を覚ませばそこは土の中
手を伸ばせば闇を這うだけ
虚しい唇に揺れる
愛の残り火よ
私をこんなにした人は誰？》

イタコが言霊（ことだま）を司（つかさど）るかのように……。アタシは〝冬美さんの魂〟と共に、新曲作りに没頭した。

そして、改めて坂本冬美さんサイドに、「もう一度お会い出来ますか？」とご連絡して、ある日の午後、アタシ達がいるビクタースタジオに来て頂いた。双方スタッフのアイデアもあり、冬美さんご本人には「ちょっと断片的なお話を……」と、お伝えしただけ。本当はその時、既に曲が出来上がっていたのだ。サプライズを仕掛けたというか、一度お断りした手前、初の正式な「ご対面」としては、〝それなりの〟インパクトが大切かとも思った（笑）。

歌詞も全て書き終えてあり、アタシが仮歌を歌って録音したものを、いきなりスタジオで御本人に聴いてもらったところ……。冬美さんの反応、それはそれは上々だった。想像以上に驚き喜んで頂き、ありがたい事に涙も溢していらした。こちらとしても大変光栄であり、アタシも胸を撫で下ろした。

……というのが昨年十月の事である。

冬美さんは、上品で濃やかなお気遣いをされる方だが、その清楚なルックスとは裏腹に、「天然ぶり」も実に素敵で可愛らしい。生まれ故郷、和歌山の梅干しやお菓子を、お一人でたくさん抱えて来ては、若いスタッフにまで深くお辞儀をして手渡す姿が、なんか妙に〝おばちゃん臭くて〟愛おしいのだ!!　我々のチームはみんな彼女の大ファンになった。

「誠意」や「姿勢」に感服

めでたく顔合わせと合意が形成されたところで、さっそく初日から細部まで曲を詰めたり、あれこれ調整したり。

まずはキーの設定。なんせ『ブッダ～』は上から下まで極めてレンジが広い。「こんな低い音程、大丈夫ですか？　歌い難(にく)いでしょう？」などと尋ねたり、試しに幾つかのキーで歌ってもらったり。歌い方のニュアンスも細かく伝える。お会いしたその日から、既にトライ＆エラーや、コラボレーションのような状況が成されていった。

そうしてキーが固まった段階で、次は歌入れをしましょうという事となり、後日ビクタースタジオで再会。当日までに冬美さん、アタシの仮歌をかなり聴き込んでくださったご様子。すでにこの歌を大事に預かり、すっかりご自分の身体に入れて来てくださった!!

「いよ、日本一!!」とばかり、巧さだけでなく、歌に対する「誠意」や取り組む「姿勢」には感服する事しきり。歌い手・坂本冬美の変幻自在ぶりや引き出しの多さを垣間見られた事はもちろん、「人間」「女性」「演じ手」としての彼女からの言葉が、アタシをウロたえさせる場面もあった。

《ゲリラ豪雨(あめ)　落雷(いなびかり)
故郷(ふるさと)へ帰してくれ
他人を見下した目や
身なりの悪さは赦(ゆる)す
ただ箸の持ち方だけは
無理でした》

「これって実は、現代社会を嘆く歌ですよね？　この女性の魂は彷徨い続けて、自分の故郷のお墓にも入れていない。生まれ変わったらこの男を手のひらに乗っけて懲らしめてやるつもりでしょう？　でも、生まれ変わっても人間の業は変わらない……何だか切な過ぎますよね!!」

作者であるアタクシなんかより、この歌に深みと魂を吹き込んでくれるのは、歌い手の冬美さんご自身なのだと確信した。

歌入れは二日間にわたった。一日目の坂本さんは、こちらが伝えた意図通りに歌を仕上げてきて、それを見事に演じ切ってくれた。彼女としてはおそらく、一日目はまず、きっちり歌を「置きにきた」のであろう。楽曲への理解が行き届いている事や、完成度高く仕上げてきた事を、しかと示してくれたのだ。根がたいへん几帳面な方であろうし、それが歌手としての冬美さんの《流儀》なのかもしれない。

で、二日目はどうなったか。冬美さん、歌い方をガラリと変えてきた!!　今回は《汚れ役》としての自分も想定したのだろうか？　これでもかというくらい情感たっぷりに、物凄くブルージーで後ノリな、崩した歌い方……。

嗚呼あれも、これも坂本冬美だ!!

アタシの口から思わず呟きが漏れ出た。

「冬美さん、あんたは凄いソウル・シンガーだ!!」

こんな陳腐な表現しか出来ないくらい、「身も心も削るかのように歌と相対する」冬美さんに感動した。結果的に採用したのは、「一日目」寄りのものになったけど。表現者・坂本冬美とのコラボはこうして幕を開けた。

さて、冬美さんが歌い上げる『ブッダのように私は死んだ』はアタクシ、MV（ミュージック・ビデオ）制作にまで関わらせていただきました。

その辺りの顚末など、また次号で!!　天童よしみさんもヨロシク!!

44 続・素晴らしき哉、坂本冬美!!

いよいよリリースされた、坂本冬美さんの『ブッダのように私は死んだ』!!

その制作覚え書き、今週も続けてみよう!!

前回、二日間に及んだ歌入れの結果、最終的に冬美さんご自身が《置きにいった歌い方》をしたヴァージョンを採用したと話した。

あの「坂本冬美節」を、敢えて抑え気味に歌ったというテイクである。

今回の楽曲は、まさに《文化圏の違う》我々にとって（笑）、出会い頭の「レアケース」と言うか、アタシが作った曲を歌うだけでも、冬美さんにとってはかなりの大冒険だったと思う。

しかも、よせばイイのにアタクシ、いつにも増して（??）この曲に、面倒な要素を持ち込んでしまった……（汗）。

お聴きになればお分かりだろう。曲は全編にわたってサスペンス・ミステリー・ドラマ調で貫かれている。ワケありな男女関係を巡る、ちょっとオド

坂本冬美節
和歌山県に生まれ育ち、石川さゆりを聴いて演歌歌手を夢見た少女時代を経て、1987年「あばれ太鼓」でデビューした坂本冬美の武器は、当然ながら圧倒的な歌唱力。パワフルで伸びやかな歌声と作品の世界観に浸り切る表現力を併せ持つ歌い手として、1年間の休業期間を除き常に第一線に立ち続けてきた。

ロオドロしいストーリーが展開され、少なくともあまり通常の「演歌っぽく」はないと思う。

この、かなり〝クセ球〟な世界観を、冬美さんと共に試行錯誤を重ねレコーディングした様子は、前回も記させて頂いた。

坂本冬美さんの新しい可能性を追求したかった!! などと言うとおこがましいが、あの方は「歌う海綿体」と言われるくらい（言われてないけど）、色んな局面や方向性に対応できるし、アタシはお逢いする以前から、《音楽的な吸収力と表現力が抜群である》というイメージを彼女に持っていた。

当たり前だが、坂本冬美……。その歌声の色艶(いろつや)と響きは天下一品、唯一無二のお宝だ!!

まだ世に出ていない曲を、しかも小生の作ったモノが、目の前で彼女によって歌われる光景は、まさに「恍惚」と「カタルシス」の極みであった!!

そんなオールマイティーな能力を備えた冬美さん。彼女のどこかに「本気モード」ならぬ「坂本冬美スイッチ」が内蔵されていて、それがバチッと入る瞬間をアタシは目撃した。

まるで「聖母」と「童女」と「遊女」が、入れ替わり立ち替わり姿を現す、冬美ワールド。

時折見せる、タフで豪腕なオンナの、唸(うな)り声や呻(うめ)き声にも似たコブシ回しには、心の芯までシビれた!!

冬美さんの持つ「多重人格的」歌唱のヴァリエーションは、あの美空ひばりの天才的声色(こわいろ)の様相と、相通ずるようにも思える。

反面、もしかしたら「限定的な色合いを持たない」事が、歌い手として、この人の最大の強みなのではないか??

どんな色にも染まる純白無垢な歌唱と存在感。

細いが、シナって折れない青竹(あおだけ)のような精神。

自らはけっして前に出ようとしない、……花魁(おいらん)のように「男を待って誘う」歌い手としての佇まいに、ついついアタシの心もウワ滑る(汗)。

歌っている姿を思い浮かべても、和服姿はもちろん、ゴージャスなドレスやスーツ・スタイルもイケそうだ。

ナンなら冬美さん、ビキニだって見事に着こなすのではなかろうか!?(いや、あんまり期待し過ぎてもご本人困るでしょう)

この「ノンジャンル性」というか、とてつもなくデッカいキャパシティ……。

これぞ、坂本冬美ならではの、無色透明の凄味であろう。

あの色白な胸元に忍ばせた、甘く危険(スキャンダラス)な懐刀(ふところがたな)のような妖艶さが、これまたタマラナイ!!

そんな彼女だから、これまで浴びたこともないだろう異物をぶつけて、どんな化学反応を起こすのか見てみたい気がした。

ちなみに、不倫殺人という不道徳かつサスペンスな曲調にしたのは、アタシもそういう「週刊文春」のネタになりそうな話が大好物だからである。

過去にも、『死体置場でロマンスを』『殺しの接吻(キッス)〜Kiss Me Good-Bye〜』『簪/かんざし』『愛撫と殺意の交差点』といった〃犯罪ミステリー作品〟を、アタシは多く作品にして来た。

『ブッダ～』が出来た直接的な理由は、ちょうどその頃、Netflixの米テレビ・ドラマ『ベイツ・モーテル』を観ていた事にも起因する。

　映画『サイコ』シリーズの主人公、アンソニー・パーキンスが演じたノーマン・ベイツの少年時代を描いたお話で、ストーリーだけじゃなく映像も素晴らしい。とても怖くてグロいが、その《キモ可愛い》世界観にどハマりして、大いに刺激と影響を受けたのだ。

　今回、この曲のMV（ミュージック・ビデオ）制作にあたり、アタシ自身が《絵コンテ》ならぬ《字コンテ》を書き、別に頼まれてもいないのに、監督の青柳重徳さんにお渡しした。

　それは、これまでにアタシが観たアメリカやヨーロッパの《スリラー・サスペンス》等、映像作品の断片的なシーンばかりを引き合いに出した、酷(ひど)くお粗末なシロモノだったが……。

　例えば、

☆Aメロ、死体安置所のシーン↓『ボディ・オブ・プルーフ／死体の証言』参照。
☆Bメロ、冬美さんの片目だけが覗いているシーン↓イングマール・ベルイマンの『ペルソナ』みたいに。
☆サビ、死体を埋める穴掘りのシーン↓『ベイツ・モーテル』参照。

『ベイツ・モーテル』

2013～17年に米国で放映されたテレビドラマ。全5シーズン50回で完結。映画『サイコ』シリーズの主人公ノーマン・ベイツの若かりし日を描き、いかにして連続殺人鬼が生まれたかを詳細に暴き出す。日本でも放映・配信され話題を呼んだ。

……といった感じであった（青柳監督、ごめんね）。

完全にハメられた!!


坂本冬美さんに話を戻せば、ご本人の素顔がこれまた本当に魅力的だ。

それなりに色々な人生経験もされたであろう、性根も据わっていらっしゃる。

何よりあの方の側(そば)にいると元気になれる。

周りの皆んなが、冬美さんのためなら頑張ろうという気持ちになれる。

一緒にいると、あの人のキャラクターと人間的な懐の深さに、全て持っていかれてしまうんだなぁ。

お酒もご一緒したが、《清楚で色っぽい坂本冬美さん》に変身する前と後の、《和歌山の天然採れたて梅干しおばちゃん》みたいな彼女が繰り出す、チョイと関西ノリのお話が面白いのなんの!!

先週号『阿川佐和子のこの人に会いたい』もサイコーだったが、ここじゃ書けない（……って「週刊文春」で書けなかったら他にどこでかけるんだ?・）、演歌界の秘話や裏話なんかを、いつかまたテレビの「サワコの朝」でぶっちゃけて頂きたい!!

そんな冬美さんを支える、ユニバーサル ミュージックの廣瀬さんや、プロデューサーの山口さんといった素晴らしいスタッフの方々が、ウチの若いスタッフを助けていただき、今回こうしてご一緒出来た事を、アタシも深く感謝申し上げたい。

　そしてアタクシ。今回の楽曲提供に関しては、どこぞのタブロイド紙の見出しではないが、【私は完全に坂本冬美にハメられた!!】……。敬意を表して、そんな言葉をお贈りしたい。

　よくぞ、あの達筆なお手紙をくださった。

　そこからあらゆる素晴らしい事が始まったのだから。

『ブッダのように私は死んだ』は、歌い手＝坂本冬美なのはもちろんの事、エグゼクティブ・プロデューサーも冬美さんご自身が務めたと考えて、皆様、何ら差し支えございません!!

　全ての絵図はアノ人が描いて、アタシはまんまとヤラれたのである!!(笑)

　こちらとしては、強くそう主張する次第だ!!

　改めて申し上げるが、アタシもウチのスタッフも、冬美さんの事が大好きになった!!

　そして、坂本冬美さん……。

　貴女のお陰で、演歌が今まで以上に好きになりました!!

　あ、天童よしみさんにも、くれぐれも宜しくお伝えください。

45 東京のミュージシャンには敵わない!?

このたびは坂本冬美さんに楽曲提供した『ブッダのように私は死んだ』が無事リリースされ、ホッと胸を撫で下ろしているアタクシ。

しかし、今回のコトは例外中の例外!! デビューして四十年以上経つというのに、他人様(ひとさま)に楽曲を提供した経験なんて数えるほどしかないのだ。

何故かって? 理由は簡単。誰もアタシのところに、

「曲を書いてくれ!!」

と頼みに来ないから(まるっきり無かったとは申しませんけど……汗)。

とは言えドンドコ依頼が来たとしても、他人様の曲をそうそうスラスラとたやすく書けるもんじゃあない。アタクシ、そんな器用さは持ち合わせていないし、一曲を完成させる際の異常な手間隙(てまひま)や熱量を考えると、なかなか〝おいそれ〟とお受けする事は困難なのである(涙)。

〝既発曲〟をカヴァーして頂いた事は何度かあったが、「作詞作曲だけやったといいたから、アレンジとか、後はそっちに任せるね」てなやり方を、これま

でアタシは殆どやった事がない。アタシ自身、楽譜がよく読めない事もあって、遠隔ではなく録音現場にもベッタリと付き添わないと、ご依頼主(クライアント)との意思疎通が、うまく取れないのである。

ただ……アタシだって人の子。頼まれればそりゃあ、イヤな気持ちはしませんよ!! やっぱりどこかで……、

「依頼受けたら、それなりに頑張るよ!!」

などと、心の底では思ったりするのだ。

あれは一九八〇年代の事。当時のトップ・アイドルといえば、松田聖子さん。大ヒット曲を連発していた彼女のもとには、優れた音楽人や作家陣がワンサカと集った。例えば、初期のヒット作の幾つかを、誰が手がけていたのか並べてみると……。

『風立ちぬ』は、作詞・松本隆、作曲・大瀧詠一。

『赤いスイートピー』や『渚のバルコニー』は、どちらも作詞・松本隆、作曲・呉田軽穂(くれたかるほ)(松任谷由実さんのペンネーム)。

『ピンクのモーツァルト』は、作詞・松本隆、作曲・細野晴臣。

なるほど、さすがは第一線のお歴々ばかり。しかも自らの楽曲制作やステージ活動もバリバリの超カリスマ達である!!

ところで聖子さんと言えば、彼女がデビューしたての頃。アタシがやっていたラジオ番組にゲストとしてやって来られた。毎日「分刻み」のスケジュールをこなす中、ステージ衣装の白いドレスを着たまま、息を切らしてスタジオに飛び込んで来たウラ若き聖子さんは、深々と丁寧にお辞儀をされ、大

松田聖子
福岡県出身の歌手。1980年に「裸足の季節」でデビューすると一躍、時代を代表するアイドルに。恵まれた歌唱力を活かすべく楽曲に力を入れ、3作目のシングル「風は秋色」から26作目「旅立ちはフリージア」までオリコンシングルチャート第1位を獲得し続けた。80年代から自身でも作詞作曲を手がけ続けている。

呉田軽穂　紫苑小煉
「くれた・かるほ」は松任谷由実が作詞作曲を手がけると

変お疲れだろうに笑顔で懸命に番組を盛り上げてくれたのだ。色んなアイドルが、この番組にやって来たが、こんなに愛らしく人柄の良さを感じた人はいなかった。アタシは人間としても聖子さんのファンになった。

でも、福岡から上京したばかりの、どちらかと言えば〝垢抜けない〟、人の良さそうなこのアイドルの卵が、「魑魅魍魎(ちみもうりょう)うごめく芸能界では、言っちゃあ悪いが〝ひとたまりもない〟と言うか、絶対売れないだろう……」と、アタシは完全にタカをくくっていた。

「聖子ちゃん、頑張ってね」

番組が終わって、今生(こんじょう)の別れではないが、もうあまり会う事もないだろうなんて思い、実家の兄貴のような気持ちで声をかけた。

ところがどっこいである!!　「人の本質が見抜けない」アタシの直感をよそに……。そこから始まった聖子ちゃんのシンデレラ・ストーリー、栄光の道のりは皆さまもご存知の通り。

そして再びテレビ・スタジオの片隅でお会いした時、彼女を取り巻く状況は以前とは一変していた……はずだが、彼女自身の温かいオーラは、あの頃と何も変わっていなかった。

「お、お久しぶりです」

アタシの挨拶の方が、何故か敬語になっていた(笑)。

その後、破竹の勢いで大ヒット曲を量産しては、その輝きを増していった聖子さん。もはや彼女の存在そのものが「ザ・芸能界」であり、日本国民の憧れとなった。そうこうするうち、心の隅っこで、

きに使う別名。女優グレタ・ガルボをもじった名付け。代表曲に松田聖子へ提供の「赤いスイートピー」「瞳はダイアモンド」「渚のバルコニー」、薬師丸ひろ子に提供の「Woman〝Wの悲劇〟より」など。「シオン・コネリ」は桑田佳祐が他歌手へ曲を提供する際に使う予定の別名。俳優ショーン・コネリーのもじりと思われる。

「ひょっとすると、オレのところにも聖子ちゃんから曲の依頼が来ちゃったりするのかな?」

なんて、アタシは勝手に忘想するようになった。当時アタシも、何を勘違いしたのか、そこそこ「作家」として世間から認められたような「気分」になっていたんだろう。もしも曲を頼まれたなら、なんて返事をすればイイのか? どんな曲がイイかなぁ。えっ、まさかあの松本隆さんに作詞を頼んじゃったりして? ユーミンのペンネームが呉田軽穂なら、オレは紫苑小煉(シオン・コネリ)みたいなのはどうだ?? でも、現状サザンでスケジュール目一杯だしなぁ……などと夢想やシミュレーションを繰り返していたアタシ(ホントに人間が薄っぺらい)。

あゝ、それなのに……。これぞ「とらぬ狸の」ならぬ「とらぬ聖子の皮算用」。待てど暮らせど、松田聖子さんサイドからのオファーがアタシのもとに舞い込む事は、一度たりとも無かった!!(涙) まあ、ちょっと冷静になって考えてみれば当然だ。当時の松田聖子が、アタシなんかに楽曲を依頼するわけがない(泣)。あちらが目指すものとは、微妙に、いや明らかにアタシの芸風も人格もテイストが違うのだ!!

アチラは、言わば絶対的王道!! 芸能界の、テレビの世界のド真ん中に君臨する……歌唱力もビジュアルも、ぜーんぶ兼ね備えたナンバーワン・アイドルだ!! 対して、アタシらサザンの位置付けは? 同じ音楽番組で歌わせて貰ったと言っても、所詮はジョギパン穿いて出てきた、どこぞの物ともつかない「歌謡曲バンド風情」のイロモノ(泣)。あの頃、アタシらはどこへ行っても「邪道」であり「外道」であった。

そう。あちら側とこちら側の間には、越すに越せない広くて深い河が流れていたのである。

「正統派アイドル」戦略

松田聖子という存在（コンテンツ）には、見事にブレない《イメージ戦略》があった事が見て取れる。福岡から東京に出てきた純朴な女の子が、シンデレラ・ストーリーを駆け上がって行くという筋立てを、まずはファンとガッツリ共有する。その上で「ブリッコ」だとか「聖子ちゃんカット」だとか、分かりやすくてキャッチーな特長も打ち出して、正統派アイドルとしての「色」をしっかり付けていくわけだ。華と気品があって都会的な、それでいて何処か朴訥（ぼくとつ）とした……絶対的アイドル路線を突き進む事を、かなり早い段階から戦略としていた。

そうなると、彼女の音楽の方向性もハッキリとしてくる。そりゃあお洒落で軽快な、当時最先端の音楽ブレインによる《シティ・ポップス路線》を選択・堅持する事が最も賢明である!!　まさに大都会・東京の、とりわけ港区・渋谷区・世田谷区あたりの、ハイソな価値観の導入。綿密な計算により、キチンと敷かれたレールから、ちょっとでも外れていると見なされた音楽家は、アタシのように絶対に起用されない（泣）。

地方色（ローカルカラー）が強かったり、ましてや下品な下ネタを歌ったりするような輩（やから）は、聖子プロジェクトとしては「願い下げ」……近寄らせては貰えないのである。
いくら「頑張ってイイ曲書きます」などと言ったたって、アタシなんかには、間違っても「ウチの聖子のために……」などと発注はかからない（泣）。だってファンは聖子ちゃんに、「スイートピー」や「サンゴ礁」も含めた、甘く切ない幻想は求めても、「エロチカ」だとか「マンピーうんぬん」だとかの偏った世界観は……もはや炎上どころでは済まされないのだ!!

いや、アタシだって、聖子ちゃんに楽曲提供するとしたら、たまにやるような〝男目線のイヤらしい歌〟なんて書かないってば!!（汗） こう見えて意外とシッカリ仕事しますよ!! あの可憐な聖子ちゃんに対して、そんな無粋なマネはしないよ!!（何を必死に売り込んでるんだ⁇）

アタシら今でこそ、それなりの言われ方で評価される事も無くはないが……かつては、松田聖子的王道を歩む「ニッポンで最も垢抜けた」プロジェクト・チームが、この下品で人望の無いバンドマン風情なんかに、目を向けてくれるはずはなかった。

あゝ、ユーミンや細野晴臣さんが妬(ねた)ましい。ロールオーバー(ぶっとばせ)松本隆!!

今後も「何故アイドルたちがアタシには振り向いてくれなかったのか？」「都会派(シティ・ポップ)を標榜する人たちから、何故アタシは疎んじられるのか？」を、恨みがましく検証してみたい。

46 ボブ・ディランって、どこがいいの??

皆さんが手にしておられるこの週刊文春といえば、いわゆる「文春砲」でお馴染み。さぁ、今週もド派手に砲弾、炸裂させてくれてますかねぇ??（笑）しかしよくぞ毎週毎週、あっちのスキャンダル、こっちの醜聞と掘り出して来るもんだ……。そのシツコさ、あ、いや《ヴァイタリティ》には、つくづく感心するばかり。まあ〝被弾〟する方は大変……というか、タマッたもんじゃないけど（汗）。

ときに、なんで「文春砲」に限らず週刊誌や写真誌が、あんなに人の秘め事に踏み込めるかというと、大義名分は「こちとらジャーナリズムでございます!!」って事ね。世の不正や闇を暴き出すことで、大衆に成り代わり世相への批判と告発を繰り広げているのだ!!　……ってか??　いや、文春さんにとってみれば《ありのままの事実を取材して書くだけ》という、実に〝クールなお立ち場〟なんでしょうけど。

ともあれ、この強大な力を持つ「ジャーナリズム」って、何も週刊誌だけの専売特許じゃあなかったんだよね。かつては音楽だって、このジャーナリズムの要素をたっぷりと含んでいたのである!!

明治時代に流行した『オッペケペー節』なんてのも、かなり過激に、そして辛辣に世相を皮肉った。この反骨精神……と言うか《滑稽&風刺》の精神が肝心なんだと思う。ただ闇雲に「正義を振りかざせば」イイってモンじゃあない。

で、今週のお題《ボブ・ディラン》である。

アメリカ出身。本名ロバート・アレン・ジマーマン。シンガーソングライターとして、世界初の「ノーベル文学賞」を受賞した偉大なるお方だ!!

はい。正直言って、彼については、アタクシもそれくらいの事しか存じ上げない(汗)。ほな、さいなら……では、済まない、済まされない。なんなら、ディランに関しては、アタシと同じ「人生の三分の二はいやらしいことを考えていらした」みうらじゅんさんに聞いて頂いた方が、遥かにヨロシイかと思う。

とにかく、これまでアタシの音楽人生において、ディランについては何度も考えたり、憧れて真似してみたりはしたけれど……。しかし、この人だけは「歌うソーシャル・ディスタンス」ではないが、何故か知らんがいつも素っ気なく遠い存在だ。「ロッキング・オン」のインタビューを読んでも、何だか難しくてわからない。もはや『ノーベル賞』の域にまで達しているお立場だとすれば、尚更……、こんな自分が、そう易々(やすやす)とディランを語ってはいけないと思う。

「オッペケペー節」
19世紀末、明治20年代を中心に流行した唄。当時の政治・社会状況を風刺する内容が不思議な掛け声と拍子のなかに織り込まれていた。川上音二郎が寄席や芝居の幕間に歌い始めたところから広まった。

お後がヨロシイようで……。だから、それだとこの連載も打ち切られるから、続けるね。

彼はご存知のように、同時代の政治的・社会的問題をバッサバッサと斬りまくり、告発しまくる。ゆえに、ボブ・ディランの音楽は、時に文学であり、ジャーナリズムであり、「歌う週刊文春」とも言われている!!（違うか）当時はかなりの波風も立てただろうし、今で言う「炎上」も辞さない構えなのだろう。

アタシが生まれて初めて「動くボブ・ディラン」を目撃したのは一九七二年の事。あのジョージ・ハリスンが主催するチャリティー・ライブ映画、『バングラデシュのコンサート』であった。ビートルズが解散して以来、映画とは言え、動くジョージやリンゴ・スター、レオン・ラッセル、エリック・クラプトンなんて面々が拝めた事で、高校二年生のアタシは感動で、うち震えた!! 場所はニューヨーク・マディソン・スクウェア・ガーデン。大画面いっぱいに絢爛豪華なステージが浮かび上がり、超満員の客は大歓声で応える!! 当たり前だがみんな外人だ!!（それだけで、当時は何だか嬉しかった）

ステージ上には、ジョージを中心にツイン・ドラムスとホーン・セクション。そして名うてのミュージシャン達と共に、豪華な黒人女性コーラスらが颯爽と立ち並ぶ!!

ライブの中盤、レオン・ラッセルの『ジャンピン・ジャック・フラッシュ～《メドレー》ヤング・ブラッド』に度肝を抜かれ、その後のジョージ・ハリスンの『ヒア・カムズ・ザ・サン』でアタシは号泣した。もう、目に入るものすべてが新しい時代の始まりを示していた。

「みんなで歌おうね、人種もジャンルも超えた明るい未来!!」

……そんな福音（メッセージ）に身を任せながら、アタシはこのライブ映像に酔いしれた。

そんな中、照明が突然暗くなる。細身の白いスーツとオレンジのシャツに身を包んだジョージが、うやうやしく厳か（おごそ）にMCをとった。

「僕の親友を紹介します。ミスター・ボブ・ディラン!!!!」

そう言えば、そんな人いたな……、くらいの認識しか当時のアタシにはなかった。

巨大な伝説の目覚め

しかしその直後、マディソン・スクウェア・ガーデンに鋭い緊張感が走る。そこまで、ド派手にショー・アップされた「ロック・コンサート」を映し出していた映画の画面（スクリーン）が、急に「ドキュメンタリー・フィルム」に変わったような気がした。

静かな緊張が怒濤の衝撃に変わる!!　観客の熱狂と歓声が、打って変わって「地鳴りのような咆哮（ほうこう）」と化したのだ。ここ数年、人前に殆ど姿を見せなかった、生ける巨大な伝説（ビッグ・レジェンド）が、再び眠りから覚めた瞬間であった。

そしてバック・ライトを背に、気流に巻き上げられた埃（ほこり）の粒子を、まるで自らのオーラのように纏（まと）い現れた男。まるでこの主役のために、すべてが御膳立てされていたかのように……。幾分緊張気味のジョージ・ハリスンとレオン・ラッセルを両脇に従え、ディランの〝辻説法〟……いや、歌が始まる。

これまでの流れなどまるで無かったように、「この人だけは、完全に別格なんだな……」と思った。

デニム・ジャケットを着た、カーリー・ヘアの教祖さまの歌はアタシにはちょっと退屈だったが、何だか物凄い事が起きている……という事だけはわかった。

この時、教祖さまは弱冠三十歳（汗）。しかし、この場面こそがアタシの音楽人生の中でMost Unforgetableで、Most Favoriteなライブ・シーンであると、今ならハッキリと断言出来る。

つい最近、あのポール・マッカートニーが「生まれ変わったら、ボブ・ディランになりたい」と語ったそうだ。ジョン・レノンは、ディランの真似をして一九六五年に『悲しみはぶっとばせ』を書いたり、『ヤー・ブルース』の中で、ディランの『やせっぽちのバラッド』の一節を引き合いに出したり、『God』の中で「僕はディランを信じない」なんて叫んでる。

いったいアンタら、どんだけディランが好きなんだ!!　で、あの人のどこがイイのか、アタシにこっそり教えてくれ……!!（泣）

近年、ちょくちょく来日しては、ライブをやってくれるのも実に有り難い。アタシも昔から、マメに足を運んでいる。

ただ本当のことを言うと、決まって後にモヤモヤが残る。ワザとなの??と思うくらいに、いつだって観る側を、アタシを完全には満足させてはくれない。

来日ライブ
ボブ・ディランは１９７８年の日本武道館公演以来、繰り返し来日しコンサートを披露している。80年代に1回、90年代は3回、２０００年代以降は5回を数え、通算公演数は１００回を超える。最新の来日は２０１８年、FUJI ROCK FESTIVAL参加のためだった。

ねぇそんなに焦らさないで……ボブ様、お願いだからアタシをイカせて!!（泣）

最初に彼のライブに行ったのは、一九七八年の日本武道館公演だった。アタシら日本のファンは、「フォークソングの神様」としてのボブ・ディランを期待していた。そう、こっちが思い描くのは過去のイメージだけど、御本人はもう「次の段階」にシフトアップしちゃってるわけだ。そこにどうしても齟齬（ズレ）が生じちゃう。

ライブが進むうち、『くよくよするなよ〜Don't Think Twice, It's All Right』を演るということになった。

お〜、いよいよ来たか。待ってました!!

一九六三年のデビュー間もない頃の曲。ようやく期待通りのディラン節が聴けるぞ!!　と、身を乗り出したら……。

何とディラン様、この曲をレゲエ調で歌い出した!!「ンッチャカ、ンッチャカ」って……。アタシは、思わず白目を剝いて客席にへたり込んだ（汗）。

彼は、いつだって想定外の人なのだ。過去の自分に対しても抵抗（プロテスト）している。いつでも自分の居場所に満足などせず、変わり続けるボブ・ディラン。永遠の抵抗者（レジスタンス）だ!!

来年八十歳。何歳（いくつ）になっても社会を揺さぶり続ける彼こそが、"Forever Young"の体現者であろう!!

偉大なる哉、歌うジャーナリズムよ。そして週刊文春様!!　くれぐれもこのアタシに、その「砲身」だけは向けないでください!!

47 浅川マキの世界

人生の価値観はどんどん変わる。

昨日まであんなに好きだったものが、急にツマラなくなったりする。

その逆もまた然りで、ある日突然……気がつくと虜になっていたりする。

そういうモノって、いったんハマると強烈だ。

こっちの心境や境遇、それに時代の空気なんかとうまくシンクロすると、ものすごい衝撃が生まれて、猛烈に心を揺さぶられてしまう。

そんなわけで、今アタシが憧れている日本の女性シンガーは、浅川マキさんだ。

あ、「急に好きになった」わけじゃあない。

なんだか人生や仕事に疲れを感じ始めて以来、「日増しに」好きになっていった（ガキの頃はわからなかったんだね）。

「ちったぁ、面白い事のひとつも無いもんか……⁉」

そんな黄昏気分（アンニュイ）を癒してくれるのは、マキさんただひとりである。

浅川マキ
石川県出身のシンガーソングライター。1967年「東京挽歌／アーメン・ジロー」でデビュー。ステージで歌うことを活動の中心に据え、ブルースやフォークソングを披露し続ける。2010年に逝去。

一九六〇年代終わり頃から、まるで日陰者のような……徒花（アングラ）なんて言葉が流行った。

優美で色鮮やかな見た目とは裏腹に、毒を孕（はら）んでいて……。

ヘタに喰らおうものなら、命まで取られかねない厄介な存在。

そんな言い方したらとっても失礼だけど、アタシはこの独特な世界観に魅入られた。

浅川マキさん。

色鮮やかどころか、レコード・ジャケットはほとんど「烏（からす）」みたいだ。

「暗暗」と書いて、アングラと読むのかとさえ思う。

若かりし頃は、本能的にこういった「濃く淹（い）れたブラック・コーヒー」みたいな人とは距離を置いていたが、どこかに「怖いもの見たさ」というか、好奇心もあった。

それがこんなに惚れちまうとは……。

彼女が亡くなって、早（はや）十年以上が経つ。

アタシは、同業の者としてもこの人を尊敬する。

「もっともっとこの人は再評価されてもいい」なんて言い方があるが、浅川マキさんは誰のものでもなく、アタシひとりのものだから、ぜんぜん皆さん聴かないでヨロシイ!!

何でも《括（くく）らない》と気が済まないのが、世間では古くからの慣（なら）わしだけど、マキさんの歌を、単に「アングラ」で片付けて欲しくない。

♪

『夜が明けたら』　作詞・作曲／浅川マキ（一九六九年）

夜が明けたら
一番早い汽車に乗るから
切符を用意してちょうだい
私のために
一枚でいいからさ
今夜でこの街とは
さよならね
わりといい街だったけどね

洒落ではなく、「アングラの世界」に胡座（あぐら）をかいているようなマキさんじゃない!!

今、コレをこんな風に上手に歌える人がどれだけいるだろうか？

もっとも、ご本人は鼻歌のような感覚か？

ピアノの今田勝さん率いるコンボ・アンサンブルに囲まれながら、こんなにスイング出来たら気持ちが良かろうなぁ……。

歌詞は字余りだったり、音階は半音進行だったり。気怠（けだる）い曲だが、マキさんの歌声はあくまでも瑞々（みずみず）しい。

さのさや都々逸をルーツに持つ我々日本人は、誇りを持ってコレを『ＪＡＺＺ』と呼ぼう。

♪

『赤い橋』　作詞／北山修　作曲／山木幸三郎（一九七二年）

不思議な橋が
この町にある
渡った人は　帰らない
昔　むかしから
橋は変わらない
水は流れない　いつの日も
不思議な橋が
この町にある
渡った人は　帰らない

一九七一年の大晦日。萩原信義さんの生ギター一本と歌のみ。紀伊國屋ホールのライブで収録されたテイク。
これ、とてつもなく好き。ホール・エコーに包まれたマキさんの歌声は、天空から舞い降りた鶴のようにしなやかで、雪のように物静かだ。
まるで奇跡のようなお二人の演奏に、胸が締めつけられる。

♪
『かもめ』　作詞／寺山修司　作曲／山木幸三郎（一九六九年）

おいらが恋した女は
港町のあばずれ
いつもドアを開けたままで
着替えして
男たちの気をひく　浮気女
かもめ　かもめ
笑っておくれ

言わずと知れた劇作家、映画監督、詩人、演劇実験室『天井桟敷』主宰者。寺山修司さんが書いた「音数(おとかず)まるで無視」の歌詞を、四分の三拍子に乗せて抑揚深く、軽快に歌うマキさん。寺山の存在があるから……というわけではないが、彼女の音楽は多分に「色鮮やかな映像(ビジュアル)」を呼び起こす。

♪
『めくら花』　作詞／藤原利一　作曲／浅川マキ（一九七一年）

昔のことは忘れたよ

寺山修司
青森県出身の歌人、劇作家。短歌の発表を続ける傍ら、1967年劇団「天井桟敷」を立ち上げ。『青森県のせむし男』『大山デブコの犯罪』『毛皮のマリー』などの作品を次々と上演。71年には『書を捨てよ、町へ出よう』で映画作品づくりへ進出。74年の映画『田園に死す』は好評を博す。1983年、47歳で死去。

あんたのことも忘れたよ
ガキのおいらにゃ涙も出ない
流れさすらい　落ち込んで
やっと咲きます
この　めくら花

そう言えば、一九六八年にデビューした元祖セクシー女優、渥美マリさん。彼女は〝軟体動物シリーズ〟『いそぎんちゃく』や『でんきくらげ』という映画で、その妖艶な演技と魅惑的な肉体で一世を風靡した。

この人が出した『可愛い悪魔』なんて曲も、歌心溢れるまさにジャパニーズ・ポップスの隠れた逸品である。

あの当時中学生だったアタシは、正面切って渥美マリさんの映画を観る事は出来なかった。

後年、ＤＶＤでそれらの作品を観たが、改めてマリさんの素晴らしさを知った。

渥美マリ
1968年大映専属女優となり映画デビュー。69年、初主演映画『いそぎんちゃく』公開。セクシーな演技で人気を博す。渥美まり恵名義でも女優活動を展開した。

アングラは称賛の言葉

いわゆる表舞台ではない「Ｂ級」「アングラ」と言われた世界には、剝き出しの人間のイロイロが見事に描かれている。

「最後のアングラ女優」なんて呼ばれる銀粉蝶（ぎんぷんちょう）さんも、何を演じられてもすごく素敵だ。

翻って「アングラ」とは称賛の言葉なのだ!!


♪

『翔べないカラス』　作詞／真崎守　作曲／浅川マキ（一九七三年）

盲のカラスが　枯木の下で
しゃれこうべ　つゝいて
笑ってる
カラスどうした　ひもじいか
おまえの口は　なぜ紅い

さっきは聴かないでと言ったが、やっぱり浅川マキを聴いて欲しい。

演歌（美空ひばり）、ジャズ（ビリー・ホリデイ）、ゴスペル（マヘリア・ジャクソン）、ブルース（ベッシー・スミス）なんかを音楽ルーツに持つマキさんだが……。

ジミヘン、ジャニス、ローリング・ストーンズさえも超えたところにあるのが、この人のロックンロールなのだ!!

ちょっと「無双」のようなイメージだけど、マキさんはすごく繊細な気遣いの人だと思う。まっすぐ背筋を伸ばした生き方をされた方であろう。音楽というのは不思議なもので、そんな事まで伝えてくれる。

マキさんの歌声が、なんだか令和の日本人の心にも、刺さる気がする。
あゝ、アタシも浅川マキさんの歌を生で聴いてみたかった。
そしていつか、彼女のような、「純」な弾き語りライブをやってみたい!!

48 このウイルスにワクチンは無い

坂本冬美さんへ楽曲提供させていただいた『ブッダのように私は死んだ』。ご好評を頂いているようで、ただただ感謝でございます!!　冬美さんは今年（二〇二〇年）もＮＨＫ紅白歌合戦にご出演なさるようで、何よりですね。よっ、冬美ちゃん、ニッポンイチ!!（拍手）

そうそう、この曲が発表された後、「へェ〜!!」と驚いたことが一つ。曲の歌詞やらミュージック・ビデオの内容について、「なんて衝撃的なの!!」とか「坂本冬美の歌は最高だけど、歌詞が不謹慎だ!!」との御意見を、ちょいと伺いまして……。

芸歴四十二年、もうすぐ六十五歳になるアタシにとっては、「どこがそんなに過激だよ⁇」「こういうのを衝撃って呼ぶ事自体、そもそもオカシイだろう!!」と……（汗）。このヨソ様との《感じ方》のギャップに、「ヤバいなぁ。オレも、いよいよ世間と感覚がズレて来たか……?」と、ちょっぴり戸惑いを覚えてしまったものだ（まぁ、このヨソ様ってのが意外と食わせ者なんだけど）。

　そりゃあ確かに『ブッダのように私は死んだ』の歌詞は、物騒な物語ではありますよ。痴情のモツレから、男女が生きるの死ぬのとやるんだからねぇ。能楽囃子にもなった、折口信夫作品『死者の書』みたいに、無念の死を遂げた主人公のオンナが、土の中でいきなり目ぇ覚ましたりするような、言わば観念的表現を用いたりもしているわけで……。

　でもコレ、敢えて言うのもナンだけど、フィクションですから……。言わずもがな、これ絵空事であり、娯楽作品ですから!!　世の中に《衝撃の事実》ってのはあっても、《衝撃の絵空事》ってのは、あんまり無いんだよね。

　またこういう手合いに限って、その「一部」だけをひっぺがしてああだこうだと仰る。昔からアタシは、こういったご意見に関しては、それなりに誤解を受けてきた方なんだけど。とにかく、アタシのやってる事は、あくまでも「創作」でございます!!　……って、こんな事で反論するほど野暮で虚しい事はない（泣）。

　昔から歌舞伎の『寺子屋』や、人形浄瑠璃の『女殺油地獄』だって、ここで話すのも憚られるような、ショッキングな表現がいっぱいあったのよ。そんな創作の世界にまで「道を踏み外したらいかん!!」とか「非常識極まりない!!」などと倫理や整合性を求められたら、ミステリー小説も、サスペンスドラマも、ホラー映画だって……いや、ほとんどの作品が軒並み発禁処分になっちゃうよ（泣）。だったら、日本の古典芸能なんか見られなくなっちゃう!!　時に不法で時には不実、またある時はトコトン淫らだったり……。先

『死者の書』

折口信夫による小説作品。當麻寺に伝わる中将姫伝説に想を得たもの。奈良時代のこと、郎女は死者の霊を慰めるために蓮糸で曼荼羅を織りあげていく。折口は民俗学者・国文学者にして、釈迢空と名乗る歌人・詩人でもあった。

達の創作にも、「いけない事」が沢山盛り込まれてきたじゃあないか!!（んな事、分かってるだろうけど）

だからこそ、数多の作品が時代を超えジェンダーを超え、多くの人を楽しませてくれたわけでございましょう!!

こないだアタクシ、「アングラの女王」浅川マキさんの事を書かせて頂いたけど、彼女に『かもめ』という曲がある。一九六九年に発表されて、歌詞は寺山修司さんなんだけど、この歌も人を殺しちゃう話なんだ。

翌年の大ヒット曲といえば、そう、藤圭子さんの『圭子の夢は夜ひらく』。

「十五、十六、十七と　私の人生暗かった～♪」

って、この曲の歌詞だって、闇夜のように真っ暗けだ。

さらに同年、北原ミレイさんの『ざんげの値打ちもない』においては、

「あれは八月暑い夜　すねて十九を越えた頃　細いナイフを光らせて　にくい男を待っていた　愛というのじゃないけれど　私は捨てられつらかった～♪」ときたもんだ。

他にも、あのビートルズの『Maxwell's Silver Hammer』なんて、どうよ??

まぁ、歌の価値なんてのは歌詞だけがすべてじゃないけどね。

それでもあの頃は、「なんて歌だ、ケシカラン!!」などと言われることはなく（いや、当時は当時でアレコレ物議をかもしたのかもしれないけど……）、流行歌として国民がこぞって口ずさんだものだよ。

でも最近じゃあ、ナンの因果か知らんけど、ちょっとでも不埒なことを口

走った日にゃ、身近なスタッフでさえも周囲がザワザワッとなる。それから
ジワジワッと迫り来る、正体不明の圧力……。
で、「まぁ、今回はやめとくか……」と、言いたい事があっても引っ込め
たり。どこか当たり障りのないモノに小さくまとめちゃったりして。これが、
昨今巷で人気ナンバーワンの「自主規制」というヤツだ!! それなら……っ
てんで、「普通の事」やってみたら、〝毒にも薬にもならねぇ〟って怒られち
やうから、コレまた始末に悪い(泣)。
うえ〜ん(涙)。な、泣くな!! 泣いてどうなる!!

ハミ出しが素晴らしい

人間の奥底にある「闇」は、実に深い。
こうなると今後、世の中に「カリスマ」や「スーパースター」と呼ばれる
エンターテイナーなんかも、なかなか登場しヅラくなるかもね(汗)。だっ
て極端な話……昔っからそういう人たちって、ハミ出しまくっているからこ
そ素晴らしかったんだから!!
昭和の大スターたる渥美清さんなんて、映画『男はつらいよ』の中で、イ
マドキとても人前では口に出来ないようなセリフを、アドリブでガンガンお
っしゃってたよ、あの四角い顔で!!
〝けっこう毛だらけ猫灰だらけ お尻のまわりはクソだらけ 粋なねえちゃ
ん立ちションベン〟って……。フーテンの寅さんお決まりの口上だけど、こ

渥美清
東京は下谷に生まれ、長じて旅回り演劇一座に入り喜劇俳優となる。1969年より映画『男はつらいよ』シリーズが始まり、27年間48作すべてで主役の車寅次郎を演じた。96年、ガンに冒され68歳で亡くなる。

んなのはまだイイ方だからね（笑）。

ミスター・プロ野球こと長嶋茂雄さんだって、空振りした際、いかにカッコよくヘルメットを飛ばせるか研究したり、インタビューでも不思議な「長嶋語」を連発したりと、天才はカッコよくブッ飛んでおられた!!

あんなに国民から愛されたお二人だって、今同じことをやったらひょっとして、「なんかヤバくね?:」「社会人として、もっと言葉を学べ!!」とか、言われちゃいかねないよね。

そんな風潮って、やっぱりオレは嫌だなぁ。

アタシは古い人間だから言うけど、世のお父さん方だって、奥さんや娘さんたちには内緒で……たまには夜の遊びに勤(いそ)しんだり、ちょっと色っぽい場所に足を運ぶような〝人生の隙間〟があってイイと思うし、そこを一律に世間様がキツく咎(とが)めるのって、どうなのかなぁ??（すでにコレを言ってる側(そば)から、アタシの皮膚が「炎上」の熱で焦げたような匂いがするけど）

女も男も、お互いイイ遊び方をして来たからこそ、また危ない目にも遭ったからこそ、生き方を工夫したり面白いモノや文化が生まれるってモンじゃないのかい??　こんな狭い世の中なんだから、お互い、もう少し面白可笑しく生きてみたいよね。

ねえ、考えてみてくれ。

あの矢沢永吉さんが、実はめちゃくちゃカタブツで、酒場に行った事もなければ、大人の夜の世界の事なんて何一つ知らなかったとしたら、どうかね??

長嶋茂雄
立教大学野球部で頭角を現し、卒業後に読売巨人軍へ。長らく四番打者として君臨し、セ・リーグ9連覇の立役者に。「ミスタージャイアンツ」の呼び名をほしいままにする。常に全力の「魅せるプレー」を続けたのは、人一倍持ち合わせたプロフェッショナリズムの現れか。

ユーミンが、イカした男女の集う洒落たお店や、そこで交わされる会話に対して全く免疫が無くて、一度もそんな場所に足を運んだ事がなかったら??
「おふたりとも清廉潔白な感じで、ますますファンになっちゃった!!」
ってなるか?? そんな永ちゃんとユーミン、逆に怖くないか……?? お二人が、これまで本当はどれくらい遊んで来られたのか、アタシが知る由(よし)もないけど……。

アタシとしては、ある程度バランスよく大人の世界を知っていてくれた方が、人として「幅」がありそうで好きだなぁ。まぁ、アタシの作品を正当化するために、例え話とは言え、ビッグな方々を引き合いに出すのは、ズルイかもしれないけど(汗)。

アタクシは今後とも、色々な方々からのご意見やご批判は、甘んじてお受けしようと思う。

だけど、この《流言飛語ウイルス》ばかりは、いくら「感染」しても、心の中に「抗体」は出来ないだろう。もちろん治療薬もワクチンも無い。それが音楽人としてのアタシの運命(さだめ)、生きる道なのだとしたら……、めんどくせえけど、仕方ないやね。

そして今は何より、世の中が少しでも明るさを取り戻して欲しい。
新型コロナの治療薬やワクチンが、早く有効なものにならないかねぇ??
とにかくアタシもね、来年二月で「高齢者」なんだから、なるべく優しく扱ってちょうだいね、グスン(泣)。

49　二〇二〇年も本当にお疲れ様でした!!

本年も残すところあと僅か。

誰にとっても、予期せぬ大変な一年となった今年。いろいろと思うところはございましょうが、年末まで漕ぎ着けられただけでもスゴいよね。ここは一つ、おのおの自分自身を褒めてあげようじゃありませんか!!

そんなアタクシ、今はと言えば、行きつけの焼肉屋さんで、恒例の「ひとり焼肉」を堪能している。

デビューして間もない頃、大変お世話になっていたジャズ・ピアニストの八木正生さんに連れて来て頂いて以来、ずっと通ったこのお店も、昨今のコロナ禍によってダメージを受け、近々閉店してしまうとの事（涙）。

初代社長さんも良い方だったが、二代目を引き継いだ実直な息子さんが、「ひとり焼肉」だろうがナンだろうが、アタシをいつも決まった席に案内してくれて、あとは「ほったらかしに」してくれる事が、何よりありがたきオモテナシ!!　アタシにとっては、ちょっぴり現実から逃避出来る、大切な時間と場所であった。実に控えめな店主さんらしく、御近所に迷惑をかけないよう年内を以(もっ)てひっそりと店を閉めたいと言う。

長い間、本当にご苦労様でした。美味しい焼肉と沢山の思い出をありがとう。

二〇二〇年、誰にとっても、辛く物寂しい一年だったことだろう。何をするにも不安だし、虚しく時間だけが過ぎて行った。そんな状況の中でさえ、我々の命や生活を守るべく粉骨砕身される方々には、心よりお礼を申し上げたい。

♪『White Christmas／チャーリー・パーカー』

チャーリー・パーカーのアルト・サックスが、焼肉屋の店内に流れ始めた。アタシなりに、この一年を振り返ってみても、胸に残る事と言えば……あまりにも思い出が乏しい（汗）。

あゝそうだ。明けても暮れても、この文春コラムの原稿書きをしていたっけ!!

年初から連載を始めさせて頂き、早一年。思うような活動がなかなか出来ない中、こうして皆さんに紙上でお付き合い頂けた事は、感謝の限り。週ごとの「ノルマ達成」に、多少パニクる事もあったが、担当の方や、構成の山内宏泰さんのお陰で、自分自身と向き合い振り返る事も出来た。

おっと気づけば、テーブルの上には、先ほど注文したタン塩とカルビのお

『White Christmas／チャーリー・パーカー』
チャーリー・パーカーはモダン・ジャズを生み出したひとりと目されるアルトサックス奏者。クリスマスソングの定番を、彼が雰囲気たっぷりに伸びやかに演奏する音源が残っている。

出ました。炭火の熱で頬も火照る。さぁ、肉という名の燃料を焚べるぞ!!　オレの胃袋は真っ赤に燃える溶鉱炉だ!!（アタクシだいぶ、松重豊さん主演「孤独のグルメ」の影響を受けている）
　原稿書き以外はというと……やっぱりボウリングだね。あまり外に出られないとなると、身体がナマってしまう。努めてボウリング場へ足を運ぶようにしていたのである。お陰様で、いわゆる「パーフェクト・ゲーム」まで、年内二度も達成させていただいた!!　我が大師匠、プロボウラー矢島純一さんはじめ、ご教示いただいているボウリング仲間の方々には感謝、感謝の念ばかり。

♪『Santa Claus Is Coming To Town／ビル・エヴァンス』

　薄切りのタン塩をササッと網で炙ったら、これに白菜キムチを巻いて、絞ったレモン汁につけて口の中に放り込む。韓国人ホステスが、仕事終わりの「アフター」でこの食べ方をしていた……と、夜遊び上手の友人から又聞きして、すっかりこれが「通」のやり方だと信じ込んでいる。
　箸が止まらん!!　これからカルビやロースとの闘いが待っているというのに……胃の空きスペースを確保しなければ（汗）。タン塩から滲み出る肉汁と、レモン汁が口の中で溶け合って、喉元を玉露のように滑り落ちる瞬間が、〝モ〜〟堪らない!!（一応来年の干支だしね）
　あれは今年の若葉の季節。

『Santa Claus Is Coming To Town／ビル・エヴァンス』
ビル・エヴァンスはモダン・ジャズ界のトップ・ピアニスト。1930年代の米国で生まれた「Santa Claus Is Coming To Town」は彼のレパートリーとしてしばしば演奏された。流麗で優しげな音色が、静かにクリスマス気分を盛り上げてくれる。

そよ風の誘惑に負けて、アタシは自転車を購入した。一日二回は、人通りの少ない道や緑の多い公園を抜けて、隣り町あたりまで行く。見知らぬ路地裏や、レトロな商店街などに行き当たるとウキウキする。風を切るのは心地良いが、コロナ感染者数も増加傾向にあり、半袖半ズボンながらのマスク着用に、何だかまだ慣れていない頃だった。

帰りがけに、行きつけのレコード・ショップに立ち寄り、恥ずかしながら「大人買い」をする。お店の雰囲気や品揃えも良くて、あっという間に時間が過ぎる。まだお若いのに、音楽に対する「知見」も「愛」も大変豊富な御主人に、最近は自分で探すより、レコードを選んでもらって買うのだ。こりゃ「大人買い」と言うより、「子供の使い」みたいだが、アタシはココでも命の洗濯をさせてもらっている。

♪『Have Yourself A Merry Little Christmas／エラ・フィッツジェラルド』

「エラ」なんて、焼肉の部位にもありそうだけど……（笑）。

滴り（したた）落ちる油で、炭がパチパチと音を立てて煙が立ち昇る。ここのカルビは、醤油とワサビでいただく。

「すみません。ワカメ・チョレギ・サラダと、ニンニクのホイル焼きをお願いします」

何だか、頼み方まで松重さんみたいだ（汗）。


『Have Yourself A Merry Little Christmas／エラ・フィッツジェラルド』

エラ・フィッツジェラルドは史上最高峰の女性ジャズ・シンガー。彼女が軽快に歌い上げる同曲からは、タイトル通り「ささやかで楽しいクリスマスを」というメッセージがしみじみと伝わってくる。

さて、このあと白メシを頼むタイミングが重要だ。なんと言っても、ここの「特上リブロース」は旨い!! それを焦(こが)さぬよう丁寧に焼いて、タレに浸(ひた)して、白メシと共に掻(か)き込む時、この行為こそが、現代人に与えられた最高の癒しと言えるのである(このセリフも「孤独のグルメ」の丸パクリじゃねえか!!)。

二〇二〇年の締めは…

こんなご時世だからか……、長い付き合いの知人に「桑田さん、畑やりません?」と言われて、「やるやる!!」となった。春頃、その方のご自宅の庭の片隅に(とは言っても、五十坪くらい)、ナス、ピーマン、トマト、レタス、枝豆、紫蘇、トウモロコシなどの苗を植えさせて頂く。いや、正確に言えばその人が全部植えてくれたのだが(汗)。夕方お水をあげたり、虫を駆除したり、肥料を撒いたり……気づくとこれも全部やってもらった(汗)。

夏の終わり……。形は悪いが、ずいぶん成長した無農薬の野菜をたくさん収穫させて頂き、カレーや野菜スープにして食すが旨い、旨すぎる!! 罪滅ぼしに、一時間ばかり夏草の刈り取りをしたが、久々の全身疲労と虫刺されに閉口。毎日口に入れるものを作り育て、収穫する事が如何にご苦労な事か……ちょっぴり分かった気がした。

♪『Blue Christmas／マイルス・デイヴィス』

『Blue Christmas／マイルス・デイヴィス』
ジャズトランペットを自在に操り、ジャズの帝王の異名をとるマイルス・デイヴィスは、クリスマスソングもスリリングで劇的なものにしてしまう。ボブ・ドロウがボーカルを務める同曲はスタイリッシュな仕上がりになっている。

このタイミングでＢＧＭがマイルスか……。うーむ、タレ同様にコクが深い!!

最後の一枚の特上リブロースをペロリと喉奥へ流し込む。

「あ、すみません。おしぼりとユッケジャンスープのハーフサイズください」

しかし。やはりこれじゃぁ、何かが足りていない気がする。

あ、焼肉の話ではない。そもそもこの状態だと、いつも周りにいてくれるスタッフからも、アタシが歌手だということすら忘れられてしまいそうだ(汗)。

このまま二〇二〇年を終わらせてはマズい!!(汗)

「次の原稿どうしよう……」とか、ブツブツ呟いてばかりの「似非エッセイスト」か、ただの「ボウリング爺い」とでも思われかねない。

アタシはすぐさま、締めのユッケジャンスープを平らげ、マネージャーの木村に、サザン年越しライブをやらないか、とＬＩＮＥを送ったのだった。

そうしてアタシは、現在リハーサルに余念のない日々を過ごしている。

いやぁ嬉しい。ライブがやれるという事が、いや、ココまで無事に生かされ、仕事をやらせて頂けるという事自体が、ありがたい!!

タイトルの中にある、

「Keep Smilin' 皆さん、お疲れ様でした!!」

コレはもう正に、アタシたちがこの度のライブでお伝えしたいことのすべてである。今回のライブも「配信」だけで、皆さんと直接お逢い出来ない事が何より残念だけど。

でも……同じモノを見て、同じ音を聴き、お気持ちを共有させていただく事は、きっと出来るはず!!


♪『The Christmas Song／ナット・キング・コール』

この曲、今夜はヤケに染みるなぁ……（涙）。ＢＧＭを背に、「最後の」勘定を済ませ店の外へ。冬のきらめく星空に、今は逢えない人たちの笑顔がいっぱい見えた!!

皆さん、二〇二〇年も本当にお疲れ様でした。

来年こそは素晴らしい一年となるように祈って……。

メリー・クリスマス!!

どうぞ、よい年越しを!!


『The Christmas Song／ナット・キング・コール』

「The Christmas Song」は1944年、メル・トーメ＋ボブ・ウェルズが書いた曲。ジャズ・ピアニスト、シンガーのナット・キング・コールが歌い広く知られることとなった。穏やかで深みのある彼の声音が聖夜に染み渡っていきそう。

50 サザンオールスターズ ほぼほぼ年越しライブ

新年早々ですが、何を措(お)いても皆様にまずはひと言。

深く深く、御礼を申し上げます!!

何の話かって?? そりゃあ、年越しライブの事ですよ!!

年を跨(また)いで大晦日から元日にかけて、『サザンオールスターズ　ほぼほぼ年越しライブ２０２０「Keep Smilin'～皆さん、お疲れ様でした!! 嵐を呼ぶマンピー!!～」』を開催、というか「配信」させていただきました。

いやあ、何とか皆んなで力を合わせ……無事にやり遂げることが出来たのは、有り難きシアワセ!! ただし会場の横浜アリーナへと、ファンの皆さんに直接足を運んで頂くことは今回も叶わず。また本来なら、コレを手始めとして全国ツアーへ……みたいなわけにもいかず。誠に痛恨の極みでありますで……(涙)。

それでもアタクシ、ハッキリと感じ取っておりました。画面越しに観て下さっている皆さんの肉体(からだ)から、その想い(ハート)だけがフワフワと抜け出し、横浜ア

年越しライブ
「ライブは永遠に不滅です」という桑田佳祐のメッセージのもと、２０２０年6月に引き続き2度目の無観客配信ライブが同年大晦日に敢行された。会場はこれまでもサザンオールスターズがたびたび年越しライブを開いてきた横浜アリーナ。「ふたりだけのパーティ」に始まり「勝手にシンドバッド」で締めるまでの23曲が熱演された。

リーナに集結してくれていたのを!!　ステージ上からふと目をやれば、夥しいほどに観客席を埋め尽くした皆さんのオーラが、ハッキリと見て取れた!!　人数にして、どれくらいかって??　美容家ＩＫＫＯさん的に言えば、

「ど、どんだけ～?」

　ってか!!（汗）

　とにかく壮観な光景だった。そこに居てくれて当然の人たちが、いつものように笑顔で手を振り声援を送ってくれている……。えっ、ナニ？　またＩＫＫＯさん??

「まぼろし～」

　って……ち、違うよ!!　こういうのを心象風景と言うんだろうよ（汗）。

　そんな雰囲気に導かれるように、舞台監督以下すべてのスタッフが全身全霊で己の持てるものをステージに注ぎ込んだ!!　たとえ相手の姿は見えなくても、人の思いというのは我々をここまで突き動かすものか??　そこには感傷的な気持ちなど微塵もない。歌い、演奏し、パフォーマンス出来る事の喜びだけがモチベーションであった。

　そんな「三密状態になったオーラ」が「魂の交通渋滞」を引き起こすのを目の当たりにして、こちとらパフォーマーとして燃えないわけにはいかない!!　ハーメルンの笛吹き男じゃあないけれど、舞台上のアタクシは、皆さんを鼓舞したい、一緒に踊り狂って頂きたい……の一心で笛を、いやギターを掻き鳴らし、あらん限りの声で叫んだ!!

「ど、どんだけ～!!」（ＩＫＫＯさん、もう降りて来ないでください）

歌いながら瞳を閉じると、それに応えるように、お客様の姿が会場に立ち現れて、我々をアオりに煽る。そんな「魂のコール&レスポンス」の中で、アタシたちは約一カ月間かけて作り上げたセットリストを、これが「一夜限り」という事も忘れ、ツアー初日と見まごうばかりに演奏しまくったのだ。観ていてくださる皆さんも、同じような気持ちでいてくれたらイイなぁ……なんて思いながら。

だって、やっぱりね。大変な一年を、誰もがようやく乗り越えて来たんだもの。まだまだ気が抜けないってのも分かるけど、せめて「年越し」くらいは、大いに盛り上がって納めたいところだよね!!

コロナ禍。アタシも何度か心が折れそうと言うか、鬱々とした気持ちに苛まれた。

先日、テレビを見ていたら、ある女性歌手が「コロナ禍の期間中は、スタジオなどで音楽の創作に当てた人が多い」という話をしていた。アタシはそれを聞いて、ちょっと驚いた。実はアタシ、このところ創作意欲なんて全く湧かなくて(泣)。「告白」するわけじゃないけど、自分で〝無から有を生む〟自信とか気概を、一時期完全に失っていた(人と接しない事が前提の世の中になってみて、自分の「創作意欲」が、本来なら観客と接する事で成り立っているって事が、初めて痛いほどわかった)。

そんな中、アタシの場合、周りにいてくれる多くのスタッフ達の姿に、いつも心救われている。昨今は、アタシの実の子供なんかより、さらに若い人達がマネージャーとして、現場の担当者として各所を仕切り、動かしてくれている。仕事仲間として、人として、アタシは大いに彼らや彼女らが好きだし尊敬している。全面的に信頼出来る人たちがこうして側にいてくれる事は、本当にありがたいと思う。

今回に限った事ではないけれど、彼らの笑顔や言葉に背中を押され、一緒に仕事をさせて貰っている事が幸せだ。彼らが「寝ずに」セッティングしてくれた舞台の上で、今回もアタシはサザンのメンバーと共に、世の中に出向いて行く事が出来たのである。

こんな世の中だから、みんな悩みもあるだろうし、それぞれ生きて行くのも大変だろう。少しは愚痴のひとつも言いたかろうに……（こんな爺いに言っても仕方ないか?・）。

まぁ、キミたちの事をきっとお天道様は見ているぜ!!

そして、《昨今の淀み切った世の中の空気を、外側へ向けて思いっ切り解放させよう!!》《そんな機会を作るのも、エンターテインメントに携わる者の務めだろう!!》と、アタシはスタッフと共に、強く心に刻んでいる。

頑張ろうニッポン!!

しかし、このタイミングでライブが出来たのは、アタシにとってても大きな救いだった。というのも最近、「歌手は歌い続けてナンボ」というのを痛感しているのだ。歌っていないと、使っていないと……ノドと声って、やっぱり衰えてしまうモノだ（泣）。レコーディングのように自分のペースで歌うならまだしも、ライブをこなす「歌唱体力」は、常に実践を重ねていなければ、筋肉や呼吸器官と共に、確実に弱まってしまう。

二〇二〇年は結局、六月に一度、そして年越しライブと、二回しかライブが出来なかったわけで……。それにしては、随分と手間暇を費やしたけど(泣)。

いや、今は、我々如きの立場で泣き言を言っちゃあダメだ!! とにかく、この経験は絶対に無駄ではないと信じている。

かくなるアタクシも来月には高齢者の仲間入り。今年はあらゆるキッカケを捉(とら)え、歌唱体力を保って参りたいところだ!!

あとね。こうも非日常(イレギュラー)な日々が続き、行動を必要最小限にして、小さなルーティンをこなしていると、毎日があっという間に過ぎて行くよね。ネガティブな情報(ニュース)ばかりに塗(まみ)れながら、何も出来ずにいる自分を痛感する。

「音楽人」として、己が世間の座標軸のどの辺りに位置するのか?? そんなアイデンティティすら、最近は見失いそうになるのだ。

しかしこんな時も、やはりアタシを正気に立ち返らせてくれるのは、デビュー以来いつも支えてくれるファンの方々だ。これはキレイゴトでも何でもなくて、あの方たちの声援と存在こそが、我々のアイデンティティそのものである。

「お客様は神様である。しかし、裏を返せば鬼にもなり得る」

それを常に肝に銘じなければいけない。

創作意欲を失くそうが、座標軸を見失おうが、アタシを音楽人、ミュージシャンとして生かしてくれているのは、ファンの方々との絆以外にあり得ないだろう。

だから今年こそは絶対……いや、もうこれ以上言わないでおこう。また夢になっちまう（落語「芝浜」より）。

今回のライブがすべて終わった後で、ウチの若いマネージャーが全国の花火師さん達にお願いして、冬の夜空に花火を打ち上げた。

アタシ、これには心底胸を打たれた!!（涙）中でも、岩手県陸前高田市気仙町の「奇跡の一本松」。打ち上がった花火が、その幽玄なシルエットを夜空に浮かび上がらせた光景は、日本人の心が、今でも東北に寄り添っている事を物語っているようで、泣けた。

「その時は必ずやって来る」

「頑張ろうニッポン!!」

ファンの皆さん、スタッフ諸君、打ち上げ花火に込めた願いと共に……。

二〇二一年が、素晴らしい年となりますように!!


「芝浜」

古典落語の演目。夫婦の信頼を描いた人情噺。自堕落な生活の魚屋の勝五郎はあるとき財布を拾う。中には大金が。労せず金持ちになれたと思った勝五郎は飲んだくれる。酔いから覚めると財布は跡形なく消えていた……。真面目さと誠実さが身を助けると教えてくれる人気演目である。

51 ねえ、ボウリングやりましょうよ!!

年が明けたと言うのに、自由に出掛けられない日々は続く……。何はともあれ、今年こそ明るく元気に参りたいものですな!!

そんな中、アタシの心とカラダを、何かと健やかに保ってくれる、ありがた〜いモノがある。それが、今回お話しするボウリングである!!（中国語で「保齢球(ボウリング)」とは、いとをかし!!）

はい。ボウリング場へはせっせと、週に何度か足を運んでおります。ボウリング場そのものがアタシは好きだし、そこでお会いする人達や、お世話になっている皆さんも素敵な方ばかりだ。行けば決まって五〜七ゲームは投げる。ボールをリリースする際の親指の抜け具合、スイングの軌道、軸足の膝を折るタイミング……等々、色んな事を考えながら、三時間ほどかけて黙々と投げ込む。それはアタシが「音楽人」でも「歌手」でもない、唯一「無」になれる……いや、ただの「その辺によく居るオッサン」になれる、大切な「時間帯」なのである。

それにしても、ボウリングの何がそんなにイイのかって？　まずは老若男女が一緒に楽しめるのが素晴らしい。年齢・性別・体格がそれほどハンデにならないんだね。

東京に初めてボウリング場が完成したのは、今から七十年近く前の昭和二十七年の事。港区神宮外苑に「東京ボウリングセンター」がお目見えした。

もちろんアタシも「話」でしか聞いた事はないが、戦後間もなくの頃、連合国軍総司令部ＧＨＱから、全米で大流行しているボウリングを、日本でも普及させてはどうかという提言があったらしい。その数年後、茨城県鹿島郡にあった、内閣中央航空研究所の鉄骨造り格納庫を解体し、青山に移して組み立てたビルの中に、全二十レーンを敷き詰めたという伝説のボウリング場。一ドル三百六十円の時代。サラリーマンの給料が七千〜八千円。日本人でボウリングが出来たのは、ごく一部の人たちに限られていた。客層は富裕層のほか米駐留軍らとその家族、および芸能人や一流スポーツ選手などであった。その頃は勿論、マイボールやマイシューズなど持つ人はおらず、ゲーム料は始めのうち昼夜問わず一ゲーム百二十円。貸し靴料として二十円也。

そして、ピンのセット・アップは「ピンボーイ」が〝手動〟で行い、〝容姿端麗で英会話の出来る〟、女性の「スコア・キーパー」が、手書きで点数を書き込んでくれたという!!（う、羨ましいぞ）

やがて、この米軍基地由来のレジャー・スポーツが、日本の高度成長期と相まって、庶民の間にも急速に浸透する事となるのだが……。ここ「東京ボウリングセンター」こそ、「歴史的文化発祥の地」であり、有名プロボウラ

東京ボウリングセンター
1952年に東京青山・神宮外苑脇にできた日本初の民間ボウリング場。一流の社交場であり、コーラやハンバーガーのある米国文化の発信地でもあった。1987年に吉祥寺へ移転。

ーなど多くの人材を輩出し、後の「ボウリング・ブーム」の礎(いしずえ)となった場所である。

日本では一九六七年に男子プロ、翌々年には女子プロボウラーが誕生する。そしてボウリングの人気が、そのピークを極めた象徴的なシーンを、我々日本国民が目撃する日がやって来た。

一九七〇年夏。その実力と美貌で、お茶の間にも人気だった中山律子プロが、なんと公式試合の決勝戦において、「テレビ中継で初のパーフェクト・ゲーム」を達成したのだ!! 奇跡の大記録と『スター誕生』の瞬間。太陽のような笑顔で、両手を高々と挙げて観客(ギャラリー)の声援に応える彼女は、我々ボウリング・ファンのみならず、数多のジャンルを超えた時代の寵児(ニュー・ヒロイン)となった!!

中山さんは、その「ソフィア・ローレン」のようなお顔立ちだけでなく、お人柄も大変キュートで気品溢れる方だったので、その人気は瞬く間に大爆発!! かつて物見高い人たちだけが群がっていた「ボウリング村」を、全国区に押し上げたのは、なんと言っても彼女の功績が大きい!!

しかし、その三、四年後。あの「オイル・ショック/石油危機」が日本を襲う。「エネルギーの節約」「節電」「省エネ対策」に、折からの物価高騰を受け、我が国のレジャー産業、ひいてはボウリング業界は大打撃を受ける!! 全国各地のボウリング場が、軒並み閉鎖や倒産を余儀なくされる事となった……。

とまぁ、知ったような事を並べてみたが、そこからコロナ禍の現在に至るまで、日本における「ボウリング」は、紆余曲折ありながらも、どっこい今(こん)

中山律子
女子プロボウリングの1期生。1969年からプロボウラーとして活躍し、公認パーフェクトを2回達成。屈指の人気ボウラーとしてCM出演なども多数。

日も根強く生き続けているのである!!

重さ約五〜七キロ前後のボールを転がして、約十八メートル向こうに並ぶ高さ四十センチ弱のピン十本を倒しにいく……。そんなゲームが、何故これほど奥深く、悩ましいほど魅力的なのか?

どれもこれも同じように見えるレーン。実は、その表面にはコンピュータ制御による「オイル」が塗布されていて、会場によっても、時間帯によっても、投げるプレイヤーの数によっても……、そのコンディションが刻々と変化し、ボールの曲がり方が違うのを、貴兄はご存知か?? ゴルフで言うところの「風」や「芝目」の如く《レーンは生きている》という事実を、お分かり頂けるだろうか??

あまり喋るとボロが出るのでホドホドにするが……。どんなスポーツだってそうだろう。「一筋縄ではいかない」「裏も表もある」から面白い。そして、そこには多くの人の「愛」があるから、絶対に滅びないのだ!!

自分の生活にボウリングがあって本当に良かった!!

矢島プロからのプレゼント

そんなアタシの気持ちを汲んで頂き、スタッフやボウリング関係者様のご厚意で、一昨年から始まった「KUWATA CUP〜みんなのボウリング大会〜」。二〇二〇年の第二回大会が、このご時世で「ペンディング」になっているが、状況が落ち着き次第、再び開催される事を切に願うばかりである。

その時は、是非とも御一緒にボウリングを楽しみましょう!!

実際アタシも、ボウリングを日常に取り入れたのは、還暦祝いに、日本ボウリング界の至宝・矢島純一さんから、マイボールをプレゼントして頂いたのがキッカケだった。人生こんな贅沢な話が、あってイイのだろうか……??(汗)

そこから一気にハマっちゃったわけだが、アタシの場合「昔取った杵柄(きねづか)」と言うか、かつて十代の頃にも、どっぷりハマっていた時期がある。

前述の如く、当時は日本中でボウリングが大ブーム。アタシの地元・茅ヶ崎でも、「パシフィック・ホテル」の中に、小洒落たボウリング場があった。ウチの親父の影響もあり、アタシも中学三年生の時、教えて貰いながらやってみた。すると、これがすこぶる面白い。あんまり口もきかなかった親父と、ボウリングに関しては心が通い合った。高校に上がっても、ボウリング熱は冷めやらず。何事にも考えが甘いアタシは、本気で「プロボウラーになろう」と夢想したこともあった。

ただ突き詰めていくと、物事は何でも壁にぶち当たる。地区のジュニア代表として関西などに「遠征」に出かけたものの、所詮自分は井の中の蛙(かわず)。ホームではソコソコやれても、「上には上がいる」という事を、心底思い知らされる。

地元では、当時流行った「ハイスコア・レーン」(オイルの塗り方でストライクが出易い状態を作る)で投げてばかりで、すっかりフォームを崩してしまったのだ。夢を失くした青春ほど、空虚で惨めなモノはない(涙)。

矢島純一
日本を代表するプロボウラー。1967年の日本プロボウリング協会設立とともにメンバーとなる。国内トーナメント優勝回数41回を誇る。米国のトーナメントにも参加し活躍。

ナンの因果か？「音楽でもやろう」と、結局道を逸れてしまったわけだ（それでも、音楽でメシが食えたのは「運」と「仲間」と「スタッフ」に恵まれたからである）。

同じボウリングでも今と昔を比べたら、理論や状況がだいぶ違って進化している。ボールの材質もそうだし、レーンだって木製から合成樹脂へと様変わりした。

今年（二〇二一年）の八月に七十六歳になられる、プロ第一期生「ミスター・ボウリング」矢島純一さんなどは、いまだにその革新性への挑戦と追求を止めない。

アタシなんか有り難いことに、その矢島プロからよく御指導して頂くのだが……。矢島さん、ご自身の《まるでロールスロイスのような》優雅なフォームを実演しながら、とても優しく御丁寧に教えてくださる!!　すみません、不肖の弟子たるアタクシは、教えて頂いた事がなかなか学びきれずにおります……（汗）。

十代の時に、中途半端な別れ方をしてしまったボウリングと、この歳になってヨリを戻せた事をとても幸福に思う。

ボウリングを愛する者たちに幸あれ!!　ロッケンロール……じゃなくて、

Let's Go Bowling!!

52 さんまちゃんがいれば大丈夫!!

アタクシ、長年にわたりシンガーソングライターを生業として来た者ではあるが、他所様への楽曲提供が、自慢じゃないが、さほど多くはない。以前この連載でも、アイドル時代の松田聖子さんから楽曲制作のオファーが来なかった!! 待っていたのに(泣)……という恨み節(決して恨んでなんかいないの、寂しかっただけ)を書いた事もあった(汗)。

そんなアタシに、曲を依頼してくれた奇特な方がいる。一九八〇年代にアタシを指名してくれた人、その名は明石家さんまさんである!!

ある時お会いしたら「お願いがある!!」とおっしゃる。満面のさんまスマイルで、何度も頭を掻きながら……コレにやられちゃうのよね(笑)。当時の大人気番組「オレたちひょうきん族」の中で使いたいから、『アミダばばあの唄』なるモノを作ってくれと。さんまちゃんはその時すでに「アミダばばあ」というキャラクターを番組内で演じていた。

「サビの部分はもうあるんよ。♪あみだくじ〜あみだくじ〜って感じなんや

「アミダばばあの唄」 1980年代を席巻したお笑い番組「オレたちひょうきん族」に登場する人気キャラクター「アミダばばあ」のテー

けど。これ、ちゃんとした曲にしてもらえる?」

アタクシと同い年の「稀代の天才」からご指名戴くのは光栄の至り。二つ返事で了承、作らせて頂いた。

アタシ「ところでさんまちゃん。曲調はメジャーがイイ?　それともマイナー⁇」

さんま「え、何言うてんねん⁉　俺、もっとメジャーになりたいねん!!」

アタシ「……（苦笑）じゃあ、キーを調べさせてよ」

さんま「大丈夫。キーはポケットに持ってるがな。だから、桑田くんの好きな感じでエエよ!!」

こんな噛み合わないやり取りもあって……（汗）、曲作りとレコーディングが始まった（彼は確信犯の王様だから、すべて理解していてボケているのである!!）。

当時サザンでもお世話になっていた、新田一郎さんに編曲をお願いし、オケもビシッと「ジャズ」風味に仕上がった!!

そして、いざ「歌入れ」の段となる。最初っから音程はハズレまくり……だが、ハズし方も実に味があると言うか、絶妙にツボを押さえていて、彼の歌（パフォーマンス）に、スタジオ中が笑いに包まれる。実はさんまちゃん、絶対に歌が上手いのだ!!　あれは、「お笑いの自分が上手く歌ってもシャアないから」と、《ビジネス音痴》よろしく、敢えてハズしていたんだと思う（笑）。

「桑田くん、ここのメロディは♪ミ、レ、ラ、ラ、レ〜ファ、ド〜だったっけ⁇⁇」


マ曲として1983年に制作された。アミダばばあに扮する明石家さんまのしゃがれ声が哀愁漂う曲調とぴったりで涙を誘う。

真骨頂の「デタラメ音階」鼻歌で、意味不明な質問を投げてくる。

「はいはい。アナタのお好きにどうぞ!!（笑）」

アタシは〝笑い涙〟を浮かべながらディレクター席でそう答えるしかなかった。

大の音楽好きでもあり、どんなジャンルについても見識が広いから、会ったミュージシャンは皆、さんまちゃんのファンになる。笑わせながらも、相手への敬愛の念を忘れない。コレこそが、彼の「最強」たる所以であろう。

さんまちゃんと最初にお会いしたのは、確かサザンがデビューしたての頃、ツアーで大阪に出向いた時だ。芸人さんをはじめ賑やかな人たちが夜な夜な集まる、大阪梅田の飲み屋があった。そこにウラ若き明石家さんまちゃんが誰に呼ばれたか？　やって来たのだが……現れるやいなや、見事なまでに店全体のボルテージが上がった!!　他の誰も言葉を挟めないほど、彼はひとり仁王立ちで喋り倒す。とにかくあまりに話が面白いから、皆がさんまちゃんの周りに集まって来て、もんどり打って笑い転げた!!

彼は、それまで面識の無かった我々メンバーやスタッフ一人一人にまで、「目」と「心」を配る。頭の回転がヨロシイのはもちろん、その「笑いの動体視力」……のようなものに、アタシは驚いたと同時に、この人の気遣いには感動した!!　でもその時、さんまちゃんがあんまり勢いよく喋るもんだから、飛び散った大量の唾（今で言う、飛沫）が料理のお皿に全部入っちゃって、結局みんな食べられなくなっちゃった（汗）。まさに「衝撃的」なさんまちゃんとの出会いであった。

分野は違えど同級生同士。だけど彼は苦労人であり、アタシなんかよりひと回り以上、人間的にも大きく見えた。「言葉の天才」はよく居るが、あの人はその遥か上を行く……もはや「哲学者」のような領域だろうか（笑）。

彼の《生きてるだけで丸儲け》なんて名言は、アタシを含め多くの人の「範」となっている。さんまちゃんご自身が生み出したり広めた、「今や日常語となった言語（ボキャブラリー）」も、数多いと聞く。「天然」とか「ドヤ顔」、「バツイチ」を始め、思いがけず意図せぬ笑いが取れた時に使う「オイシイ」もそうらしい。かつては、失敗やコンプレックスとして処理されていた状況を、「お前それ、オイシイなぁ……」と言って拾い上げる事で、その人物そのものを肯定したり、新たな立ち位置を与えるのはスゴい。日頃、誰もが体験していながら、それまで名付けられてさえいなかった「状態」に対して、見事に言葉を当てハメていく。

「昭和のサイテー男」は、「平成の笑うソクラテス」となり、今や「令和になっても落ち着きのない現人神（カリスマ）」として、数多の名言と偉業をこの世に放ち続ける!!

やる時はヤル男!!

今から四十年くらい前。あれは確か甲子園球場だったか？　地元ラジオ局の主催で、我々サザン・チームと、さんまちゃんも所属する吉本チームが野球で対戦した事がある。スタンド席は地元関西の応援団でかなりの熱気を帯びていた。野球の試合とは言え、そこはお笑いの本場。しばしば試合は中断し、グラウンド上はギャグの応酬などで吉本新喜劇のような様相となる。「試合というより、お遊びだ」。中学まで野球部だったアタシは、そんな気持ちでマウンドに立っていた。

全七イニングが終わる直前まで、我々がリードしていたと思う。そして、ランナーを二塁三塁に背負った一打逆転の場面。「ウグイス嬢」がその名を告げた時、この日最大の山場(ピーク)が訪れた。

「四番代打明石家さんま」

それまでとは明らかに様相の違う大歓声が夜空に轟(とどろ)く!! さんまちゃんは、いかにも「お笑いの人」といった風情で、照れ臭そうにバッター・ボックスへと足を運ぶ。いつもの戯(おど)けた、照れ臭そうな表情だ。そう言えば、学生時代にサッカーをやっていたと聞く。だからか……、バットの持ち方や構えなど、ひと目見ても素人臭いし、やり慣れない感じだ。アタシは多少自信もあって、流れからしても、こんな「野球シロート芸人」なんかに、絶対負けないとタカをくくった。

振り遅れて、ファウルにするのがやっとのさんまちゃんを、ツー・ストライクまで追い込む。決して彼を侮(あなど)っていたわけではないけれど……。あと一球、中学時代に鳴らしたこの右腕で、そこそこのボールを放れば、さんまちゃんを三振に切って取って、試合は終わりだ。バッター・ボックスで、極(き)まり悪そうに半笑いで構えるさんまちゃん。

「さんまちゃん、野球ならオレの方が上だ」

そう呟いて、アタシが気合いを入れて投げたボールを見据えた彼の目は、もう笑ってなんかいなかった!!

「もらった～!!」

まるで劇画のように、さんまちゃんはそう叫び、真芯で捕らえたボールは右中間を深々と抜けて行く。ベースを回るさんまちゃんの足は軽やかに速い!! 最後は右手を自分でグルグルと回しながら、一気にホームへと駆け込んだ。試合に負けた事よりも、さんまちゃんにやられた事がショックだった。大袈裟ではなく、人生の底知れぬ厳しさを教えられた感じだ（泣）。背後で、甲子園球場が、ヒーローを称え燃え上がっている。

今でもその時の事を振り返ると奥歯が軋む。だけど……、これが明石家さんまなのである。ナンにもしないフリをして、やる時はヤル男!! 呼び込むチカラが強いというか、アテ勘が凄いというか……。昔も今も、変わらず毎日のようにテレビに出続けているのがカッコいいね!! 出っ歯、いや「電波芸者」って言葉は、この人のための偉大な称号なんだろう（笑）。人を喜ばせることが好きでタマらないんでしょうな……。

昨今のように「世の中が弱っているなぁ……」という時でも、「さんまちゃんがいてくれるうちは、何とか大丈夫!!」と、思えてしまう。彼こそ日本を元気にするための、即効性ある最強のおクスリだ!! 早く総理大臣になってくれ!!

いつもありがとう、明石家サンタさん!!

53 ザ・ベストヒット神様!! 小林克也様!!

「DJ・コービーの伝説」

1982年、サザンオールス

「この長いトンネルを抜けるには、まだまだ時間がかかりそうだ……」

川端康成の小説「雪国」と同じなのは、《長いトンネル》だけだが……、もはや国民の誰もが、そんな事を痛切に感じているのではないか。

この未曾有の難局に、「心が折れそう」などと言うなかれ。

皆さん……もうすでに、心の骨の二、三本はイッちゃっていても、仕方あるまい、無理もない(汗)。

伊豆から河津桜の便りは聞こえて来ても、《世情は厳しく、春まだ遠い》今日この頃である。

されど、この春……。

三月二十七日に、晴れて八十歳「傘寿」のお誕生日を迎えられる方がいらっしゃる。

我らが敬愛する「ミスターDJ・コービー」こと、小林克也さんである!!

(ちなみに『DJ・コービーの伝説』とは、克也さんの事を歌った、克也さ

んにも参加して頂いたサザンの曲なのだ）
心よりお祝いを申し上げたい!!

日本人が喋ってたの!?

克也さんに初めてお会いしたのは、一九八〇年前後だったか？　当時新宿にあった「ＦＭ東京」のスタジオで、ご挨拶させて頂いたのを覚えている。

「あっ、この人が、やたらカッコいい英語ナレーションの人か……」

アタシが大学生の頃、土曜日の夜に東京12チャンネルで、『ナウ・エクスプロージョン』という、海外アーティストのライブが観られるテレビ番組があった。

七〇年代、まだまだ我々にとっては、動いて演奏する「外タレ」の姿を観られる事など、ほとんど無かった時代。

「レーナード・スキナード」「ディープ・パープル」「ドゥービー・ブラザーズ」といった、まさに夢にまで見たロック・ミュージシャン達の演奏に乗せて、そのバンド名や曲紹介など、カッコいい英語のナレーションがかぶさる!!

初めてお会いした時、何故だかその番組の話になった。

「僕は、あの東京ローカルの番組を観て育ったんです。広島ご出身の克也さん、ご存知ですか？」


ターズ５枚目のアルバム『NUDE MAN』の冒頭曲として発表された。ＤＪ・コービーとは小林克也のことであり、小林本人もＤＪの声で参加している。

世間知らずのアタシが、そう問いかける。

するとと克也さん、照れ臭そうに、

「あ〜、あれね……実は、あのナレーション、俺なんだよね。えへへへ」

脳の回路に、きちんと電流が通うまで、約十五秒くらいかかった（汗）。

えっ、そ、そうだったの？　て言うか、あれ、日本人が喋ってたの!?

些細な事だとお思いでしょうが、アタシにとって出会い頭のこのやり取りこそ、ありがたくも克也さんとの距離をギュッと縮めた瞬間であった。

ガシッとした顎の骨格、ちょっとタラコ唇の大きなお口（失礼）、重低音が響く良く通るお声、綺麗な歯並び、眼鏡の奥の優しい大人の眼差しが、とにもかくにも印象的だった。

その後、克也さんとは何度かお仕事をご一緒させて頂いた。

番組にお呼ばれして、あの方と向き合うと、何をどう繕っても「全部バレちゃってる」みたいな気がして、「見栄を張ったり」「自分を大きく見せる」事は諦めた。だって、どうやったって人間的に勝ち目はないんだもん（汗）。

いつでも、こちらの気持ちに寄り添ってくれる克也さん。

だけど、アタシなんかと比べたら、人生の経験値や音楽リテラシーの豊富さにおいて、笑っちゃうほどその差は歴然としている。

「全部バレちゃってる」し、「何でもご存知」だから、お会いした時のアタシは、いつも克也さんとの「トーク・セッション」に、ゆる〜く気ままに身を委ねる事にしている。

自然体の克也さんには、無策・無欲で相対するのが最善の策なのだ。

物事を何でも額縁に入れたり、型に嵌める事があまりお好きではないと思う。「上から目線」でもなく、「御自身の事が大好き」というわけでもなく、克也さんはいつも克也さんであり続ける。そして決して口には出さないが、とっても情け深く、涙もろい人なのだ。

アタシも参加させて頂いた、一九八二年の克也さんのアルバム『もも』。その中の『六本木のベンちゃん』というネオ・エレキ歌謡ナンバーには、克也さん特有の「優しさ」や「可笑しさ」や「哀しみ」がブチまけられている。そんな《秩序ある破壊主義者》たる克也さんが、狂おしいほど愛おしく思えるのだ。

世間的には、色んな肩書きで称される克也さん。

ラジオＤＪ、ナレーター、歌手、俳優、その昔は外国人観光客の通訳もやられていたそうな。

盆栽や観葉植物を愛で、家具や陶器収集家の一面もおありだと記憶する。

一時期は、アタシもちょっとそれに影響を受けた。

「少し元気のない鉢植えがあったら、葉っぱを撫でてやりながら、元気の出ない理由をそいつに訊ねるんだ(笑)。で、最後に、『よし頑張れよ。また明日会おうな』と言ってやると、うなだれていた葉っぱが、翌朝にはピーンと背筋を伸ばしているからね!!」

たぶん、コレには科学的根拠など無いだろう。

そしてそこには、四十年も続く番組「ベストヒットＵＳＡ」で、海外ミュージシャンと〝丁々発止〟渡り合うＤＪ・コービーの姿は微塵も感じられな

「ベストヒットＵＳＡ」
１９８１年にテレビ朝日系列で放映が始まった洋楽番組。現在もＢＳ朝日に場を移して番組は継続。進行担当は放映開始時から一貫して小林克也が務める。ミュージシャンや名曲の裏側までを小林がノリよく伝えてくれて人気。

い（笑）。

先ほど「リテラシー」と言ったが、たくさんの外国人アーティストへのインタビューなどで、多くの情報を引き出したり、受け答えもしなくてはならない克也さん。

「ベストヒット～」を長年観ていて、あの人がインタビューの最中に《口籠（くちご）もったり》《置いてけぼり》を食らう姿を、あまり観た記憶が無い。

言い方は僭越だが、本当によく勉強されていらっしゃると思う。

ジャーナリストの愛と情熱

小林克也という《ナンバーワンＤＪ／ＭＪ》は、ショー・ビジネスだけでなく、世界情勢などを含めて、「ジャーナリスト」としての知見も、かなりお持ちだと推測する。

そして、「あの人のお陰で洋楽が大好きになった‼」と、言い切れる人間は、このアタシだけではないだろう。

二〇一九年。「ベストヒット～」の《Ｑｕｅｅｎ特集／一時間スペシャル》というのを観た。これは我々世代にとっても、モノ凄い〝神回〟である‼

ゲストに、元「ミュージック・ライフ」誌編集長の東郷かおる子さん。

そして、もう一人はあのビートルズを最初に撮影し、以降洋楽アーティストをファインダー越しに見続けたレジェンド・カメラマン、長谷部宏（コーハセベ）さん（おん年九十歳）である。

「ミュージック・ライフ」
シンコー・ミュージックが編集・発行していた音楽雑誌。創刊は１９３７年。当初はジャズに力を入れていたが、ポッブス・ロック路線に落ち着く。64年4月号でビートルズ特集を組んで話題に。1998年に休刊となる。

Ｑｕｅｅｎを題材に、克也さんと東郷さんの、味わい深いお話はまさに必聴モノ。「生き字引」であり「現役のポップス・ファン」としてのお二人のやり取りには、心底感動する!!

そして、今日まで、洋楽ポップスの素晴らしさを我々に伝え続ける、筋金入りの音楽人として、アタシなんかはまだまだ鍛錬が足りないと思う。

音楽ジャーナリスト同士の「愛」と「情熱」が心に染みた。

また、長谷部さんの「毒舌」ぶりには腹を抱えて笑った。

「あのベースのヤツ（ジョン・ディーコン）なんかさ、他のメンバーから仲間外れにされてると思ったら、意外とアイツらみんな対等なんだよ」

そんなお話が満載である!!（笑）

終始克也さんが、とても幸せそうで嬉しくなった。

時代は変わり続ける。

だけど、人の心とポップ・ミュージックへの想いはずっと変わらない。

そんな事を、いくつになっても「音楽ファン」「ジャーナリスト」「ＤＪ」であり続ける小林克也さんと、お仲間の皆さんに教えて頂いた気がする。

ＤＪ・コービー様。

改めて傘寿を迎えられること、お祝い申し上げます。

そして心より感謝を込めて、「See You Next Week!!」

54 一番歌が上手いって何だ⁉

昔からよくあったっけ……。

「団体の枠を取り払ったら、プロレスラーの中で一番強いのは誰だ?」とか。

「競馬のオールタイム・ベスト名馬は?」とか。

「小学生が一番好きな給食の献立は?」とか。

「生まれ変わったらなりたい顔ランキング」なんてのも、最近はよく見かける。

とかく比較と順位づけを求めて止まぬのが、人の世の常!!

「音楽」の世界にもそれはあるのだ。

よく取り沙汰されるランキングものと言えば、「誰が一番、歌が上手(うま)いのか⁉」である。

そう、テレビや雑誌でチョクチョク見かけるあの企画。

「○○のプロが選ぶ、一番歌が上手い歌手ランキング!!」

「○○」には決まって、いかにも専門家っぽいポジションや、訳知り風の名称が入る。

こういうランキング。結果はともあれ、今ひとつ信頼性が感じられない。

そもそも、議論する上での「前提」が欠如しているのだ。

まず、「○○を歌わせたら」というお題がない限り、「○○家がガチで選んだ」などというのは、まるで○○○隠して○○隠さずである!!（話がまるで見えなくなった）

まず「この曲を歌わせたら」みたいな、具体的な事例が欲しい。

つまり、「誰」が「どんなジャンル」で何を使って勝負するのか？　……格闘技で言うところの、寝技も立ち技も何でもアリなのか、それとも限定されたルールなのか??（何をそんなにアタシはアツくなっているんだ!?）

だけど、アタシね。もし自分の名前がこのランキングに入っていたら……スゴく嬉しいだろうなぁ……。な、情けない（汗）。

そうした上で、民謡、洋楽、クラシック、歌謡曲、ロック……。

バックボーンや年代さえも超えたモノ同士が、同じ土俵の上で競い合うランキングが出来上がったら、とーっても夢があるよね!!（ここで綺麗なお花畑の映像）

え？　誰が上手いかなんて、それぞれ人の好みだし主観だろうって??

そう。おっしゃる通りである!!

もしかして、自分がランキング入りした事がないのを、僻(ひが)んでいるのかって?? いや、違う、違うんだってば（汗）。

そもそも、選ぶ立場の人が「○○のプロ」「○○家」「当代人気の○○」ってのが、どうにも上から目線過ぎないか??（汗）

じゃあ、声楽家とオペラ歌手と演歌歌手とポップス歌手がいて……。

「ポップス歌手がガチで選ぶ、歌が上手い声楽家!!」って企画は、番組として成立するんだろうか?? おそらくあり得ないって事だろう（汗）。

いや、上から目線っぽい皆さんだって、それぞれ抜きん出た腕前をお持ちだろうし、その力量や専門知識を疑っているわけでは決してない。

だけど、こと音楽に関しては、「ガチ」ほどいかがわしいモノは無いし、「プロが選んだ」というお墨付きほど、怪しいものは無いんだよ。

そもそも歌とは、技術や正確性を競うものなのか？ いや、ごく当たり前の答えだが、アタシは違うと思う。

歌とはすなわち、その善し悪しや好き嫌いは、あくまでもその歌を楽しみ享受してくれる人、すなわちファンの皆様が決めるものだ。

そこでは、音楽教育をキチンと受けた（もしくは売れっ子○○みたいな）専門家的な知識や技量が、そのまま通用するものではない。

コレも当たり前の話だが……。

「歌」や「音楽」はこうやって聴け……みたいな、押し付けがましさが透けて見えるのは、実に傲慢ではないか!?

その歌手の顔、表情、特徴的なクセ、カラダの動き、滲み出る人生そのもの……。古臭い言葉だが、この極めて「ｆｕｚｚｙ（ファジー）」な感覚、それらをまとめて感じ取るのが、言わずもがなエンタメの楽しさであり、醍醐味なのである。

だから、三波春夫さんではないが「お客様は神様です」とは、よく言った

三波春夫
浪曲師から転じて１９５７年

ものだ。別に、お客さんの仰る通りに芸をしますとか、媚びるわけではないけれど。「聴いてくださる一般の人達あってのもの」という事を、いつだって忘れてはいけない!!

あなたの周りにも、自分自身が「上手い」と思い込み、嬉々としてカラオケに興じているお方はおらんか?? 他人を一切放ったらかしにして、自分が気持ち良くなるためだけに歌っている（このアタシも含めて）そんな御仁の顔や姿が目に浮かばないか??

コレは「プロ」に限っての話だが、自分で自分の歌に陶酔している歌手ほど、見苦しいモノはない。

《大衆とは浅はかなれど愚かにあらず》（作者不明）

世間というのは多分に浅はかではあるが、エンタメであれ政治であれ、直感的に物事の本質を見抜くものである。

歌が上手いかどうか……、仕事が出来るか出来ないかは、いつの時代も「愚かなる賢者」ではなく、「善良なる大衆」が決めるものなのである。

偉大なギタリストとは

アメリカの音楽雑誌「ローリング・ストーン」誌では、何年かに一度、「〇〇ベスト100」のような企画が行われる。

かつて、同誌が選ぶ「オールタイム・グレイテスト・ギタリスト」というのがあった。

に歌謡界へデビュー。朗らかな笑顔と浪曲によって鍛えた歌声で「チャンチキおけさ」「大利根無情」「東京五輪音頭」などヒット曲を多数生んだ。「お客様は神様です」の名言も残す。２００１年に逝去。

最上位に、ジミ・ヘンドリックスやエリック・クラプトン、ジェフ・ベックらがランクインするのは、容易に想像がつく。しかしなんと、彼ら「ロック・ギターのレジェンド」達と共に、堂々とそこに居並んだのは、あのブルースの父Ｂ.Ｂ.Ｋｉｎｇであった‼

通りいっぺんの言い方をすれば、ジミヘンやクラプトンほどの流麗で派手なテクニックを、Ｂ.Ｂ.は持ち合わせていないかもしれない。

だが、そんな事はどうでも良い。重要なポイントは、そこではないからである‼（私が思うに、Ｂ.Ｂ.はテクニック＆フィーリング的にも、世界最高峰なのだ）

そもそも時代もスタイルも歩んで来た道も違うんだから、比較のしようもない中で、こうして評価され君臨するＢ.Ｂ.Ｋｉｎｇはやはり偉大である。

他にもロバート・ジョンソン（１９１１〜１９３８）といった、「ブルースの始祖」に至るまでが、名を連ねるこのランキングの重みと鷹揚(おうよう)さよ‼

これぞ、芸能音楽の本質を見事に言い当てているではないか⁉

いや、彼ら欧米人にとっては、ブルース・ミュージックの影響こそが、現代のジャズやロックやラップの根源(ルーツ)であるという事が、至極当たり前の発想、考え方なのであろう。

ギターや音楽は、テクニックだけでは語りきれないという事。

独断と偏見で、大いに結構‼

しかし、人気や見せかけだけでなく、音楽への功績や人物に対するリスペクトが無ければ、この手のランキングは、魅力がなくなってしまうのである。

Ｂ.Ｂ.Ｋｉｎｇ
米国のブルース・ギターの巨人。小作人として働きながらギターを入手しプレイに励み、１９４９年にデビュー。51年にシングル曲「3 O'clock Blues」がR&Bチャート１位に。以来多くのヒット曲に恵まれる。「Ｂ.Ｂ.」とは愛称「Blues Boy」の略から。

だから「〇〇のお墨付き」だけはやめてくれ!!

〇〇達は、意外とモノの本質が見えていない事が多い。

例えば、「AV男優が選ぶ最高のAV女優」ってランキングがあったら、すごく興味深いと思うのだ（なんなんだ、急に?·）。これこそが本当のガチである!!

でも同時に、このランキングを見ながらツッコミを入れたり意見を差し挟んだり、きっとアタシもそれをやりたくなるであろう（汗）。

だって我々は、北条麻妃にも明日花キララにも、それぞれ安易に順位など付け難い、強烈な思い入れがあるからだ!!

日頃「お世話になっている」悶々沸々とした思い、いや「かけがえのない愛」を前提として、我々ひとりひとりの中に、それぞれの「ガチで凄いAV女優」ランキングがあるのだから!!（ご清聴ありがとうございました）

音楽の世界にしたって、例えば尾崎紀世彦さん（カントリー、ハワイアンがバックボーン）、玉置浩二くん（平たく言えば、ロックがバックボーン）、北島三郎さん（「流し」という弾き語りと民謡がバックボーン）、久保田利伸くん（R&Bがバックボーン）と、バラバラな系譜の人たちが並び立って、「歌が上手い王座」を競える状況が設定出来たら、実に興味を惹くランキングになりそうだ。

いつか、誰もが納得する《歌う異種格闘技戦》の闘う場（リング）を、面白おかしく演出出来たら楽しいだろう!!

じゃあひとまず、アタシが独断と偏見で「歴代最強の歌い手」を選んでみ

たらどうなるか⁇

それぞれの楽曲やら人生背景やらに注目しながら、次週、勝手に大発表してみよう‼（自分の名前入れたら……ダメだよね⁇）

55　続・一番歌が上手いって何だ!?

「歌の上手さ」を数値化したり説明するなんてナンセンス!!

前回からのそんなお話の続き。

《歌う異種格闘技戦》、ついに開幕!!　いざ、闘いのリングへ!!

いったい誰と誰が、何をどんな条件で歌って競うのか??

よーし、ここはジャンルをあまり限定せず、オールマイティーに考えてみよう。寝ても良し、立っても良しの最強格闘家……、じゃなかった歌い手を、アタシが独断と偏見で選んでみよう!!

その前に、読者諸兄もご存知のように、今やヒット曲は「ネット」や「アニメ」などから数多く発生する。

まぁ、我々世代の人間からすると、近ごろの歌手や曲名には、かなり「疎(うと)く」「縁遠く」なってしまったけど……（泣）。

昔は、誰の歌だかすぐにわかったし、知っている曲がいっぱいあったのになぁ!!　とか何とか言いつつ、先週からの流れは一切無視して、手っ取り早く結論から申し上げよう!!
アタシの経験値、世代感覚、単なる好みから選出すると、日本の歌謡曲史上「最強の男性歌手」は、尾崎紀世彦さんである!!
ご存知のように、二〇一二年に六十九歳という若さでお亡くなりになった。
誠に残念ながら、お目に掛かる事は一度も叶わなかったが……。

《好きな理由 その①》
アタシと同じ茅ヶ崎出身だから。
毎年夏、「浜降祭(はまおりさい)」の神輿を担ぐ、地元愛溢れる方だった。
アタシの従兄弟(いとこ)の同級生でもあるし、もはや他人とは思えない(それじゃ、ただのファンだよ!!)。

《好きな理由 その②》
一九七〇年、遅咲きながらも衝撃的で華麗なるデビューを果たし、『また逢う日まで』では、当時、世の中に漂う沈鬱なムードを、全部、ぜーんぶぶっ飛ばしてくれた!!
『レコ大』獲った時の、満面の笑顔でVサインはカッコ良かったなぁ!!

《好きな理由 その③》
カントリー、ハワイアン・ミュージックを音楽的基盤に持ち、シンガーとして、筒美京平や阿久悠らの作品、日本語の歌謡曲を「ポピュラー・ミュー

尾崎紀世彦
ハワイアンバンド、カントリーバンド、コーラスグループを経て、1970年にソロデビュー。声量豊かな歌唱で注目される。71年「また逢う日まで」「さよならをもう一度」などが次々とヒット。他の代表曲に「愛こそすべて」「サマー・ラブ」など。2012年、69歳でこの世を去る。

ジック」の領域に押し上げた。

　ご自身、英国のクォーターであられる事も無関係ではないと思うが、これほどまでに「洋楽的なバタ臭さ（外国人ぽさ）」と、歌謡曲の素晴らしさを融合、表現出来たのは、彼を措いて他にいなかった!!

《好きな理由　その④》
　ここが一番本題かもしれないが、言わずと知れた「声質」「声量」の豊かさは超一級品!!
　あの時代の人としては、かなりの高音部も余裕でイケる。
　ハイトーンでも、声の太さを保ったまま、その響きも実に伸びやかで、色艶に溢れていた!!　それに、今の歌手と違って、その「声」を活かすべく素晴らしい楽曲にも恵まれたのである。

《好きな理由　その⑤》

　顔が、元「フリー」「バッド・カンパニー」のヴォーカル、ポール・ロジャースに似ている（笑）。

　洋楽を歌う時、英語の発音がメチャ素晴らしい。

　これは、歴代の日本の男性歌手の中では圧倒的である!!

　尾崎さんの場合、単に「外国人ぽい」というのではなく、「尾崎紀世彦の洋楽」にしてしまうから凄い!!

　やっぱり、あのモミアゲの太さはダテではない（笑）。

ただ一つ残念なのは、尾崎さん、後年自分の持ち歌に飽きちゃっていた事。そりゃあ確かに、『また逢う日まで』ほどのヒット曲があれば、どこへ行っても「あの名曲を」と所望されるのは当然。長年繰り返し歌ううちに、オリジナル通りではなく、サビなどは敢えて「崩す」ような歌い方になっていた。

アタシは実に勿体ないと思う。

音楽に対する愛着、拘り(こだわ)の強さ故の苦悩が、そこにはあったのかもしれない。

変化し続けた「歌姫」

そして女性歌手だったら、「最強」は、ちあきなおみさんだ!!

一九六九年に『雨に濡れた慕情』でデビューして以来、『四つのお願い』や『喝采』といったヒット曲を次々と世に放つ。

まさに「寝てよし、立ってよし」とは彼女の事だ。

クレパスのような二十四色濃淡溢れる歌声。それでいて「洋楽かぶれ」のような指向性がまるで無い、真性日本の歌姫である。歌唱難易度がすこぶる高い楽曲も、見事に歌いこなすその実力はまさに天下一品!!

ところが、ちあきさん。デビューからしばらく経つと、取り上げる曲の雰囲気が徐々に変化し始める。

ちあきなおみ
1969年、「雨に濡れた慕情」でデビュー。ヒット曲を連発する傍ら、コント55号とバラエティ番組に出演するなど多彩な活動を展開。1992年以降、芸能活動を休止している。どんな曲も歌いこなす歌唱力は時代を経るごとに評価が高まる一方。

古き戦前・戦中の歌から、演歌や、フォーク・シンガーの友川かずきさん、杉本眞人さんらが書いた『夜へ急ぐ人』や『かもめの街』など、新境地にも貪欲に挑む!!

　間奏で切々と台詞を吐いたり、ありったけの情念を叩きつけるような歌い方も実に衝撃的だった!!

　ポルトガルの民謡ファドに興味を持たれて、アルバムを出されたりもした。かなりの色っぽい美人だが、サービス精神も旺盛!!

　さのさや都々逸も歌うし、お芝居やコントなんかもお上手で、とにかく多才かつ天才的な人だった。

《稀代の歌姫》は、自ら進んで変化の渦へ飛び込んで行かれたように見える。彼女を駆り立てていたものは何だったのだろう??

　勝手な想像をするに、きっとご本人の中に、

「もっと音楽的なチャレンジがしたい」

「〝私の歌〟をさらに深掘りしたい」

　というのはもちろん、

「ちあきなおみを演出するのは、自分自身以外にはいない」

　という思いを、強く持たれていたのではないか??

　とびっきりの才能をお持ちな彼女の事。自負や目指すところがあまりに高く、周囲や日本の芸能界の慣習と、なかなか折り合いのつかない事も多々あったのかもしれない（これはアタシの勝手な想像である）。

　ちあきさんの歌う『黄昏のビギン』が、ＣＭに使われていた一九九〇年代

初頭、まさに歌手としての「円熟期」を迎えた矢先に、「隠遁」されてしまう事になるとは……。

表舞台から遠ざかって久しい。

夫の郷鍈治さんを亡くしてしまわれたという事もあるだろうが、心安らかにお過ごしである事を切に願いたい。

珠玉の歌声を、あれ以来直接聴けないのが残念でならない。

尾崎紀世彦さんと、ちあきなおみさん。

少し「お題」と方向は逸（そ）れたが、大好きなお二人の話が出来て本当に良かった。

結局、歌の上手さとは何なのだろう⁉

一つ言えるのは、運命的にその曲に出逢い、上手く寄り添い、その結果として曲の妙味（みょうみ）を最大限に引き出せた人こそが、最も素晴らしい歌手なのだと思う。

また、その曲を世に出す「タイミング」と「スタッフ・ワーク」が良ければ、世間の支持を得て、大ヒット曲にも繋がるのだろう。

アタシにとっての「最強の歌手」とは、人物としても大変魅力的で、色っぽい人の事だったんだね‼

偉大なる大先輩方の事は、決して忘れません。尾崎紀世彦さん、ちあきなおみさん、本当にありがとうございました。

56　仕事をください!!

なんかさぁ、面白いコト無いかねぇ？　今よりもっと、いやチョットだけでもイイからさぁ。新鮮で刺激的で、やり甲斐のある仕事がしたい!!（なんか、入社したばっかりの新入社員みたいな事言ってるね）

まぁ、アタシの場合、こうやってラジオのレギュラー番組の仕事があるだけ有り難いけどさ。最近トミにそんな気持ちに囚(とら)われている。

ナンデだろうね？　すべてが縮こまりがちなご時世だからこそ、ここ数年「思考停止」しちゃってる自分自身に、ちょいと危機感を感じてるんだよね(汗)。自分の居場所と立ち位置に満足し始めたら、もうただのジジイだよ!!

いや、もちろん人生において、充実した「ハレのとき」なんてホンの一瞬だって事、さすがにこの歳になりゃあ理解しているつもりだ。アタクシも、来週で六十五歳を迎えるんだからさ。メイクでいくら「若作り」したって、もう立派な（？）高齢者(ジイさん)だ!!

ふと気付けば、「この道は、いつか来た道。前にも同(おん)なじような事を何度もやったなぁ……」。そんな思いで仕事をこなしている自分がいる。

アタシに限らず、皆さんの日常だって、大抵同じ事の繰り返しではないか⁇ そう、それぞれの「マイ・ルーティン」で仕事や人生が成り立っている事は、すでに〝わかっちゃいるけど、やめられない〟ところであろう。

表現の世界だってそうだよね。伝統芸能たる歌舞伎や落語なんて、それこそ江戸の時代から掛かっている演目がザラにある。相撲の土俵のしつらえや仕切りの型だって、何百年も変わらないし。土俵入り、番付表、化粧廻し、なんてのも、江戸時代からまるで変わらないって言うんだから。

アタシの好きなプロレスだって、まさに「マンネリズムの総合百貨店」だ。「その展開、待ってました‼」ってのが一番の見せ所なわけで。試合を締めくくるお馴染みの大技・決め技があってこその、一流のスター選手と呼ばれるんだからね。

我らサザンオールスターズだって事情はまったく同じだよ。「年越しライブ」「全国ツアー」等々、これまでも活動が様々あったわけだけど……。『勝手にシンドバッド』で始まり、『真夏の果実』を経由して、『マンピーのG★SPOT』で締めるやり方……。アレは、もはや古典芸能である（古典芸能に失礼だろ‼）。

前向きに解釈すれば「偉大なるマンネリズム」こそ、人の営みの根幹と言えるのだろう。毎年繰り返される四季の中、アタシたちは飽きもせず花見をして花火を上げ、紅葉狩りをして初詣に行くのを喜びとして生きて来たのである。最近じゃあ、ハロウィーンなんて似合わない事もやってないと、日本人のマンネリズムが風邪を引いちまいそうだし。

あゝそうか、コロナ禍の生活の息苦しさって、こういう「愛すべきマンネリ」が断ち切られることに対する違和感、心の痛みなんだろうね!!　マンネリは、物事を長く続けていく原動力である。アタシらはマンネリを愛し、そこに共生(パラサイト)して生きる単細胞生物なのだ!!

でも。そうは言ってもねぇ。人間だもの。やっぱり「飽きちゃったなぁ」と思うことも、齢(よわい)を重ねるごとに増えていくのだ。アタシだって、自分の「若作り」が何だか不安に思える事があるよ。ボブ・ディランやエリック・クラプトンを見習って、少しは「年相応」の老け方、生き方をしてみたい。この頃、自分の立ち位置や期待のされ方に居心地の悪さを感じ始めて、アタシはモガいたり、歯痒かったりしている。

じゃあ、自分にとっての「新しい刺激」や「居心地の良さ」って、一体ナンなのだろう?　長年生きてると、これを見出すのが難しくなったり、億劫にもなってくる。どこかで「この辺で満足しておこうか?」……。そんな心の声も耳にしながら生きているのだ(汗)。

でも、例えば……、「低予算だけど、やたらトンガってる……みたいな映画や舞台に音楽を書いてくれ」なんて依頼が来たら、意外にもちょっとワクワクするかもね!!

あとはそう、文学的かつ前衛的・耽美的な仕事なんかも体験してみたい。どんなのかって?　ドラマ「全裸監督」も良かったけど、あの『花と蛇』みたいに、杉本彩さんが素っ裸で縛られて辱(はずかし)めを受けながらも、体を張って女

全裸監督
山田孝之の主演で2019年、21年にNetflixで制作・公開されたドラマ作品。山田が演じたのは、1980年代の日本AV界に革命を起こした村西とおる。出演は他に満島真之介、森田望智、小雪など。

花と蛇
団鬼六の官能小説。1974年以来たびたび映画化され、2004年には杉本彩主演版が緊縛シーンなどの過激さも相まって大きな話題に。出演は他に野村宏伸、石橋蓮司、遠藤憲一ら。翌2005年には『花と蛇2　パリ/静子』も公開。

優生命を懸けるような作品なら、是非お手伝いしてみたいなぁ。

無理しても仕方ないけど、「大きな結果」より「やりがい」や「ふれあい」を求めるのが、今のアタシには必要なことだ。お前は生活に余裕があるから、非効率的であっても「ハートに火がつく」ような仕事がしたい。お前は生活に余裕があるから、そんな「夢物語」が言えるんだろう……って?? そうかもしれない。だけど、アタシなりにここまで「起伏」を繰り返しながらも、今やっとそんな心持ちになれたのだと思う。「前へ前へ」ばかりの日常を、少しだけ「横」や「斜め」に飛んでみるのも、たまにはイイんじゃないか?

「アナログ」という贅沢

あとは、「アナログ回帰」ではないが、〃新奇〃な事ばかりではなく、昔やらせて貰った事を、もう一度原点に戻ってやってみたい気がする。例えば、先ず現地に飛んで、その土地の方々と顔を突き合わせて、「直」で仕事をするような事をね。かつてはサザンもツアーで日本全国、地方を限なく回らせて頂いたものだ。当時は「こんな強行スケジュールの旅ばっかり、もうイヤだ!!」とか、ワガママを言ったり、音をあげたものだけど……(笑)。でも今考えると、あれが何と贅沢な事だったか!! 早くあちらこちらへ出掛けて、地方の皆さんの前で歌いたい一心である。

当時、ツアーで地方に出向いていた頃、我々の音楽を聴いて頂くメディアの中心と言えば、テレビやラジオだった。それで各地のラジオ番組にお邪魔したり、あの「ザ・ベストテン」はじめ、生放送のテレビにも中継出演させて貰った事……。今となっては良い思い出であり、我々はそこで育てて頂いたのだと思う。しばらくご無沙汰している、各地の盟友である「イベンターさん」達にも会いたいなぁ!!　皆さんと、早くまた一緒に仕事をさせて頂きたい!!　いつもワガママばかり言って済まないけど、また地方の美味しいモノをご馳走してくださいな!!

　昨今じゃ、いろんな仕事が「デジタル化」だ「テレワーク」だという風になっていて、現場へ行かず、人に会わないで済まされてしまう。一方便利ではあるけれど、それが本当に効率的か？　より良い仕事が出来るのか？　と問われたら、答えに窮するだろう。レコーディングだって、デジタル化された現在じゃあ、皆（メンバー）がスタジオに集まらなくたって、何とかカタチに出来てしまう。かつてのアナログなやり方には無駄が多かったかもしれない。ただ、その過程で偶発的に起きたり、「人力」ならではの発見も沢山あったはずだ。

　そして、アタシがやたら新しい方向性を求めるのは、若い人達へのジェラシー、いや対抗心を燃やしているからでもある（汗）。

　近ごろは年齢的にも、自分が「メインストリーム」から外れて来ているという自覚は大いにある。テレビや雑誌なんかを眺めていても、三十代～四十代の人たち、更にはもっと新しい人たちが、ＣＭやバラエティや音楽番組にガンガンと出てくる。みんな「上手い」し「速い」し「面白い」のだ!!

　世代が入れ替わるのは当たり前の事。どこか寂しさやジェラシーを感じながら、時折「老兵は去るのみ」という言葉も頭を過（よ）ぎる。だけど一方、アタシはバカだから、それほど彼らが「凄い」「新鮮だ」とも思わない。「ナンならアイツら……いや、若者たちに負けないくらいのコトを、俺もやってやるぞ……」。そんな年寄りの戯言というか、魂の火種が燃え尽きたわけではないのである。

　平均寿命やらがグングン延びて、老年時代が予想外に長びく状況に、アタシ自身まだ気持ちが追いついていない。だから敢えて、アタシは人生に少しでも高い目標を掲げさせて頂き、今後の人生を歩もうと思う。

　その良き参考となるのは、この業界の大ベテランであられる黒柳徹子さん、草笛光子さん、芳村真理さんといった、錚々たる大先輩方の存在である。《人生百年》時代において、あんなにカッコイイ生き方を魅せてくださる御三方に対し、尊敬の念以外はナッシングである!!

　黒柳のお母さん!!　不肖のセガレにお願いだから、ナニか刺激的なお仕事をくださいい!!（泣）

57 最強・最愛のサポート・メンバーさん!!

アタシやサザンオールスターズがライブを演(や)る時に、どうしても欠かせないモノって、なぁんだ?

答えはもちろん「お客様」!!

でも、忘れちゃいけない存在がもう一つ。

それは、バンドの「サポート・メンバー」の皆さんだ!!

彼らがいてくれると非常に助かる……と言うより、もはや彼らがいなければ、我々のステージ自体が成立しないと断言する。

ウチの場合は特にだが、「サポート・メンバー」という呼称自体、あんまり良くないのかもしれない(汗)。

サポートと言うと、何だか足りないところを補足してくれるだけの役割みたいだよね?

そうではなくて、彼らこそアタシらの音楽活動の根幹を作り、精神的な支えにすらなってくれている人達なのだ。

キャリア四十三年目のサザン。

サポート・メンバーとの付き合いも、それぞれ長くてとても濃厚だ。

特に、ギターやコーラスを担当してくれている斎藤誠君は、学生時代からの古い付き合いである。

アタシが所属していた青山学院大学の音楽サークル「ベターデイズ」に、一九七七年、彼が新入生部員として入って来た。

その〝代〟の新入生というのが、揃いも揃って、音楽の知識が深く、演奏スキルも卓越していて、当時アタシは先輩としても、底知れぬ驚異と圧迫感(プレッシャー)を感じたものである。

そんな「実力派」であるはずの彼らだが、「ノリがいい」という点でも、かなり卓越していた!!

当時、我々サザンはデビューが決まりかけていた頃だった。

コンテストに出たりライブハウスで演奏する機会が増えていたのだが、そんな我々を懸命に盛り立ててくれたのが、斎藤君を始め、ベターデイズの〝頼りになる〟後輩達であった。

こっちが頼んでもいないのに(笑)、授業をサボったりして、勝手にライブ会場に大挙して押し寄せては、紙吹雪やお手製の幟(のぼり)まで振り回しながら、ステージ上の我々に大きな声援を送ってくれたのである。

いわゆる「体(テイ)のいいサクラ」を演じてくれるわけで、知らない人たちが見たら、

「ずいぶん人気のあるバンドなんだなぁ……」

斎藤誠
東京出身のギタリスト、シンガーソングライター。青山学院大学在学中より音楽活動を開始、83年にはデビューアルバム『LA-LA-LU』をリリース。自身のプロジェクトとして弾き語りライブなどステージを精力的にこなし続ける。

と勘違いしてしまう（笑）。

そんな、彼らのとびっきりの熱意と愛情が、サザンのデビューを後押ししてくれたお陰で、我々の今日(こんにち)があると思う。

その中の代表格だったのが、やはり斎藤君!!

彼の圧倒的な才能と技量と人柄が、すぐに業界からも見出され、シンガーソングライターとして、一九八三年にデビューする運びとなる。

大学時代から、アタシも彼の才能を「認めている」どころか、「コイツにゃあ絶対敵わない」と思っていた。

そしてお互いプロになってからも、事あるごとにスタジオやステージを共にする事が出来たのは、アタシにとっては大変ラッキーだった。

とにかく、彼にお願いすれば、こと音楽に関してはナンとかしてくれるだろう。……みたいな安易な「依存体質」がこちらにあって、誠(マコっ)ちゃんにはずっと甘えてしまっている。

いつしか、サザンのステージでもギターを担当してくれるようになり、まさかお互いに六十歳を過ぎても、こうして身近な関係でいられるとは予想だにしなかった。

何故、こんなにも長く一緒にやれるのか？　それは誠ちゃんの持って生まれた、穏やかで芯の強い性向(ひとがら)にあると思う。

小さい頃の彼の家庭はいわゆる転勤族で、日本各地を転々とされていて、いつでも彼は「転校生」だったとか。

学校で仲良くなれそうな仲間がいても、どうせ自分はすぐにまた転校しちやうんだから、あまり深入りせず、なるべく心の内を見せないようにしていた……とは彼自身の弁。

そうでもしないと、せっかく仲良くなった友達と別れる時に、寂しくて堪らなくなるからだって!!（泣）

本人からそんな話を聞いた時、アタシは、何だかとても腑に落ちるものを感じた。

確かに誠ちゃんは、人当たりはすこぶる良いのに、どこか接し方に「節度がある」というか「慎ましい」というか……。

流行りのソーシャル・ディスタンスではないけれど、良い意味で付かず離れずの絶妙な距離感とバランス感覚を持った人なのだ。

優しい「距離感」

そりゃあお互い若い時分には、

「コイツちょっと水臭えなぁ……」

なんて思いも多少はあったけど。

歳を重ねて来ると、それが彼の「素っ気なさ」というより、その程よい距離感が誠ちゃんなりの、人への気遣いと優しさなのだと気付かされる。

幼少期の頃に、いつも「転校生」だった彼の心の支えになったものは、音楽であり映画だった。各地のレコード屋さんと映画館だけが、彼の遊び場であり、心の拠り所となったそうな。

頭の回転が速く、彼のオタクぶりには舌を巻く!!「知識の宝庫（リテラシー）」とも言える彼のトークは、昔から機知に富んでいてスゴく面白いのである。

しかも余談だが、アタシと違って「シモネタ」と「曲（ま）がった事」が大嫌いだ（笑）。

決して「器用な」生き方が出来る人ではないのである。

だから、いつも孤独かと思いきや、とにかく仲間を大切にする男である。

多くのミュージシャン仲間からの信頼も厚い。ナニかと、バンドの皆んなからツッコまれ易いのも、彼の人柄の良さ故（ゆえ）であろう（笑）。

実は、アタシがソロをやる時も、基本的には「斎藤誠バンド」の面々にお世話になっている。

彼自身が見出し、また彼と共に音楽人生を歩んで来た「腕きき」のミュージシャン達に、アタシも長年にわたって活動を支えて貰っているのである。

彼の周りには、やはり「音楽愛」に溢れた素晴らしい人達が集まって来る。

キーボード・プレイヤーの片山敦夫君なども、元はと言えば斎藤くん繋がりで出会った。

片山君は、技術的にも人間的にも「天才」と言うか、「天然」と言うか（笑）。

いや、これほどまでに才能と人徳を併せ持った人を、アタシは他に存じ上げない!!

（片山）あっくん、そして（斎藤）誠っちゃん。貴方達にはいつもお世話になっています。心より深く感謝しています!!

ここでは書き切れないくらい、多くのミュージシャンが、我々の活動を

片山敦夫
ピアニスト、キーボード奏者、また作曲・編曲・プロデュースまでを手がける。１９８４年からサザンオールスターズおよび桑田佳祐と音楽づくり、ライブをともにするようになり、欠かせぬ存在に。

色々なカタチでサポートしてくれている。

「実の」メンバー以上に、彼らはこちらの事を案じ、素晴らしい結果を生み出してくれているのだ。

そんなサポート・メンバーの皆さんには、ひとりひとりにプレイヤーとしての確固たる「生き方」がある。

それぞれが、プライドを持って豊かな音楽人生を歩んでおり、ときにサザンで演奏してくれるのは、彼らの活動のほんの一部なのである。

彼らが磨き続けてきた「音楽の力」と「人間性」を、サザンがひとときお借りして、一緒に楽曲やステージを作らせて貰っているのだ。

誠ちゃん、あっくんをはじめ、敬愛するすべてのサポート・メンバーの皆さん。

今後とも、よろしくお願い申し上げます!!

58 そうだ、京都へ行こう

気兼ねなくあちこちへ出かけられるご時世になったら、真っ先に行きたいところって、あなたなら何処？

アタシはね、一も二もなくズバリ、京都だね!!　あゝ雅（みやび）ニッポンの心、京都。古きゆかしきエキゾチックが呼んでいる浪漫（ロマン）の都。行きたいよ〜!!

世界中の人をトリコにしてきたあの風情に、アタシもすっかりやられてしまったクチである。毎年一度は訪れて、フラフラと散策したり、お茶屋さんなどで遊ばせて頂いたものだ。

京都の魅力って、一体何なんだろうね？　人それぞれあるだろうけど、アタシからするとやっぱり、街中に「異界へと繋がる隠し扉」のような趣きがあって、我々をタイム・トラベルへと誘（いざな）ってくれるところ、かな。

そう、ここはまさに「千年の都」であり、過去から未来へ続く、日本人の魂の巡礼地（メッカ）なのである。

精霊を敬（うやま）い伝統と共に生きる京都の人々。何気ない街角にも、いちいち控えめな艶のようなモノがある。

小路の先を芸妓さんが横切ったり、はたまた「榊マリコさん」が通りかかったり……。

あ、榊マリコさんって、皆さんご存知かな？　テレビ・ドラマ「科捜研の女」で、あの沢口靖子さんが演じる主人公のお名前ね!!　マリコさんは、京都府警科学捜査研究所の法医研究員。どんな難事件も、科学的見地から解決へと導いてしまう「凜」としたお姿に、アタシの心はメロメロのドキドキである。

そう、アタクシ何を隠そう、彼女が東宝シンデレラに選ばれ、NHK連続テレビ小説「澪つくし」でヒロインを演じられた頃から、大の沢口靖子様ファンなのだ!!

最近も夜な夜な、動画チャンネルで「科捜研の女」を、一話また一話と観まくって……いや、拝見し楽しませて頂いている!!

この犯罪ミステリードラマ。主役の沢口さんは勿論の事、脇を固められる内藤剛志さん、若村麻由美さん、斉藤暁さん、風間トオルさん、金田明夫さん……といった豪華俳優陣も素晴らしい方ばかり!!　アタシのこのドラマへの〝想い入れ〟は、年を追うごとにますます深まるばかりである!!

いつか京都の街角で、榊マリコさん＝沢口靖子さんとバッタリ出くわすその瞬間(とき)を、心密かに夢想する日々は続く（汗）。

そんな京都に想いを馳せていると、いつしか頭に浮かんで来る歌い手さんがお一人。

沢口靖子
1984年、第1回「東宝シンデレラ」オーディションでグランプリを獲得して芸能界入り。すぐに映画女優、歌手デビューを果たす。99年スタートのテレビ朝日系ドラマ『科捜研の女』に主演し好評を博し、現在までに20シリーズを数える息の長い作品となる。

そう、それは「ジュリー」こと、あの沢田研二さんである!!（若い読者の方、ごめんね）

ジュリーさんも、京都育ちでいらっしゃる。言われてみればあの色気と艶っぽさ、いかにも京都で育まれたといった感じがしないか？（ちょっとコジツケっぽいけど）

アタクシ、以前からお近くで……いや、かなり遠巻きに拝見しながら、沢田研二さんには、デビューした頃から多大なる刺激と影響を受けて参った。

かつてはテレビの歌番組で、よく御一緒させて頂いたものだ。と言うのも、我らサザンオールスターズがデビューして、テレビの歌番組に出始めた頃、ジュリーさんは「ザ・ベストテン」などで、ずうっと一等賞（一位、ではなく沢田さん御本人が、当時この言葉を好まれていた）を獲得していらっしゃった。ちょうど、『ＬＯＶＥ（抱きしめたい）』や『カサブランカ・ダンディ』が大ヒットしていた頃も、毎週のようにテレビ局で御尊顔を拝見し、ご挨拶はさせて頂いたのだが、フランクに言葉を交わすなどという、そこからもう一歩踏み込む事は、とうとう出来ず終いだった（泣）。

大スターとして、当時のジュリーさんは、どこか凄まじいオーラを放たれていて、近寄りがたいと言うか畏れ多いと言うか……ただでさえ萎縮しがちなアタシは、あの方を遠巻きに眺めるだけで、精一杯であった（汗）。だからと言って、「気さくで軽口を叩くジュリー」なんて、絶対イヤだけどね。

その頃は、今じゃ想像も出来ないくらい、テレビの影響力がやたらと強く、中でも生の歌番組は花形。視聴率だって、「ザ・ベストテン」や「夜のヒッ

沢田研二
鳥取県生まれ、京都府育ちのミュージシャンにして俳優。1960年代に流行したグループ・サウンズの中心人物として活躍した後、ソロ活動へ。「時の過ぎゆくままに」「勝手にしやがれ」「TOKIO」など人の心に残り続けるヒット曲多数。

トスタジオ」なんて、毎回三〇%以上あったからね。

そういう番組で、メインを張る事の緊張感と気迫が、ジュリーさんの佇まいからは、ヒシヒシと伝わって来た。メイン・イベンターとしてスポットライトを浴び、歌声を上げる数分間に、己の全てを懸けておられたと思う。

スタジオ中のカメラや照明さえも味方につけての、「自己演出」もお見事だった。手先、指先、流し目、ソフト帽投げ、酒瓶ラッパ飲み、ラメ、アイシャドウ、カラーコンタクト、ずぶ濡れトレンチ・コート、パラシュート……。ジュリーさんのやるコトなす事、一挙手一投足がモーゼのように海を切り裂き、お茶の間に感動と衝撃を与える!!

今で言う「ジェンダー」とかを超越して、もう生き物としての存在が「ジュリ〜!!(絶叫)」なのである(ドラマ「寺内貫太郎一家」で、樹木希林さん演じる老婆の身悶えが懐かしい)。

ああこの人は、一曲を歌い切る間に、文字通りの「真剣勝負」をしているんだな。どこにも属さず、誰とも連まず、沢田研二はジュリーを演じ闘っている。「凜」としていて「妖艶」な佇まいに、時折「狂気」を滲ませながら、なんかこの人ヤバいよなぁ……なんて思いが、アタシの脳裏を過ぎる。

沢田研二という超ド級のパフォーマー。アントニオ猪木が「燃える闘魂」なら、まさにこの人は「燃える唱魂」(商魂じゃないからね)だったのである。

ジュリーという生き方

デビューは一九六七年。ザ・タイガースのヴォーカリストとして、グループ・サウンズ・ブームの頂点に立つ。グループは七一年に解散。沢田さんはバンド・PYGへと移る。当時の「ニュー・ロック」を標榜して、萩原健一さんとダブル・ヴォーカルを組むも、グループは長続きせず。今思えば、とんでもないメンバーの集まりだったけどね。

しかし、勝気で誇り高きジュリーが、こんなところで挫(くじ)けるわけがない。前述したように、並行して始めていたソロ活動で、沢田さんは再び大ブレイク!! 一九七〇年代は『勝手にしやがれ』を始めとして、大ヒット曲多数。「テクノ」や「ニュー・ウェーブ」を先取りした八〇年代まで、そのご活躍ぶりは皆さんご存知の通りである。

ご本人なりに浮き沈みはあったかもしれないが、いつの時代も、決して〝自らは満ち足りていない〟沢田研二さんがいたように思う。

ナニがいったいこの人、魅力的かって……？ 過去の自分を、いとも簡単に捨て去る事を、まるで厭わないのだ!!（ホントは違うかもしれないけど）

ええカッコすりゃあイイのに、ええカッコしないのである。時にはキレたり、お客様に毒付いたり、コンサートをドタキャンしたり……。言う事もやる事も、結構ヤンチャで、ホンマに悪い奴っちゃねん!!（笑）

お年を召した近年は、若い頃の痩身長軀なイメージから、ウェート・アップした超ダンディなお姿に変身!! 恰幅が良くなった分だけ、声量などはかつてよりも豊かに感じる。

どこのどいつか知らないが、言うに事欠いて、「歌うカーネル・サンダース!!」などと、ラジオでホザきやがって……。ああ、アレはアタシが言ったんだった（汗）。その節はホントにすみませんでした……。

ジュリーという生き方。誰もが老いるという事。それに抗うも良し、従うも良し。されど歌心……、「唱魂」は永遠に朽ちない。それをアタシは、あの人からのメッセージとして、強く受け止めている。

コロナ禍、ご自分のファンクラブを解散させた沢田さん。あの頃のスーパースターが、ファンの皆さんと共に高齢者となる。そんな現実にも直面しながら、我々も、エンターテインメントで、「現在の自分」を表現する時代が来ている。

それにしても、京都行きたいなぁ。京都で殺人事件が起きたなら、現場に榊マリコさんが登場する。

「それではさっそく鑑定してみましょうね」

事件解決に向けて、目力強めの榊マリコ、いや沢口靖子さんはやはり美しい。今夜も「科捜研〜」観て寝よう。

京都行きは、もうしばらくの我慢だ。

59 Live in Blue Note Tokyo!!

去る三月七日、「静かな春の戯れ～Live in Blue Note Tokyo～」を配信させて頂いた。皆さんはお楽しみ頂けただろうか？

「Blue Note Tokyo」。

青山の瀟洒(しょうしゃ)な街並みの中に佇むこのクラブ、言わずと知れたジャズの殿堂である。これまで幾多のシンガー、ミュージシャンがこのステージに上がり、一体どれほどの名演奏を繰り広げて来たことか。

アタシにとっても、Blue Note Tokyo の舞台で歌わせて頂くというのは、長年の憧れであった。このたび、初の機会(チャンス)を頂戴する事と相成(あいな)り、感無量。

二月末日の正午過ぎ。今から、ライブに向けての初日リハーサルが行われようとしている。ボブ・ジェームズ、デビッド・サンボーン、セルジオ・メンデスｅｔｃ．世界のトップ・ミュージシャン達を、アタシもこの客席から食い入るように見つめて来た、まさに「音楽の聖地」だ。

今回は、緊急事態宣言の兼ね合いで、公演が多数延期となった事もあり、

Blue Note Tokyo
１９８８年、東京青山の骨董通り脇にオープンしたジャズ・クラブ。株式会社ブルーノート・ジャパンが運営し、ニューヨークの名門クラブBlue Note の姉妹店という位置付けになる。

有り難いことにリハーサルから本番収録まで、ここBlue Noteでやらせて頂いた。

マスクやフェイス・シールドをしたメンバーやスタッフが、それぞれの持ち場で、忙しなげに準備をする最中……。

バンド・マスターとも言える、キーボードの片山敦夫がひとり黙々と音を奏でている。「指慣らし」か「音の調整」かと思いきや、気持ちの昂まりのせいか、彼の額にはジンワリと汗が滲んでいる。

あのオスカー・ピーターソンやチック・コリアも弾いたであろうグランド・ピアノに、片山は礼を尽くすように、愛でるようにその身を揺らす。

アタシはそんな様子を、これまでの「定位置」である客席から見つめていた。人々の愉しげな騒めきや、食器を取り扱う音も、心地良いＪＡＺＺのＢＧＭも今は聴こえない。

「Blue Tokyo」という神々の御許で、「静かな春の戯れ」は、こうして幕を開けようとしていた。

思えば多くの人にとってこの冬は、長くて寒くて、憔悴するものだったであろう。それでも、ようやく水温む時節がやって来た。「来たるべき日」を迎える第一歩として、今年も仲間達と共に踏み出そうではないか……。そんな想いで企画したこのライブ。いつもの「腕利き」ミュージシャン達にお願いして、いつもより「手作り感」「アコースティック感」のあるステージを目指した。ご視聴して頂いた皆さんには、感謝を申し上げたい。

セットリストは全二十四曲。ライブハウスなどでよくあるように、その場のノリや思いつきのセッションぽい雰囲気も良かれと考え、今回はカバー曲も多め。ティン・パン・アレー『ソバカスのある少女』に始まり、浅川マキさん『かもめ』、沢田研二さん『君をのせて』まで、あまり脈絡の無い選曲も試みた。

そう何を隠そう、この週刊文春の連載でアタシが、その熱愛、偏愛ぶり（時には嫉妬!?）をお伝えしたミュージシャンの方々の楽曲が幾つか選ばれている。コレは、まるで意図したコトではないのだが……。アタシの心の奥底に眠っていた思いが、こうしてニョキッと顔を出すのも、今回のライブならではであろう。

カバー曲といえば、加藤登紀子&長谷川きよしの『灰色の瞳』も演った。原曲は、アルゼンチンのケーナ奏者ウニャ・ラモスが作曲したフォーク・ソング。今回もコーラスでお世話になった、シンガーソングライターＴＩＧＥＲとのデュエット。中南米あたりのエキゾチックな旋律が、何故こうも日本人の郷愁を呼び覚まし、心揺さぶるのだろう？　加藤登紀子さんご自身による訳詞も素晴らしく、今回のライブを象徴する、アタシのＤＮＡが一番ザワつく曲である。

ドラムの河村〝カースケ〟智康（のりやす）のスティック捌（さば）きと、角田俊介のウッド・ベースが紡ぎ出すグルーヴに、歌い手は心地よく身を委ね、時に熱情を煽（あお）られる。この場に一番馴染んで見えるのは、片山敦夫ともうひとり、サックスの山本拓夫だろう。彼のアドリブは「その場」の空気を自在に共鳴させ、何を吹いてもエモい!!　ここぞという時に、アタシが必ず頼るのはキーボードの大ベテラン深町栄と、「音楽人生の大親友（笑）」ギターの斎藤誠である。
前述のＴＩＧＥＲと、田中〝ユッキー〟雪子のコーラス・ワークが、多彩な色どりと豊かなダイナミクスをバンド・サウンドに与えてくれる。

ここは良質な音楽を生み享受する、ただそれだけのために在る場所……。そんな寡黙で清々しい（クール）雰囲気に包まれながら、いよいよリハーサルが始まる。

本番日前日、いわゆるゲネプロの日。ステージの位置からすぐ目の前には、整然と並べられたお馴染みの椅子とテーブルだけがある。美味しい料理とお酒に酔いしれた、お客様の手拍子と笑顔が、もしそこにあったのなら、我々の歌や演奏も、また一味違うグルーヴを醸したかもしれないが。

照明が落とされ、件（くだん）のテーブル席に浮かび上がったのは、物静かな仄暗（ほのぐら）いキャンドル・ライトの灯（あか）りだけであった。

「初のBlue Note Tokyoだ!!」と浮かれたくとも、さにあらず。お客様の目の前でステージを演るまでは、アタシの心にぽっかりと空いた穴が埋まる事はないだろう。いや、実を言うと、何度もウチのスタッフに掛け合ったんだ……。

「ねぇ、これ一回きりじゃホントに勿体ないよ……。このままライブハウス・ツアーやろうよ!!」って、このコロナ禍に（汗）。

それくらい、今回のセッションには思い入れもあったし、《今の気持ち》が投影（スキャン）された「静かな春の戯れ」だった。

いやいや、今は焦っちゃダメよ。とっても大切な時期なんだから。

その日はいつやって来るのかな……。必ずやって来るよね……。その日のために今出来る第一歩、それがこの配信ライブなのだと信じている。

せめて「歌」でエールを

このタイミングで配信ライブをやらせて頂いたもう一つの理由と言えば……。

全国のライブハウスを営まれる皆さんも、昨年から相当なご苦労を強いられているとの事。我々サザンも、デビュー前から大変お世話になった身の上だ。

だから「今、やれる事は？」と、アタシ自身にも改めて「念押し」しておきたかった。さらには……。この週刊文春の発売日にも当たる、「三月十一日」がまたやって来るという事。

あの日から、今年で十年。苦労を重ねてきた方々、悲しみに耐えて来られた方々にとって、十年という月日の重みは如何ばかりか。想像も及ばないけれど、せめて「歌」で、ささやかながらもエールをと思い、十年前、震災後に作った『明日へのマーチ』を歌った。

そして今回のライブでは、ファンの方々から「コロナ禍において励みになっている」との声も寄せられた、『ＳＭＩＬＥ～晴れ渡る空のように～』を、一昨年のレコーディング以来、初めて歌わせて頂いた。今年こそ「晴れの大舞台」の実現に向けて、微力ながらも皆さんの気持ちを後押し出来ればと願う。

「明日へのマーチ」
桑田佳祐名義での14作目のシングルとして２０１１年に発表された。東日本大震災被災地の復興を願ってつくられたが、カラリとして楽しい楽曲に仕立ててあり、未来への希望を感じさせる音楽となっている。

そしてこの度、「Blue Note Tokyo」のスタッフの皆さんには大変良くして頂き、感謝の気持ちでいっぱいである。ステージに上がる立場として、この方達の「音楽愛」はもとより、きめ細かなお心遣いが本当に有り難かった。これまで、並み居る音楽家達を迎え、もてなして来られたその心得というか、お手並みをごく一部ながらも拝見させて頂いた思いがする。一日も早く、国内外のミュージシャンの方々がこのステージに戻り、素晴らしいパフォーマンスをお客様と享受する日が来る事を、願うばかりだ。

ご厚意で食べさせて頂いた、シェフのパスタやポトフの味も忘れられない。「音楽の聖地」であるBlue Note Tokyoの、もうひとつの主役――美味しいおもてなし――という存在を、アタシは改めて確信した次第である。

「本来」とは違うやり方で、様々な業種や立場の方々が知恵を絞り、前を向こうとしている。「元通りの生活」に戻れるか否かは神のみぞ知る、だ。これまで「常識」だった事が、時代と共に「常識」ではなくなっていく。「リアル」と「ヴァーチャル」が共存する……、そんな世界に生きる事を、我々は日々学びながら、そこに向かって歩み始めた気がする。

60 メンバー紹介が一番好き!!

スポーツやドライブ、ゲームに映画鑑賞、グルメや旅行、あとは素敵な女性とアヴァンチュールに耽ったり……。世の中には楽しい事がいっぱいあるのだ!!（あゝ、そんなご時世が懐かしい）

でも、アタシにとって一番イイのは、気の置けない仲間達と集まって、ドカスカ「バンド」で音を鳴らす事。あの快感に勝るモノはないのである!!（ホントかよ!?）

先般、Blue Note Tokyoでのライブをやらせて頂いたアタクシ。ミュージシャンシップ溢れる、腕利きのバンド・メンバーと一緒にプレイしてみて、改めてそんな思いを強くしたところだ。「バンド」を演るのはホントに楽しい。

ただ、ね……。「バンド」が、やがて「グループ」へと変わっていき、色々とやり繰りしたり、組織運営する……、みたいな事を考え始めると、アタシはとたんにゲンナリしてしまう（泣）。そう。アタシにとって「バンド」と「グループ」は、似て非なるモノなのである。

　だって本来バンドなんて、

「明後日ヒマ？　お前、ベース持ってるよな？　じゃあ、みんなで青少年会館の音楽室に集まろうか⁉」

　ってくらいのモノだよね。特に〝シロウト〟の頃は、最初はそんな「お遊び」モードでいっぱいだった。で、お互いヘタクソ同士が、好きな洋楽のコピーでもやってる時が、人生で一番幸せを感じたものだ。

　それが、ナンの因果か？　生意気にオリジナル作品とか作るハメになって、ちょっと人気が出ちゃったりすると……。やれ「仕事はキチンと選ぼう」だの、プロダクションに入ってマネージャーが付いて、スケジュール管理や「販売戦略立てよう」だの……。ややこしい話がたくさん出て来るんだよ。

　学生時代、アタシなんかは他にやる事も無いから、何となくバンド……らしきモノを始めただけで。先の事なんか何にも考えちゃいなかったからね。だから、プロ・デビュー以降も、そういう「面倒くさい」事は、全部「他人まかせ」にして来てしまった（汗）。

　アタシもこれで、サザンオールスターズという一つのバンドを、いや、グループをかれこれ四十三年もやってるけど……（敢えて、現在のサザンは〝グループ〟と呼ばせて頂く）。最初にコレを結成したのは、アマチュア時代、学生時分だったから、まだお気楽で良かった。

「今度の日曜日、練習スタジオ取れたぞ‼　藤沢駅で待ち合わせして、全員そこから歩いて行こう‼」みたいなノリでね（笑）。

だけど、幸いにもプロとしてデビューすると、レコード会社だ事務所だと、「ビジネス戦略チーム」を編成して仕事をするようになり、どんどん話が大きくなって行く。すると……、

「こういうのも、バンド活動って言うの？」

「なんだか、俺たち利用されてるんじゃやねぇか？」

なんて猜疑心までが頭をもたげてくる。

当時は、「日本で音楽のプロになる」なんて意識が、アタシの中には殆ど無かったし。

勿論、我々をここまで面倒見てくれた事務所やレコード会社スタッフの皆々様には、多大なる感謝の念がある。

ただ、アマチュアの頃はメンバーだけで電話連絡を取り合ったり、楽器を運んだり、今後の予定について話し合ったりしていたわけで……。狭い所から、急に果てしなく広い世界に飛び出した感覚だった。デビュー当時の我々は「学生気分」の延長線上にいたんだね。

そして、徐々に活動が「ビッグ・ビジネス」になって来ると、それまで当たり前にやっていた事も、「メンバー同士で」直にやらなくて済むようになる。マネージャーさんやディレクターさんを介したコミュニケーションの方が、何だか楽チンに思えて来ちゃうんだよ。

好きな音楽が「仕事」になって、当事者であるメンバー同士のやり取りが無くてもコトが成立し始めると、コレがまたビミョーな空気を醸し出すんだなぁ（汗）。

そのせいかどうか、デビューした直後、二十代前半の頃なんかは、「こんなバンド、もうやってらんねぇよ!!」なんて、目の前のちゃぶ台をひっくり返す事もよくあった（実際、ちゃぶ台は無かったけど）。

そんな環境の変化に戸惑ったり、若い時分はお互い突っ張ったり勘違いしていたから、特に男同士は、ちょっとした「マウントの取り合い」みたいな状況に陥るわけだ。

もしウチに原由子が居なければ、音楽的な事も含め、おかしな方向に走ったり、挙げ句の果ては「空中分解」していただろう。まあ、お陰様でそれなりに「学習」もさせて頂いたし、最近はお互いに折れるところは折れるようになって、ジイさん達は、まるで茶飲み友達のようになったけど（笑）。

今や、お互いにとってサザンは、「バンド」であり、「グループ」である以上に、大切な「家族」なんだと思う。

カレーライスの原理

メンバーとは、主にＬＩＮＥで連絡をとる。それも、ライブのリハーサルの最中だけね（汗）。それでも、何とかずっと繋がっているんだから……。もはや腐れ縁というか、根っこのところではお互い、けっこう相性がイイって事だろうね（笑）。

間違いなく、このメンバーじゃないと出せない、固有の音像（サウンド）が存在する。それぞれの手癖や感性を持ち寄って、この組み合わせだからこそ生じる、特有の「化学反応」が起こるのだろう。

これを称して《母さんのカレーライスの原理》と言う!!（突然、何の話だよ？）

カレーライスにはスパイスから具材、隠し味のハチミツや生姜やリンゴまで、いろんな材料が入っている。それがグツグツと煮込まれるうち絶妙に溶け合い、完成すると元の素材が何であったかも分からなくなるが、どの食材もしっかりとその味に貢献している。どの材料を欠いても「母さんのカレーライス」の味にはならないのである!!（我ながら、例え話が拙過ぎて、よう分からん）

ドラムの松田弘は、律儀で一本気だが心優しい男だ。我々の中で、技術的に一番プロフェッショナルだと言えるのは彼であろう。音楽性のみならず、サザンオールスターズの精神的な屋台骨を支えているのは彼なのだ。

ベースの関口和之は、無口で自分をアピールするのが少々苦手だけど、頭脳明晰で、自分の生き方にしっかりとした拘りを持つタイプだ。彼の天才的な閃きによるベース・ラインが、松田弘のドラムと相まってサザンの数多くのヒット曲を生んだと思う。

パーカッションの野沢〝毛ガニ〟秀行は、不器用ながらも「笑顔ですべてを持っていく」ズルい男である!!　しかし、これまで彼が曲中に放った大技の数々は、『勝手にシンドバッド』のサンバ・ホイッスルや、『いとしのエリー』のウィンド・チャイムに代表されるように、「一撃必殺」の重みがある。

そして、キーボードの原由子。前述のように、彼女が居なければ我々の存

松田弘
宮崎県出身のドラマー。サザンオールスターズのドラムスとともに1983年のアルバム『EROS』以来、ソロ活動も継続している。

関口和之
新潟県出身のベーシスト。サザンオールスターズのベース担当であるとともに、ウクレレ奏者としての活動も盛ん。エッセイスト、小説家、漫画家としても知られる。

野沢秀行
サザンオールスターズのパーカッショニストとしてデビュー直前に加入。「毛ガニ」の愛称は加入前から付いていたものである。

在自体、今とは全ての状況がまるで違ったであろう。プレイヤーとして、歌手として、コンポーザーとして、女性（つま）として、彼女を全面的に信頼し、尊敬している。

所詮、我々「弱き者たち」の集合体が「グループ」なのである。

それは、テイのいい隠れ蓑（みの）であり、心強い一番のホームグラウンドでもある!!

アタシ一人で「桑田佳祐」の表札を掲げて音楽活動している時は、やはりどこか心細く感じるものだ。

サザンのライブでは定番の『マンピーのG★SPOT』。アレを、最初からソロでやれたかと言われたら、答えは否である（汗）。いやはや、あんなお下品なコト、一人では絶対にやる勇気が湧かないだろう（涙）。

なんだかんだ言っても、結局アタシは「グループの一員」でいる事が好きなんだと思う。

実を言うと、最近ライブの途中で演る、各々（おのおの）四小節ごとにソロ回しをしながらの、「メンバー紹介」の時間が楽しみで仕方ないのだ!! しばし緊張から解き放たれ、自由でリラックスした仲間たちの「アドリブ演奏」と「笑顔」を見るのが、堪らなく好きである。

あの時こそ、我々サザンが、束の間「バンド」に戻れる瞬間のような気がする。

あの、ごく短い時間だけは、永遠に失いたくない。

だけど、これだけ長く音楽活動やって来て、挙げ句「メンバー紹介」が一番好きって……。この四十三年間、アタシは一体何をやって来たんだろう??
トホホ……（号泣）。

61 みんなビートルズが教えてくれた

「いつまで引っ張ってんだ?・」なんて言わないでね。

先般配信させて頂いたBlue Note Tokyoライブ。未だその余韻が脳から抜け切らない状態で、マジ困ったもんだよ(汗)。とにかく、最高の仲間が集まって音を出す。そんなシンプルな事が何よりも楽しかった!!

それと、もう一つ思い出した事がある。純粋に音楽の原点に立ち返ろうとする時、いつもアタシの頭の中を過ぎる、大きな大きな存在がある。

それはやっぱり……。《ザ・ビートルズ》なのである!!

曲を書いたり、レコーディングをしたり、仕事や人生に行き詰まったり、素敵な女性と巡り逢った時(いつの話だよ?・)……。「ココはビシッとキメようぜ!!」という大一番になると決まって……、「こんな時、ビートルズならどうするだろう?・」って、人生の三分の二は考えて来た(by Jun Miura)。

そうそう、Blue Note Tokyoでも演った、『月光の聖者達(ミスター・ムーンライト)』なんて曲も、ビートルズへの憧憬をモロに歌ったものなんだ。

「月光の聖者達(ミスター・ムーンライト)」
2011年に発表。桑田佳祐

とにかく、アタシが作り歌う音楽の「キモ」の部分には、必ずあのビートルズがドーンと居座っている。「クイーン」だろうが、「オアシス」だろうが、「マルーン5」だろうが……、他のどんな音楽（ポップス）も、どこかでビートルズを基準にして聴いている自分がいる!!

　アタシにとって、ビートルズこそが「人生の道標（みちしるべ）」。なんなら「宗教」と呼んでも差し支えないだろう（笑）。

　あの吉田拓郎さんが、『ビートルズが教えてくれた』という曲をお歌いになっているが、まったく仰る通り。何から何まで、酸（す）いも甘いもぜーんぶビートルズが教えてくれたんだよなぁ、と実感や述懐をする。

　ビートルズが出現した一九六〇年代初頭、アタシは小学校の低学年。最初にあの音楽（おと）を耳にした時の衝撃と言ったら、本当に凄かった……と、思う。いや、ナニぶんにも昔の話だからね……（汗）。

　当時、ウチの茅ヶ崎の住まいの斜向（はすむ）かいに、漁師の網元が住んでいらして、そこは旅館も兼ねていた。

　毎年夏になると、「工学院大学」の学生さん達が合宿にやって来る、ヤァ!!　ヤァ!!　ヤァ!!

　お兄さんお姉さんらがドッと現れて、そりゃ〝ワイのワイの〟と楽しそうだった。そして、子供のアタシは、ケレン味もなくフラリと遊びに行っては、「ボクちゃん、よく来たね」みたいに、可愛がられていたものだ。

　一九六三〜六四年。初めて『プリーズ・プリーズ・ミー』や『抱きしめたい』を聴かせてくれたのも、他ならぬ彼らであった……おそらくね（汗）。

名義での4枚目のアルバム『MUSICMAN』に所収。同年に開かれた東日本大震災被災地へエールを送る宮城ライブでアンコール曲として歌われ話題に。

若いピチピチした男女の嬌声と共に、耳に流れ込んで来た、甘美で胸が締め付けられるような舶来の音楽。あの夏の光景は、今でもハッキリと……、いや、〝うっすら〟ぐらいだが脳裏に浮かべることが出来る（汗）。

それからすぐ後で、ウチにもビートルズはやって来た。四つ上の中学生だった姉が、ビートルズにしこたまハマったのである!! 彼女は、夜な夜なレコードを大音量で鳴らしながら、トランス状態に入って踊り、泣き叫んでいた（汗）。時折、弟のアタシにもビートルズの素晴らしさを〝涙ながらに〟渾々と説いた。ああ見えて、勉強もよく出来た彼女の「熱弁」は、アタシの子供ゴコロに、深く突き刺さった気がする。

『ビートルズ・フォー・セール』を聴き、そのアルバム・ジャケットをウットリと見つめながら……、さっきまで笑顔だったかと思うと、突然空虚な面持ちで天を仰ぎ、ヘッド・バンギングよろしく頭を振りながら嗚咽し、絶叫する彼女。

「ジョ〜ン!!」

満月でもないのに、吠える。あ、姉はあくまでもナチュラル・ハイだったのだ（姉の名誉のために言うが、普段は生真面目で折目正しい、弟想いの女性だった）。

だけど、人々がこうまで熱狂したり陶酔するビートルズって、一体ナンなんだ？ おぞましい姉の姿は別にして、アタシも否応なく興味を掻き立てられていった。

あの、元「ミュージック・ライフ」誌編集長であられた、星加ルミ子さんがおっしゃっていたが、彼らがアメリカでスタジアム・コンサートをやった時など、毎回ファンの女の子達が、想い余って二階席からステージへ向けてダイブしちゃうというのだ!!　転落する人が続出したから、以来、網を張って防止したんだとか。そんな狂騒状態が続けば、さすがにビートルズ本人たちもウンザリして来るのは当然だろう。

一九六六年夏。初の来日公演。もちろん姉と一緒に、アタシもテレビに齧り付いた。

当時の「東京ヒルトンホテル」での記者会見が映し出される。《普通に動く四人》は、私服も髪の色も全員バラバラ。生まれて初めてマトモに「イギリス人」なる人達を拝んだアタシと姉。

予想だにしなかったのは、ビートルズはすごく品が良くて、紳士的な振舞いをする立派な大人たちだったという事。緊張気味の日本人記者やスタッフに対しても、偉そうに振る舞うでもなく、とっても穏やかな表情で機知に富んだ対応をする、まさに英国紳士だった。

日本滞在中。コンサート会場の武道館と、ホテルの往復しか許されなかった彼ら。そんな状況下、「オフ日」に六本木の古美術店にこっそりと出かけたのはジョン・レノン。そこで買った瀬戸物の「福助人形」が、かの『サージェント・ペパーズ』のアルバム・ジャケットに写っているのを見て、姉が大喜びして、それをアタシに見せに来たのを今でもよく覚えている。

早熟で大人だった姉

一九六七年。アタシは小学六年生。「キャー!!」とか「ヤア!! ヤア!! ヤア!!」みたいなビートルズはもういない。いるのは〝ストロベリー・フィールズ〟を、映像逆回転で後ろ向きにステップする、サイケな髭面（ひげづら）の男たちであり、〝ペニー・レイン〟を馬に乗って颯爽と駆ける四人の英雄たちであった（当時、コンサート活動をやめたビートルズが、現代のMVの走りとも言うべきプロモーション用の映像を作成した）。

姉はその頃、何故か急に勉強に精を出し始める。もう夜毎の嗚咽もヘッド・バンギングもやらなくなった。そして、ビートルズ以外のポップスや映画にも、幅広く言及するようになり、なんだか達観した大人の風格さえ漂わせるようになる。どうしたんだよ、おねえちゃん？

その頃テレビで「ザ・モンキーズ・ショー」という番組が始まり、我々小学生は皆んな彼らの虜になる。アメリカ出身の若きポップ・バンド、モンキーズは、髭なんか生（は）やしてないし、ちゃんと「ヤァ!! ヤァ!! ヤァ!!」みたいな曲を演ってくれるから、子供には大人気だ!!

〝ジョン・レノンを奪った〟オノ・ヨーコさんの悪口も、この頃あまり言わなくなった塾帰りの姉が、「モンキーズ・ショー」を観ていたアタシの背中越しに、「へっ、ガキ相手の物真似猿が……」と、低い声でチクリ。そのまま勉強部屋に引き揚げる際の、姉のスリッパの音が、ナンだかやたら冷淡（クール）に響いた。

　皮肉屋で口は悪いが、その頃、姉はビートルズと共に成長していた。「衝動」から「思考」する方向に、何となく人生観をシフト・チェンジしたように思う。

　アタシが高校生になる頃、姉は家を出て大分県別府に行ってしまった（ま、我が家にも色々とあって。「杉乃井ホテル」という老舗旅館に、住み込みで仲居さんの職を得たらしい）。

　家に彼女が残していった、夥しい数のビートルズのレコードやティーン向けの音楽誌。それらを、姉がいなくなった部屋で、アタシは繰り返し聴いたり、読み漁ったりした。ついでに、「ロードショー」とか「スクリーン」といった、月刊映画誌を見付けては、改めて四つ上の姉の大人っぷり、早熟ぶりに胸が騒いだものだ。

《お姉ちゃん、元気ですか？　貴女に強制的にやらされた、『She Loves You』の「Hooooo!!」ってところで、ポールとジョージを真似て首を横に振るアクション……。アレをやらないと、お姉ちゃんが思いっきり腕を抓るから、仕方ないから僕は毎晩無理してやっていました。身体に気をつけて。
それではまたね。》
　尽きせぬビートルズ愛とその影響があまりに大きいもので、とてもじゃないが、収まりがつかない。次回も引き続きこの件、語らせてね!!

「She Loves You」

1963年に発表されたザ・ビートルズの楽曲。全英、全米のチャートで1位を獲得。リード・ボーカルはジョン・レノンとポール・マッカートニーがそろって務めている。繰り返される「yeah, yeah, yeah」はビートルズとその時代を象徴するフレーズのひとつとなった。

62 続・みんなビートルズが教えてくれた

ザ・ビートルズこそ、アタクシの音楽人生の礎(いしずえ)、原点なのである!!

今さらそんな事は大声で言うまでもない。世界中の大抵の音楽人の根っこには、ビートルズが住み着いているものだ。

今じゃ、音楽の世界で当たり前になっている事の多くは、元を辿ればすべてビートルズに行き着くのである。

先週の話の続きになるが、高校を卒業したビートルズ・フリークの姉は、大分県別府で旅館の仲居として働き始めた。

たまに「長距離電話」で話もしたが、あの〝自由過ぎる〟姉が、なんだかこの頃、少し以前とは雰囲気の違う話し方をするようになっていた。

〝ナニ、気取ってんだコイツ……?〟

アタシは、ちょっと訝(いぶか)しい思いがした。

茅ヶ崎の実家では、中学三年から高校二、三年あたりの、最も多感な時期に、アタシはビートルズにどっぷり浸(つか)ることになる。

ポップスに詳しい、同じ元野球部の鳥居君が、ある日『レット・イット・ビー』と『ザ・ロング・アンド・ワインディング・ロード』のレコードを親切に貸してくれた。返さなかったけどね……（鳥居君、ごめん）。

ギターもピアノもハーモニカも上手い沼(ぬま)君と二人で、週に一度くらい「歌本」を広げながらビートルズを練習した。そして、休憩時間は「男子が一番興味がある雑誌」を見て、童貞たちは二人で大いに盛り上がった。

近所の大学生、谷本さんのお宅へ遊びに行くと、真っ昼間から、レコード・マニアだった谷本さん直々の「レコード・トークライブ」が待ち受けていた!!

彼らがアタシの、人生最初の「音楽の先生」なのである。お陰で、何でもテキトーなアタシが、ビートルズだけには夢中に、熱心になれたものだ!!

話は違うが、「女にロックはわからない」みたいな物言いは、アタシらの頃は当たり前にあった。だけど、ビートルズを見つけたのは、ウチの姉貴を含め、他ならぬ「女の子たち」である。

いつもそうだ……。

男というのは臆病で文化的にも鈍いから、最初は何でも斜に構えて、ブツブツ言いながら眺めているだけなのである（かく言うアタシも、そんな男だけど……）。

閑話休題。

手元には、姉が残していったデビューから解散までのシングルやアルバムがひと通り揃っていた。それらを何度も聴いたり、かつての姉貴の言葉を思い出しながら、時代を行きつ戻りつして、アタシはビートルズと過ごした。

そして、今はここにいない姉に、もし今度逢った時には、彼女以上のビートルズ・マニアになって、絶対見返してやろうと思っていた。

しかしその時、時代はすでにビートルズではなかった。「レッド・ツェッペリン」だの「ザ・バンド」だの「CCR」だのといった、従来のポップスとは文脈の違う、一癖も二癖もあるロッカー達が蔓延る世の中だったのだ。

一九七〇年四月。ビートルズは解散する。映画『レット・イット・ビー』を観ると、よく言われるように、険悪とか陰湿とかではなく、彼らはその時代の「トレンド」に対して、「逆・下剋上」ならぬ、自分達なりの「解答」を必死で模索していたように見える。

衝撃的な「スーパー・アイドル」のようなデビューを果たし、愛とロマンを歌い、孤独や悲しみを叫び、世相に斬りつけ、狂気の沙汰を演じ、タブーやスキャンダルを何度も乗り越えて来た不世出のグループ。実働期間はたったの七、八年であった。

アタシの曲で『月光の聖者達（ミスター・ムーンライト）』というのがある。「時代が変わる」とアタシに教えてくれたのは、皮肉にも「落日のビートルズ」だった。

彼らの事実上のラスト・ライブは、あの真冬のロンドン・オフィス街でのゲリラ・パフォーマンス、「ルーフトップ・コンサート」と言われるものである。

その時の彼らは、お互い顔で笑って心で泣いて……。何故かビートルズに、

映画『レット・イット・ビー』
1970年公開のドキュメンタリー映画。ザ・ビートルズによる1969年のゲット・バック・セッションと、ビル屋上で敢行した「ルーフトップ・コンサート」の模様を記録しまとめた。解散の道を突き進むバンドの悲壮と倦怠が画面に色濃く出ている。

諸行無常の念や侘び寂びを感じてしまう。
もしかして彼らは「京都人」やおまへんか？（笑）
七〇年代に入ると、それぞれのメンバーがソロでも大ヒットを飛ばし始める。だから、遅れて来たビートルズ世代のアタシとしても、空白の心に幸せを感じる事が出来た。
それ以降、ポールやジョージのレコードを買うついでに、キャロル・キングやデヴィッド・ボウイも好きになる。

笑顔で帰ってきた姉貴

そして、ある日の午後。

実家のすぐ外で爆音が轟（とどろ）いた!!

ブロッブロッ、ブロロロロロー!!……

窓を開けると、巨軀で長髪の男がハンドルを握る、七五〇cc（ナナハン）・オートバイの後ろに、沢山の荷物を抱えた姉貴が跨（また）がり、笑顔で手を振っている。

あっ、姉貴帰って来た!!

十九歳だか二十歳（ハタチ）で、姉貴は恋をして、結婚していたのだ。

彼氏、いや旦那さんになった人はとても優しい人で、自分の実家の茅ヶ崎から別府まで、姉貴をバイクで迎えに行き、二年ぶりに連れて帰って来てくれたのだ。

その日以来、もし《ビートルズ検定》があったら、実力で姉貴を追い越したかどうかを確かめようと、手ぐすね引いていたのだが、いつもダンナとベッタリくっ付いていたので、そのチャンスは訪れなかった(泣)。

姉は別府で、仲居をやりながら、外国人のアテンドを随分任されたらしい。だからか英語がすごく上手くなっていた。

そして、よく茅ヶ崎の実家に外国人の友達を連れて来た。その度に弟のアタシは彼らに紹介されるのだが、最初の「Hello」の一言以降、アタシだけでは会話が続かなかった(汗)。

「姉ちゃん、またハローが来てるよ」

「ねぇ、ハローから電話だよ」

もう、外国人の友達はすべて「ハロー」呼ばわりだった。

大して広くもない実家の居間に、姉貴達が集まって来る。すると、

「佳祐、なんか歌いなよ」

無神経な姉の言葉が、いつも面倒臭いし、プレッシャーだった(汗)。「歌え」と言われても、アタシはビートルズの歌本見ながら、下手なギターをガシャガシャやる程度である。

仕方なく『No Reply』を歌うアタシ。すると案の定、頼みもしないのにサビでハモってくる姉貴。ちょっと楽しげなハローたち。

歌い終わって、ビールをラッパ飲みする彼らの顔を見ると、パラパラ拍手をしながら「今の、何の曲?」みたいな顔をしている(汗)。「だからイヤなんだよ……」と、アタシは腐った。

呑めない姉は、何故か呑みの席が大好きである。よく、アタシと親友のキ

「No Reply」

1964年発表。ザ・ビートルズ4枚目のアルバム『ビートルズ・フォー・セール』所収。作詞作曲の名義はレノン＝マッカートニーだが、ジョン・レノンが主導してつくられた楽曲。

ャシーを連れて、茅ヶ崎のスナックのような所へ行った。すると、またアタシに、

「佳祐、なんか話しなよ」

だから、ナンでも、いきなりヒトに振るなよ……（汗）。仕方なく、アタシなりに「場」を和ませようと思い、少し大柄なキャシーに向かって、

「キャシー、ユア・ヒップ・イズ・ナイス!!」

などと言うと……。

姉貴は、少しイラついた半笑いの顔で、体勢を立て直しながら、

「ねぇ、あんたそういうコト言うと怒られるよ。ヒップはいくらナンでもオカシイからね……」

って。

じゃあ、俺に振るなよ!!　お前らだけで話せばイイだろ!!　と、心の中で思った。

ある時姉貴に、

「旦那さんのどこがイイの?」

と問うたことがある。すると彼女は、

「顔がジョンに似てるから」

とか言う。

お前、恋は盲目過ぎるだろ!!

そして、彼女はいつしか、E W & F（アースウインド ファイアー）やジョー・コッカー、カーメン・マクレーなどの、外国人アーティストらの通訳として、日本中を飛び回るよ

うになる。生まれて初めて、彼女が眩しく、誇らしく見えた。

その姉もこの世を去り、ビートルズが解散して早くも五十年以上が経つ。

だけど、ビートルズと姉にかけられた魔法が、アタシは未だに解けないいまでいるのだ。

63 陰翳礼讃〜ワイルドなグレーで行こう!!〜

「見たよ!!」という方、沢山いらっしゃるのではないですか？

何をって？　もちろん、ユニクロのCMですよ!!

綾瀬はるかさんが水に濡れる「ブラトップ走るクルマ篇」では、有り難い事にアタシの『悲しい気持ち（JUST A MAN IN LOVE）』を流して頂いております。

それにしても、「胸をはって、生きていく。」というフレーズと共に、綾瀬さんが颯爽とブラトップ姿で歩くお姿。美しく、なんて尊いんだ!!　毎日ドキドキしながら、CMやウェブで拝見させて頂いております。

だが、そんな時。ふとアタマを過ぎる事があります。

「おい、ジジイ。何をそんなにニヤけてやがるんだ!!」

などと、どなたかに怒られやしないか……って（汗）。

だって最近、やたらと厳しい目が注がれているでしょう？　オリンピック・パラリンピックの人事にまで、そんなのが深く影響を及ぼすご時世だし

「悲しい気持ち（JUST A MAN IN LOVE）」

1987年、桑田佳祐ソロ名義のデビューシングルとして発表された。サウンド面で制作を支えたのは小林武史と藤井丈司。時代を反映してエレクトロニックな音が入れ込んである。2021年にはユニクロ「LifeWear」のCMソングに。

ね……。ジェンダー的な観点に照らして、その言動は如何なるものか？　なんてね。

そりゃあもちろん、男女に限らず、人は生まれながらにして平等であるというのは言わずもがな。立場や境遇によって生き辛さを抱えるような事があっては、絶対にいけないのであります。

ただ同時に、人間はひとりひとり皆違うというのもまた、当たり前のこと。金子みすゞさん曰く「みんなちがって、みんないい」というのが、今や世の中の基本でありましょう。女性の姿や仕草を見て、思わずドキッとするのは、そこにアタシらとはまったく異なる個性が、燦々とキラめいているのを見出すからなのであります!!

なぁんて、ちょっと浮ついた心を紛らわそうと、難しげに述べてみました（汗）。

いいや、でも実際、あんまり杓子定規に取り仕切るのもどうかなという思いが、多々あってねぇ。これは良し、ここまではギリギリＯＫ。こっちはダメ、そこからハミ出したら絶対アウト!!　そんな風に何事も白黒ハッキリつけ過ぎるのは、近頃どうなのよ？　と思うこと頻りであります。

アタシなんかの感覚だと、元来日本人ってのは、「白か黒か」というより、「グレー部分」のグラデーションを楽しみ、慈しむ文化ではなかったか？

アタシの大好きな京都には、

「ぶぶ漬けでも食べていきぃや」

という言葉があるそうですな。そう言われたら喜んで、

「あ、いただきま～す!!」

なんて、素直に乗ったらいけないそうな。それは「早く帰れ」と間接的に諭されている、京都人独特の慣習らしいのです（今の時代、あまりそれは無いと伺いました）。そういう含みというか言外の意味を、テレパシーのように感じ取る能力が、日本人同士には備わっていたはずじゃあないですか？

かつて『陰翳礼讃』という名随筆を書いたのは、かの文豪・谷崎潤一郎先生でした。曰く、《日本の厠は薄暗いのが情緒に溢れていていい。障子から漏れる明かりや、漆器の闇が堆積したような深みある表面、羊羹の瞑想的な色合いを味わうべし》などと仰っています。グレーというグラデーションの中に、無限の美を見出すこの心持ちこそ、日本文化の奥義。さすがです。シビレます!!

こんな素敵な伝統があるのに、どうして最近じゃあそんなに白黒ハッキリつけたがるのかしらん？（この、〝かしらん〟て言い方が作家さんぽくて好き）

いったい誰が得するの？

ネット・ニュースのコメント欄などに、いつも一生懸命ご意見を書き立てる人達も大変ご苦労様だけど……。それなりの「正義感」でさえも、そこを突き詰め過ぎると、ホント面倒で生きヅラい事になっちゃわないだろうか？いや、もう既にそうなっちゃってるけどね（汗）。

それで、楽しい娯楽や歌のひとつも表現出来ない世の中になってしまったら、コロナもそうだけど、世の中ホントに世知辛過ぎるというね……。

『陰翳礼讃』
谷崎潤一郎による随筆。隅々まで光を当てることに価値を見出す西洋文明に対して、日本文化は陰の存在を積極的に認める特性があるとし、その鋭敏な美的感覚を大いに持ち上げた。１９３３～34年に雑誌『経済往来』に掲載。１９３９年に単行本として刊行された。

だって、そもそもニッポンの歌謡曲なんて、グレーなニュアンスが無かったら、まるで成立しないわけだから。好きなのか嫌いなのか、想いが通じているのかいないのか、よく分からないから、お互いヤキモキしてしまう……。「悩ましい」なんて言葉は、おそらくそんな気持ちを言い表したものだろうし……。男と女は違う生き物で、完全には理解し合えなくて、どうしても感情のズレや、心のあり方に隙間（ギャップ）が生まれてしまうわけです。そんな微妙なラインを、いつも我々は歌にしてきたのではないかしら？（冴え渡る〝かしらん〟の多用）

例えばだけど、あの梶芽衣子さんの『怨み節』なんか、朗々切々「馬鹿なバカな馬鹿な女の怨み節〜♪」と、歌い上げるのであります。そして、奥村チヨさんの『恋の奴隷』。「あなたと逢ったその日から　恋の奴隷になりました。あなたの膝にからみつく　小犬のように〜♪」。この歌詞を切り取って「やれ差別的だ!!」「前時代的だ」などと言われてしまったら、エンターテインメントとしてはお手上げです!!

いや、アタシの音楽人生が全否定されるような気さえ致します（汗）。「虚実入り混じって」いる事も、大いに良かれとして、もうお互いイイ大人なんだから、無駄な議論はやめましょうよ。黒はアウトで、グレーも注意深く排して、安心安全な「真っ白」だけがオッケー。これ以上そんな風潮が進んだら、世の中、毒にも薬にもならないような歌ばかりになっちゃうけど、ホントにイイのかしらん？（これ、クセになるね）

いやこれ、濃いグレーな色合いの曲も、少しばかりは作品にして来たアタシ自身の、自己弁護に聞こえちゃうかな……？（大して色濃くもないのに、歌詞の意味合いが「黒」だと決めつけられる事も、不本意ながら昔からアタシの場合はありました。まぁ、アタシも公に顔を晒して仕事を頂いている身としては、覚悟の上……）

「真っ白」な歌番組

最近、テレビの歌番組を観ていて感じるモヤモヤした気分も、世の中に蔓延（はびこ）る「真っ白礼讃」志向と関係があるんだろうなぁ？

口を開けば、今やお馴染みの「コンプライアンス」なるモノのせいで、制作側がマジメ過ぎると言うか、ずいぶん堅く、息苦しくなってしまっているよね。誰にでも受け入れられるもの、どこからも叩かれないものを目指すと、ツルッと、フワッとした内容になりがちで、かつての「ハプニング」なんてモノは無縁というか……。

昔の歌謡番組なんて、生放送での不測の事態こそ面白かったのに。ドライアイスにつまずいて転んじゃったりとか、マイクロフォンが活きてないとか。今そんなコトしたら、「責任者出て来い!!」「大怪我したらどうするんだ!!」と〝社会的〟大問題にもなりかねない。

かつては司会者さんの進行やコメントも、なかなか自由で緩（ゆる）やかなものだった。「夜のヒットスタジオ」なんて、お母さんみたいな芳村真理さんと、優しい井上順さんが、

「大丈夫？　最近いろいろ週刊誌に書かれて大変だねぇ」

なんて、歌う前のアイドルに、いきなりど真ん中の直球放ったりして（笑）。そう、スタジオ中に「小さな世間」みたいな雰囲気が満ち溢れてましたよ（タレントのマネージャーさん達は、焦るだろうけど）。

それが今じゃ司会の方々、

「素晴らしかったですね」

「実に感動的でしたね」

みたいな、無難なコメントばかりで……。「突っ込まれドコロ」を限りなく排除していくと、余りにも真っ白過ぎて、白々（しらじら）しく思えてしまうのは、私だけなのかしらん？（もう、「かしらん」で誤魔かすのやめなさいって!!）そもそも歌い手の事を、一律に「アーティスト」なんて呼ぶのも違和感たっぷりで、アタシは気持ち悪いね。

歌う側も、この頃は実に丁寧な言葉遣いで、「新しく作らせて頂いた新曲を歌わせて頂きます」とばかりに、日本語が逆方向にブレてしまっている。そんなテレビ番組より、雑多な感情や立場が入り乱れるインターネットの世界の方が、やっぱりリアルで面白いってことになっちゃうのかね？

で、そんなお前は、これからどんな色の音楽を世に送り出すかって？　アタシとしてはこれからも、殆ど「どす黒い」に近いグレーな曲とかも、ガンガン作ったり歌っていきますよ!!　なんなら「群青色」や「燻銀（いぶしぎん）」だってやってやろうか？

と言いたいところだけど、あんまり尖り過ぎるとまた面倒臭そうだし……

（汗）。やっぱり「無色透明」なのが、当たり障りがなくてイイかねぇ!?

どうしよう……。それを考えたら、か弱きアタシの心の中は、「限りなく透明に近いグレー」に染まって行くのでありました。村上龍さんに謝ろう。

64 アタシが選ぶ日本の三大名曲(ポップス)!!

最近ふと我に返った時に、思う事がある。アタシもイイ歳なんだから、今後は、「やりたいコト」と「やるべきコト」だけを、毅然とした振る舞いでやろうじゃないか、と。

根っからの「おっちょこちょい」と「見栄っ張り」な性格が災いして、これまで随分と余計な回り道や迷い道をしながら、音楽畑を歩いて来た。振り向けば、我ながら良く出来た作品もあれば、今聴くと脇汗が噴き出しそうな「失敗作」も多々存在する。

ただ、ここで疑問が一つ。「いい歌」って、そもそも何なのだろう？　時代や演奏、歌唱、色んなものをひっくるめて、「名曲」たる要素を存分に孕んでいる曲とは、何であろうか？

今回は、日本が誇る名曲中の名曲選。読者の皆さんは意外に思われるかもしれないが……。アタシが、今の気分で考える「日本の三大名曲(ポップス)」を大発表して参ろう!!

まずは第一にこの曲を挙げたい。この人がいなければ、戦後ニッポン社会の様相も、おそらくは違っていたのではないか？　ジャ〜ン。それは、植木等さんの『ハイそれまでョ』だ!!

まず、曲の出だしはトロけるようなムード歌謡の世界。

「あ〜なた〜だ〜けが〜♫」と、フランク永井顔負けの、キザな二枚目風〝低音の魅力〟で歌い始める。このAメロ部分だけでも、すでに「名曲」の趣き充分である。大人の男の風格と色気を、満々に湛(たた)えた歌唱は、実にお見事!!　もしかしたら、御本人も「クレイジー・キャッツ」の芸風より、本来ならコッチの路線で行きたかったのではないか……と、勘ぐりたくなるほどの歌いっぷりである。植木さん流の、いつもの「三の線」ばかりを期待して、コレを聴いた当時の人は大いに面喰らったであろう。思わぬ歌い出しに出鼻を挫(くじ)かれ、その魅惑の低音ヴォイスに唖然としていると、その刹那……。

ほら、来た!!　期待を絶対に裏切らない「日本一の無責任男」!!　いや、稀代のエンターテイナーの真骨頂だ!!

「お願い〜、お〜願い〜、捨てないで〜♪」。そんな厳(おごそ)かなムードを、いきなりブレイクしたと思ったら……、「てなコト言われてソノ気になって〜♪」と、来たもんだ!!　ジャズ歌謡っぽくムーディーに始まった曲が、一転、激しい8ビートのツイスト・リズム（当時この踊りが一世を風靡した）へと急展開!!

「三日とあけずにキャバレーへ♫　カネのなる木があるじゃなし♪」。コメディ・タッチとは言え、悲哀を含んだシニカルな歌詞を、八分音符で連打し

「ハイそれまでョ」
コミックバンド「クレイジー・キャッツ」3作目のシングル楽曲で、1962年発表。作詞・青島幸男、作曲・萩原哲晶。ボーカル植木等が、ムード歌謡風の出だしからフィナーレのツイスト風までを鮮やかに歌いこなす。

て、怒濤の如くシャウトする植木等!!

「貢いだあげくが（ここで、暫しの小休止（ブレイク）があって）ハイそれまでョ〜♪」と、おいでになる。植木さん、何かに取り憑かれたような表情で、そんな捨て台詞というか、虚無感に満ちたアナーキーなサゲを放つ。その部分、歌の音階（メロディ）は、「Ｂｌｕｅｓ」である事この上なし!!

　そして突然、「ンッパパパパパパパッ!!」……、管楽器による「不協和音」が炸裂。せっかく高名な画家に描いてもらった「肖像画」を、無残にも引き裂くような無頼漢!!

「ふざけやがって、ふざけやがって、ふざけやがって、このヤロー!!」。己の女房に対してか、世の中に向けてか……彼は日本の男を代表して吠え、慟哭する!!

　ところがだ。やっぱり「世の男たち」は哀れで情け無い!!「泣けて〜く〜る〜」とフェルマータしながら、楽団（バンド）は譜面上には無い音を、各自が勝手に吹き鳴らす……。カオスとシュール……。世界の音楽史に残る、偉大なる「国産歌謡組曲」の第一章が終わる。

　あゝフラチ哉（かな）、人力の美学（アナログ）〜昭和元禄の響きよ!!

　確かに、今の米津玄師も藤井風もあいみょんも素晴らしい。しかし、おじさん達《植木等&鉄腕アトム&11PM世代》は、テレビでこういう凄いものを毎日観て来たせいか、今の「宅録世代」が作ったモノに、心が勃起し難（にく）いのだ（バ、バイアグラくれ!!）。

　作曲・編曲は萩原哲晶さん、そして作詞はと言えば青島幸男さんである。

「女房にしたのが大まちがい♪」「食べることだけ三人前♪」と、夫婦関係という不滅のテーマを鮮やかに、そして今思えば、かなり赤裸々に描き出す。そして、この曲の発する強烈なエナジーからは、戦後の混沌から、高度経済成長期に移り変わる時期のモーレツ会社員たちの、ヤケクソ気味な高揚感が伝わってくるのだ。

こんなに色んな要素がギュッと詰まった曲を、よくぞ歌い切る植木さん!! 芸達者どころか、たった一人で壮大なミュージカルを演じているようなものである。

覚え易くて、歌い易いのも「名曲」の条件だと思うのだが、他の人では、絶対にこの味は出せない。実はアタシも、かつてステージでこの曲を歌わせて頂いたことがあるのだが……、かなり四苦八苦したのを覚えている。

そう、『ハイそれまでョ』は、三分間に凝縮されてはいるが、ビートルズの『サージェント・ペパーズ』や、ガーシュインの『ラプソディ・イン・ブルー』などと並び称されるべき大傑作なのだ!!（それは違うだろ）

大阪弁はファンキーだ

それにしても、「三大名曲」と言いながら、一曲目でこんなに紙面を割いてしまうとは（汗）。

急げ!! 次なる「大名曲」は……。笠置シヅ子さんの『買物ブギー』だ!!

これの何がスゴイって、大阪弁で歌われる圧倒的なノリ!! 《大阪人＝音楽的には外国人説》を立証するのが正にこの曲なのである。

日本語は「西洋音楽」にノリづらいとは、よく言われるところ。それは言語の特性上、一つの音符に一音の「語」しか充てられないからなのである。「ボ・ク・は」と歌うには基本、「タン・タン・タン」と三つの拍が必要なのだ。ところが大阪弁は、「よう来たな」「ほな行こか」「そうでっか」……みたいな会話のセンテンスが、音符三つあれば難なく成立してしまう、実にファンキーな言語である。おそらく大阪弁に関しては、母音の数だって、五つだけではないのだと思う。

『買物ブギー』なら例えば、「わてほんまによう言わんわ」というサビのフレーズがお馴染みである。それを六つの音節に分けて、「わて・ほん・まに・ようい・わん・わ」と、流れるように音楽に乗せる事が出来る!!（ちょっと理屈っぽくてイヤだよね）

ヴォーカリスト、笠置シヅ子さんのリズム感がこれまたハンパない!! 昨今のラッパーより、ずっとパンチの効いたFlow（歌い回しのこと）を聴かせてくださる。これもまた、彼女にしか出来ない天才的歌唱。まさに神業である!!

さあ、次。コレでオーラス、三曲目!! ジャ～ン!!『祇園小唄』だ!!（美空ひばりの『リンゴ追分』にしようか迷ったが……）

この曲、知らない人も多かろう。そりゃそうだ。昭和五年、藤本二三吉の作品である。

京都を歌ったものは世に数多ある。「京都大原三千院～♪」の『女ひと

「祇園小唄」
1930年につくられた歌謡曲。作詞・長田幹彦、作曲・佐々紅華。京都の風物や舞子の世界を彷彿とさせる歌詞世界が全編にわたり展開する。戦後も歌い継がれ、藤圭子などがカバーしている。

り』とか、ベンチャーズが作って渚ゆう子さんが歌った『京都慕情』とかね。それでも、戦前から歌われている『祇園小唄』の右に出るものはナシ!!　ナンでかって？　そりゃあ、俺が選ぶんだから間違いないんだよ!!（中尾彬の声で）

「月は朧（おぼろ）に東山♪」「霞む夜ごとのかがり火に♪」といった五七調の歌詞が、京都の情景をありありと描き出す。

「祇園恋しや　だらりの帯よ♪」という、各ヴァースを締める部分……特に「お・び・よ」の「お」のところはminor6th.の和音階で、コレがまた我が大和民族の「ツボ」である!!　世界に誇るべき、〝邦楽〟ならではの味わい深さがここにあるのだ。

現代の音楽（ポップス）が、洋楽のオマージュという側面を色濃く持っているのは間違いない。しかし、日本人は加工や融合が実に上手かった。外国文化に影響は受けながら、匠の技で見事にオリジナルとして花開いたものが、『ハイそれまでョ』と『買物ブギー』である（他にも数多あるのだが、今日のところはコレで勘弁してくれ）。

そして『祇園小唄』は、洋楽の影響など微塵も受けずに、「日本の情緒」をそのまま体現したような傑作だとアタシは思う。

キャッチーであるという事、親しみ易くて歌い易いという事が「ポップスの前提条件」なのだ。「名曲」「名作」は数多くあれど、時代・歌唱・演奏・編曲……すべてが揃い踏みした、後世に影響を与えるような「傑作」は、今日の気分で、この三曲に決定である!!

え、何でかって？　だから、俺がイイって言うんだからガタガタ言うなよ!!

65 マネージャー物語 〜大里洋吉の教え〜

二〇二一年も気づけば四月。アタシもこれまでの人生、本当に色んな人と出逢って来たのだが、その中でも特に衝撃的だった方がお一人。そう。それは何を隠そう、我らがアミューズの会長、大里洋吉さんなのである!!

大里社長（当時）がアミューズを設立したのは、一九七八年のこと。あれは大里さん弱冠三十二歳の時。サザンオールスターズも、縁あってそこにジョインさせてもらう事となったのだが。音楽業界の事はもちろん、世間の何たるかもさっぱり分からない学生風情。まさにそんな我々を、かの大里さんは親身になって、今日（こんにち）までビシバシと鍛え上げてくれたのである!!

今でも、たまに会うとフト気付くのだが、大里さんは殆ど「雑談」をしない。ゴルフがどうの、お天気がどうの、女の子がなんちゃらといったやり取りは一切なく、いきなりその日に一番言いたいコト、つまりはビジネスの話をアタシにブチ込んで来るのである。しかも、そのビジネスの話というのは、ほとんどが「夢」のような「壮大」な物語（テーマ）だ。

大里洋吉
渡辺プロダクションを経て1977年独立。翌年、芸能事務所アミューズを創業する。サザンオールスターズをはじめ多くのミュージシャン、俳優、タレントのプロデュース・マネジメントを手がけてきた。

　先日も久しぶりに、スタジオに単身乗り込んで来たかと思うと、いきなり「五分、時間ちょうだい!!」「ねぇ、ミュージカルやらない？　お前が全部音楽やるんだよ」「コロナが収束したら、〇〇〇の上のステージでライブをやって、世界に発信しないか!?」。この人のアイデアの「提案」には、「起承転結」の最初の三文字は無い。いきなり「結」から話を始めて、「何から始めるの？」とコチラが尋ねると、「だ～から、それは、お前と社長の中西で考えろ!!」といった無茶振りを、四十年以上繰り広げる。このクソじじい……。

　昔からこの人とのミーティングには、楽しい中にも緊迫感があり、その博識ぶりと、奇想天外な発想に驚かされる。己の会社はおろか、世界規模レベルで社会全体を憂慮し、日本の明るい未来の一端を担おうと言う。熱意溢れるマシンガンのようなトーク。身振り手振りも交え、大里さんの情熱と迫力に気圧されるうちに、こちらも何だか「やれば出来るような」気にさえなって来るのだ。「そこまで会長が言うなら、やりましょうよ!!」と、アタシ。「ありがとう、今日は話が出来て良かったよ」と大里さん。最後はアタシの目を真っ直ぐ見据え、推定約七十キロの握力で、硬い握手を求めてくる。い、痛い……。会長、顔近いし……、もう少し、ディスタンスとってよ……（汗）。

　大里会長のカリスマ性とエンタメへの愛がスタッフやアーティストを始め、多くの人間の心を動かす。悔しいけどあの人、皆んなに愛されているのだ。しかし、最近はお歳のせいか「ツッコミどころ」も満載だ（笑）。本人としては渾身の大ボラを吹いたつもりが、ミエミエですぐにバレる（笑）。声がデカ過ぎて、鉄板焼き屋の個室に居ても、店内に話の内容が丸聞こえになってしまう（汗）。文春さん、面白いからいらっしゃい。

会社のすべてのアーティストのライブにも足繁く通う。そこでアタシのMCや演出が気に入らなかった時は、「ナンだあの言い方は。あれじゃ相手に対して全く誠意が伝わらないだろ!!」と、遠慮会釈なくズバズバとダメ出しをしてくる。この因業ジジイ……と、アタシは心の中で思う。

特に手厳しいのは、歌を聴いてくださるお客さんへの姿勢に関する事。だけど、コレは大変ありがたい事だと思っている。言う方も相当な覚悟とエネルギーが要るだろう。しかし、そこを乗り越えて「ダメ出し」をしてくれる人が側にいるのは、実に幸せな事ではないか。

デビュー前、あらゆるプロダクションから「契約」を断られていたサザン。一縷（いちる）の望みで最後のオーディション会場へ。そこに現れたのが、アフロ・ヘアーに幅広のネクタイ、タイトなジャケットに、パンタロンと上げ底靴（ハイヒールシューズ）を履いた大里さんだった（笑）。なんか業界っぽくて軽薄そうだなあ、と思ったアタシ。ややもすれば「落選」に慣れてしまっていたアタシらは、どうせダメだろうと思って『女呼んでブギ』や作りかけの『勝手にシンドバッド』を演った。あとで聞いたら、大里さんもデモテープを聴いた時点では、「断る」腹づもりでいたらしい。だが、縁は異なもの、『シンドバッド』を聴いて、これ一発だけなら（?）コイツらも売れるだろうと、瞬時にソロバンをハジいたとの事（笑）。

結果は、大里さんに拾われたわけだが、築いた関係性は、その後もずっと

「女呼んでブギ」
1978年発表の楽曲。サザンオールスターズのファーストアルバム『熱い胸さわぎ』所収。デビュー前から桑田佳祐がすでに持ち歌にしていたが、歌詞は明確に決まっておらずアドリブで歌われていた。

続いている。

一九八〇年。まだ駆け出しだったサザンを、急遽半年休ませるという奇策に打って出たのも、あの人なのである。デビュー曲『勝手にシンドバッド』で注目されたサザンは、そのまま毎年全国ツアーを回っていたが、二年もすると地方での客足が下降し始めた。そうこうするうちに、大里さんはアタシを呼び出し、こう切り出したのだ。

「お前らさ、しばらく休まない？」「えっ？」

もしかして、コレが「肩たたき」ってヤツか？　大里さんの真意がちっとも汲み取れない。

「代わりにその間、月に一枚ずつシングルレコード出すんだよ。どう？」

大里さん曰く、「戦略的な休養だ。これはビートルズもやっていた高等戦術だぞ」と。煙に巻かれた気分で、とにかくやってみる事になった訳だけど、人前に出ない期間を設けた事は、今振り返っても正解だったと思う。曲作りに集中出来たし、何より、地に足がつかないような状況の中、お陰で自分達自身を取り戻す事が出来た。デビュー以来、突っ走るばかりだったサザンを見ていて、大里さん、ここらでオーバーホールが必要だろうと、我々の精神的な疲弊も見抜いていたのだと思う。

一九八二年、西武球場でやった「パルサーJAM」。複数のバンドが出演するイベントに、サザンは「トリ」として出演した。その日は、夏の台風が関東を直撃。雨風大荒れの天気だった!!　そんな中で、トリ前のHOUNDDOGが圧巻のパフォーマンスを見せていた。ズブ濡れの観客は大盛り上がりで、後方のテント控え室から様子を窺っていたアタシは、思わず腰が引けた。

「ナ、ナンだかこの後出にくいなぁ（汗）」

人の心を動かす言葉

そんな時。大雨の中、合羽を着込んで長靴を履いた大里さんが近づいて来て、

「あんまり難しく考えるんじゃないぞ（笑）。客を煽るだけ煽ってくれれば、それでいいんだよ。ソレがお前らの役目だろう!!」

このひと言で、すべてがふっ切れた。デビュー以来、自分のやるべき事がその一言で明快になった瞬間だった。人の心を瞬時に動かす彼の言葉に、いつも助けられ、励まされて来たのだ。

思えば大里さんに始まり、ここまで沢山のマネージャーと一緒に仕事をして来た。同い年の松野君とはお互い呼び捨てで、隠し事の無い付き合いが出来た。ただアイツ、経費関係にはキビしくてね。駐車場の領収書を持っていくと、「あ、これダメだわ、経費じゃ落とせない。茅ヶ崎からクルマで来たの？　馬鹿だね、電車で来りゃあイイじゃないか」って、アタシだって多少顔が売れて来たんだけど……と言うと、ニヤリと微笑む素敵な奴だった。

次にやって来た相馬君は、一九八七年から二十年以上もマネージャーをやってくれた。バンカラな人間臭い男で、本当に頼もしかった。彼がいてくれ

たお陰で、バブル期や世紀の境目といった変化の激しい時代を、サザンは何とか乗り越えられたと思う。酒が強くて、続いてマネージャーになる、現在のアミューズ社長の中西君を、「呑みの席」でガンガン〝鍛えて〟くれたっけ（笑）。二〇〇〇年の「ファンの集い」の帰り、湯布院の旅館に泊まり、アタシはスタッフと共に呑んで騒いだ!! その時、飲まされ過ぎて「男子小便器」に詰まった、中西君が「リヴァース」したモノを、上司の相馬君が懸命に素手で処分しているのを見て、アタシはこのチームが益々好きになった（笑）。

こうして振り返ると、皆、熱のあるイイ人間ばかりなのだ。これ、やっぱり「大里イズム」が染み渡っているんだと思う。大里さんは、昔からスタッフに、口を酸っぱくして言っていた。

「マネージャーとは、アーティストと一緒に新しいモノをクリエイトしていく立場である。独立した志を持って行動（マネジメント）すべし!!」

大里さん、あなたの教えを継承したスタッフに支えられて、ボカァ幸せだなぁ!! 今度また美味い酒でも飲みましょう!!

おっと……。そんな話をしていたら、なんと来週がこの連載の最後だって!? そりゃまた寂しい限りですなあ。さて、最後はどんな話で締めようかなあ？

66　おそらく、一生音楽人宣言

デビュー何周年!!　などとブチ上げたり、バンド結成日に合わせてコンサートをやったり。日付や年数といった数字に結構こだわってしまうところが、我々の仕事や業界にはあるものだ。

まぁ、自分の気持ちを鼓舞したり、ファンの皆さんと「慶事」を共有出来るんだから、とっても有り難い仕組み（システム）なのだと思うけど。

でも、さすがに最近は、「キリのいい数字」や「ハレの日」を、ここぞとばかり過剰に演出せんでもイイのに……なんて思うようになった（汗）。

と言うのもね……。積み上げた活動の数を勘定するとか、カウントダウンみたいな事をやらなくても、おそらくアタシは、これからも音楽をやって行くからね……（だって、それしか出来ないんだよ）。

齢（よわい）を重ねると、どんなジャンルの人間でも、「引退」とか「リタイア」とか「辞去」とか「筆を置く」とか、言ったり言われたりするけど……。

そう。ここでハッキリと申し上げておきたい!!

アタシはこの先何があっても、音楽を辞めないだろう……と。

依ってここに、『おそらく、一生音楽人宣言』をさせて頂きます!!（一生って、あと何年だよ!?　しかも、〃おそらく〃って……）

いや、実は「老後」のコトなど色々考えたんだけど、もし辞めたとしても、その後に、これまで以上の楽しい人生が待っているとは、全然思えなくてね（汗）。そういう意味では、非常に打算的な「宣言」でもあるのだ。

アタシも二月に誕生日を迎えて、もう六十五歳。

昔は自分でも、「ロックやポップスは、なんだかんだ言って『若い者の特権』だ!!」などと考えていたけど。

でも、どうやらそうではなかったようだ（笑）。五十代に成れば成ったなりの、六十代には六十代に成らないと感じ取れないような、感情の「ひだ」や「機微」があるというのが、少しずつ分かってきた。

だったら、それを歌にすりゃあイイんだ。そうすれば幾つになっても、新しい挑戦が出来るじゃあないか!!　……と、非常に短絡的に、そんな風に考えるようになったのである。やっぱりコレは「打算」なんだろうな。

そうは言っても、ホントに一生続けられるかどうかは正直分からない。

また病気やケガをするかも知れないし、社会の状況だってどうなるか読めないからね。

だったら尚更、ヤレるうちはヤラセて貰えばイイではないかと。

自分から「卒業」だの、どうだの言うのは、ナンかチョット勿体ないって気がするからさ。（俺みたいに、勿体ないからって理由でバンド続けてるヤツ……カッコ悪いよね？）

そんな心境になったのも、この連載を一年半近くもやるハメになった……じゃなくて、やらせて頂いたお陰なのである。

今さら言うのもナンだけど、毎週の連載を持つって、スゴぉ〜く大変なコトなんだね!!（汗）

来週は何を書こうか、再来週はどうするんだ？　と日々、血まなこになって（そりゃ大袈裟だけど）、身の回りや世間を見渡していた!!　己の記憶を掘り返し、「越し方行く末」にも随分と想いを馳せたものだ。

こんなコトしてたら、アタシのような底の浅い人間は、すぐに刀は折れ矢は尽きて、いつしか「ネタ切れ」という名の敗北が目に見えている。

長期連載しておられる林真理子さんやみうらじゅんさん、伊集院静さん……。あの方々の神業(かみわざ)的スゴさが、骨身に染みて理解出来た。

ともあれ、世間のコト、身辺のコト、自分自身のコトを、とっくりと眺めながら過ごしていると、物事の感じ方や、心の中に渦巻いているモノが、うっすら見えて来るようにもなった。

それら、色んな想いを煎じ詰めてみると、

「自分は音楽を作ってナンボの人間(もの)ではないか」

「どう転んでも、コラムニストの真似事をするタマじゃない」

「下手な鉄砲を撃つにしても、本業との両立はチト難しい（汗）」

という、至極当たり前の「屁理屈」に辿り着いたわけだ。

そりゃあ昔から、アタシにとって音楽は一番大切なモノだったけど、頭の

林真理子　みうらじゅん　伊集院静
林真理子は小説家・エッセイスト。１９８６年「最終便に間に合えば」「京都まで」で直木賞。週刊文春で「夜ふけのなわとび」を連載。みうらじゅんは漫画家・イラストレーター。週刊文春で「人生エロエロ」を連載。伊集院静は作家・作詞家。１９９２年『受け月』で直木賞。週刊文春で「悩むが花」を連載。

中はもっと雑然としていた。ヤレお金が欲しい、家が、車が、はたまた人気や名誉が欲しい……。イヤハヤ、アタシの人生は見事に煩悩まみれだ!!

でも、さすがに段々と、そんなトンがった部分も薄らいで来たように思える。大病もしたせいか、どうしても欲しいモノなんて、今の仕事を続けられるだけの「健康」や「体力」くらいしか、咄嗟には思いつかない（咄嗟……にはね）。

語弊があるかもしれないが、半年に一回受けてる健康診断とか、この頃なんだか愉しみで仕方がないのだ!!

内視鏡を口から挿れる際、アタシはエズキが強いので軽い麻酔を打って頂くんだけど、その途端に「ス〜〜〜ッ……」と意識が遠のく瞬間の、あの快楽、気持ちの良さと言ったら、アータ、もうタマらんよ!!

実は最近、ライブの前にも時折「点滴」を打って頂いて、ステージへ出て行くのである。水分と養分をしっかり体内に蓄えるためと、ステージを安心してやり切るための、ある種の「保険」にも繋がっていると思う。

点滴打ってステージに上がるなんて、以前だったら「我ながら情けない」「他人には言いたくない」なんて思っただろうけど、今はそんなリアルな自分を、丸ごと受け入れている。

一回でも多く、ステージに立つためなら、こんな「ルーティン」をこなす事も吝かでないし、ひとえにコレも自分の実力のウチなのである。

そうしたアタシの内側の変化と同時に、世の中だって随分と変わって来た。大災害やコロナにも見舞われ、日本の景気も低迷続きだ。高度経済成長期やバブル時代のような「上昇志向」ばかりでは通らない。もはや「ハレ」の日よりも「ケ」の日の方が、この時代にとってはノーマルだ……という空気感が世に蔓延している。

アタシたちの仕事にしたって、チャートやＣＤの売り上げの多さを、「最優先（プライオリティ）」としていれば良かった時代はとうに過ぎた。

そして、こんな狭い日本で、数字ばかりに固執するのは、あんまり仕事としても面白いとは思えなくなってきたのである。

音楽があればどうにかなるさ

先般アタクシ、Blue Note Tokyo という場所でライブをやらせて頂いたが、ハコのサイズから言えば、いつものような会場とは、比べようもない。しかし、ドームやアリーナでコンサートをやるのとはまた違った、心地良い新鮮な空気を味わう事が出来た。

月並みな言い方かもしれないが、音楽そのものと素直に向き合えるとでも言うか。けっして数字には表せない感覚も、これからはもっと大切にしていきたいと、かの Blue Note ライブでは痛感した思いである。

自分の中の優先順位みたいなものが、以前より幾分整理された感はあるのだろう。

やはり音楽には、なんらかの「救い」があり、アタシはそれを求めていると思う。

辛い時や悲しい時……それは誰しもある事だが、「音楽があればどうにかなるさ」と自分に言い聞かせながら、残りの人生を、アタシは生きると思う。

アタシとしては「音楽の力」を考える時、今から十年前の東日本大震災の記憶を切り離すわけにいかない。あの震災を体験した一人として、及ばずながら何か出来る事は無いかといつも考えてきたつもりだ。

震災から半年が経った時、宮城で二日間ライブをやらせて頂いた。その時の会場の皆さんの歓声が、今も頭から離れない。簡単に形容してはいけないかもしれないが、

「我々は、そもそも〝悲しいから〟歌うんじゃないか?」

「苦痛を伴う人生があってこその、音楽(ポップス)なんじゃないか?」

そんな思いが、当時の皆さんの歓声や表情に触れた時、アタシの胸をかすめていった。

東北と向き合って、何が出来るか自問することはこれからも続くだろう。

「オマエの歌が東北にとって何の足しになるんだ?」

と言われれば、ごもっとも。「音楽人=特別な才能、人を救える」などとは思っていない。

ただ、皆さんと「思い」を共有するコトにおいての、歌そのもののチカラだけは信じてみたい。

まあ、長年「ポップス歌手」をやってきた身としても、皆さんの前で歌うこと以上の表現方法は、なかなか思いつかないけれど。

と、エラそうに語っておきながら、ふと気づけばこのところ、本業の作

詞・作曲という作業がほとんど出来ずに滞（とどこお）っていたのである（汗）。

何故かって？　そりゃ、この連載に、全身全霊を懸けてきたからですよ!!

この一年数カ月、ああでもないこうでもないと文章と格闘していて、それを〝言い訳に〟歌を作って来なかったとも言える（汗）。

イカンなぁ、これじゃ。という事で、ここいらで一旦筆を置かせて頂こうかと思うのだ。

恥ずかしながら、コロナ禍の鬱々とした気持ちが続き、なかなか音楽制作と向き合う気になれなかった、というのも本音なんだけど……。

しかし、この「連載」からは、本当に色々なものを学ばせて頂いた。

今はもう逢えない人達や、忘れられない場所に立ち帰る事も出来た。

そして、この何かと厄介なご時世に、大変ありがたい「発信の場所」を与えて頂いたと思っている。

週刊文春さん、本当にありがとうございました!!

特に、担当の「I」さんと、構成の山内宏泰さんには大変々々お世話になり、深く感謝申し上げる次第であります。

こんなアタシでヨロシければ、もし、また、万が一でも機会があったら、何か書かせて頂くなり、今後ともご一緒させて下さいね。

そろそろアタシも、ポップス歌手として皆さんにお目に掛かれる日に向けて、心身ともに万全を期したいと思うのです。

読者の皆さんもお身体を大切に。

また逢う日まで。

あとがき「女房の日記」

Yuko Hara
原由子

某月某日

巣ごもりの日々は継続中。明け方四時半ごろ、隣りで寝ていた夫が起き出す気配に、私も目が覚める。夫が私を起こさないようにと気遣っている様子なので、私もぐっすり寝ているふりをする。洗面所に行ってからまたベッドに戻るのかと思っていると、そのまま書斎に行き、電気スタンドの灯りをつけて何やら始めた気配。

私は知っている。文春の原稿を書いているのだ。

思い起こせば、週一の連載をもたせて頂いて以来、週に二、三日はこんな感じだ。こういう事は以前からよくあった。元々不眠症気味の夫だが、曲を作っている時などは、就寝中も頭の中で音楽が鳴ってしまうらしく、佳いメロディーや言葉が降りてきた時にはたちまち脳が覚醒してしまう。それを忘れない内にと書斎に行きボイスレコーダーに録音したり、ノートに書き留めたりする。ライブ前も曲順や演出を思いつく度に目を覚まし、メモしたりメールを送ったりするのだ。それが済むとベッドに戻って来て、うまく行けば二度寝をする。二度寝出来ずにそのまま起きてしまう日もあるけど。私も少しでも長く眠れるようにと、就寝前にヘッドマッサージをしたり出来る限りの事はするけど、あまり効かないのかな(泣)。

そんな訳で、音楽に関しては夜も眠れない程全身全霊で取り組む夫だが、文春の連載にも全身全霊を懸けてるみたいだ!! そんな事を考えている内に私は二度寝してしまったようで、夫が朝方ベッドに戻って来て二度寝を始めた気配に気づき、安心して三度寝に入った（また寝るのかよ！）。

そんな朝であった。

某月某日

夫の茅ヶ崎の親戚から、今までどこを探してもないとされていた夫の母方の祖父の写真が見つかったとメールが来た。古い金庫にしまってあった財布の中に、たった一枚あったのだ。写真の祖父はなかなかのハンサムで、美人さんだった夫の母を思い出した。祖父は結核の為、四十代の若さで茅ヶ崎にあった結核療養所南湖院で亡くなっている。早世したせいで写真をあまり撮らなかったのかな。

実は、長い巣ごもり中、私は夫のルーツを調べて楽しんでいた。私が調べておかないと、次の代では親戚との繋がりも薄くなって行くし、全く分からなくなってしまうだろうと思ったのだ。私だってこのご時世、いつまで元気でいられるかも分からないのだし。

母が生前「私の実家が茅ヶ崎の歴史写真集に載っているのよ」と嬉しそうに語っていたのを思い出し、写真集を見てみると、昭和初期に東海道沿いにあった何でも屋として実家の写真があった。「太田屋百貨店」と立派な名前の看板が出ているが、食料品からたばこや雑貨まで売る何でも屋だったそうだ。ロックから歌謡曲まで何でも歌う夫を、ちょっと思い出した。

某月某日

夫の父方の親戚から、夫の曾祖父母の写真が見つかったとメールが送られてきた。すっきりしようゆ顔の曾祖父と、日本髪の可愛らしい曾祖母が結婚した頃の写真だ。

桑田家は明治初頭、小倉の城下町に住んでいた。丁度森鷗外が小倉に赴任して、「小倉日記」を書いた頃と重なる。戸籍の住所を見るとすぐ近くなので、桑田家と森鷗外もご近所付き合いがあったかもなんて楽しみながら「小倉日記」を読んだ。現在はかなりの繁華街のようだが、当時は閑静な町だったらしい。

この曾祖父も四十代で早世したので、桑田家は息子達が中心となって満洲に渡り、夫の父も幼少期を満洲で過ごした。実は桑田家は祖母の実家で、祖父はやはり満洲に働きに来ていた鹿児島の農家の次男だ。満洲にいる内に離婚してしまい、祖母は父を連れて桑田家に戻ったのだ。戦後北九州に引き揚げて来た後上京し、映画好きだった父はしばらく日劇で働いていたそうだ。その縁で、当時映画制作が盛んだった茅ヶ崎に移り住み、夫の母と出会った。父は昔話が好きで、私も父から満洲の話をよく聞いたので、「流れる雲を追いかけて」や「かしの樹の下で」といった曲を、心をこめて歌う事が出来たと思う。歌の内容は父とは関係ないが、当時、満洲残留孤児問題に父が胸を痛めていたのを思い出す。父から聞いた満洲や昭和の映画界の話、そし

昭和初期の東海道沿いにあった桑田の母方の実家「太田屋百貨店」(「保存版 ふるさと茅ヶ崎」郷土出版社より)

て生まれ育った茅ヶ崎への思いが、今の夫の作品にも生きているのだ。

某月某日

明け方四時半頃、今朝も夫は目が覚めてしまったようで書斎に向かった。また文春の原稿を書いているのだろう。ただ、今回が最終回なので、原稿の為の早起きも今日で終わりなのかなと感慨深い。二〇二〇年のお正月から始まった連載。「頭もアソコも元気なうちに、言いたい事を言っておく！」なんて言ってたけど、連載を始めてみたら、言いたい事は、子供の頃から影響を受けたりお世話になった人達への感謝と礼賛だったようだ。

連載が始まって間もなくコロナ禍に見舞われ、医療従事者の方々始め日本中が大変な思いをされている中、音楽界も窮地に陥り、私達に何が出来るのか試行錯誤の日々。まさかサザンオールスターズが、デビュー四十三年目の記念日に無観客の配信ライブをやるなんて！　この時は文春の原稿書きとライブの準備が重なり、殆ど眠れない日々が続いていたっけ。それでもライブはおかげ様で楽しくやらせて頂いた。その後同じくサザンの年越しライブでは、全国の花火師さん達とコラボしたり、夫はライブハウスへの感謝を込めて、ソロでブルーノート東京での無観客配信ライブも。その合間にレコーディングも少しずつ進めていたので、大変な一年数カ月だったけど、この連載のおかげで色々な事を思い出したり、気づきを得たようだ。夫は本当に素晴らしい体験をさせて頂いたと思う。

文春さんありがとうございます！　そんな事を考えている内に二度寝してしまった私が目覚めた時、丁度夫が書斎から戻って来た。

「文春の原稿書き終わったよー！」

と、とびっきりの笑顔で。

構成＝山内宏泰 ／ カバー写真＝土屋高弘
本文中写真＝岡田貴之（扉裏、p44）／ 土屋高弘（p6）
倭田宏樹（p261、p425）／ 西槙太一（p320）
装幀＝中川真吾 ／ DTP＝エヴリ・シンク

桑田佳祐（くわた　けいすけ）

1956年、神奈川県茅ヶ崎市生まれ。日本の国民的ロックバンド「サザンオールスターズ」のリーダーであり、作詞・作曲、ボーカル、ギターを担当。1978年にシングル「勝手にシンドバッド」でデビュー以来、記憶と記録に残る数々の作品を世に送り続け、現在までに55枚のシングルと15枚のアルバムを発表。2000年発表のシングル「TSUNAMI」は300万枚ものセールスを記録し、日本のロック・ポップス部門で歴代1位に輝く。1987年以降はソロ活動も精力的に行っており、40年以上にわたって日本の音楽界をリードし続けている。

ポップス歌手の耐えられない軽さ

2021年10月10日　第1刷発行
2021年10月25日　第3刷発行

著　者　桑田佳祐

発行者　小田慶郎

発行所　株式会社 文藝春秋
〒102-8008
東京都千代田区紀尾井町3-23
電話　03-3265-1211㈹

印刷所　精興社

製本所　大口製本

 ISBN978-4-16-391449-7　Printed in Japan